L'enfant-mouche

DU MÊME AUTEUR

L'homme qui marchait avec une balle dans la tête,
Flammarion, 2006 ; J'ai lu, 2008.

La Fabrique de Souvenirs, Flammarion, 2008 ; J'ai lu,
2009.

Mondial Nomade, Flammarion, 2011 ; paru sous le titre
Voyage au pays des meubles défunts, J'ai lu, 2018.

PHILIPPE POLLET-VILLARD

L'enfant-mouche

―――――

ROMAN

Note de l'auteur

Tout cela est inspiré de l'enfance de ma mère. Une longue histoire, trouble, proche de la fable, que ma mère nous racontait autrefois et dont l'évocation la faisait presque toujours fondre en larmes.

À ma mère, donc.

Prologue

Un homme assis dans un couloir, une ombre. Le soleil qui chauffe les carreaux du dispensaire de Casablanca entame ses contours, c'est une image floue. C'est loin, à présent. L'homme bégaie des inepties en arabe, enfin, un genre d'arabe, pas tout à fait du patois car il mélange les mots. Les propriétaires des vignobles voisins l'ont amené car il se vante depuis quelques jours d'être doué d'une force surnaturelle, il se pavane, il parle, il parle, surtout – et là, c'est plus embêtant – il est sujet à des pertes d'équilibre. Il tombe, bascule dans les paniers à raisin, manque de passer sous les roues du tracteur, se blesse avec les outils. En proie à des hallucinations, il s'adresse à des visages invisibles, qu'il embrasse et insulte tour à tour. Les maîtres ont d'abord pensé qu'il buvait en cachette, mais non, l'ouvrier ne boit pas. C'est un bon musulman. Alors les maîtres se sont demandé s'il n'avait pas attrapé un *mal local*. Le mal local, une autre façon de désigner la sorcellerie, à peu près tout ce que l'on ne sait pas. On a envisagé une consultation chez un marabout qui officie à quatre-vingts kilomètres de là, dans un village du bord de mer, sur les falaises, sous un rocher. Un ermite, un sage, un grand homme qu'il faut, paraît-il, payer avec du sucre et des bougies. Mais rien ne s'est passé comme prévu car le chemin pour accéder à son antre était effondré. Il a fallu emprunter un autre sentier, abandonner le camion du vignoble pour le transporter à dos de mule, négociée au prix fort avec un porteur d'eau. L'ouvrier ensorcelé s'est débattu, alors on lui a lié les pieds et les poings afin qu'il n'effraie pas sa monture. Un enfer de chemin, un calvaire. Lorsque l'équipée est arrivée, le saint marabout était lui-même victime d'une dysenterie, plié en deux, livide, accablé par des diarrhées, incapable de faire un pas, de prononcer ne serait-ce le moindre mot sans vomir. D'ailleurs, en fait d'intercession auprès des esprits du mal, quelques-uns de ses *patients* traînaient là, en haillons ou enchaînés à des pieux, pour certains. Une vision d'horreur, un cauchemar. Alors il a fallu renoncer, redescendre, trouver une autre idée pour l'ouvrier délirant, opter pour un guérisseur sur la place du grand marché de Casa en mesure d'accomplir des miracles *plus en douceur* en faisant simplement *parler* la maladie. Mais le forain hâbleur, ses herbes à fumigation, son coq noir et ses prières débitées à cent sous de l'heure étaient restés sans effet.

Anne-Angèle, une infirmière au visage fatigué et à laquelle il serait difficile de donner un âge tant elle feint l'impassibilité, écoute. Elle hoche la tête, *oui, oui* et encore *oui*, puis elle demande aux colons de bien vouloir la laisser seule avec l'ouvrier.

Elle soulève la chemise de l'homme, dont le torse est couvert de blessures. Par endroits on dirait des tatouages, sortes d'illustrations florales organisées en cercles qui passent sous le bras et remontent jusqu'à l'épine de l'omoplate. Anne-Angèle n'a pas besoin d'en référer à son supérieur, ces auréoles cuivrées que l'on pourrait confondre avec la rougeole, elle sait les interpréter : *syphilis*. Dans deux jours, le tréponème aura emprunté le chemin des vertèbres pour envahir le cerveau. Il sera trop tard. Le mal aura éclos en méningite. Ce sera la fin. Le pauvre bougre ne distingue déjà plus rien de ce qui se passe autour de lui. Il n'a pas seulement le regard fixe, il est déjà quasi aveugle. Anne-Angèle demande à l'assistante d'étage, une jeune Arabe boulotte qu'elle nomme « ma petite Taïa », de bien vouloir lui apporter une ampoule de sérum. La petite Taïa quitte la pièce et revient. Voilà, sitôt dit, sitôt fait, l'ampoule passe dans la main d'Anne-Angèle qui en casse l'extrémité. L'ouvrier, retrouvant la parole, demande en bredouillant ce que l'on va lui administrer. Anne-Angèle ne répond pas. On ne peut pas expliquer et soigner en même temps. Enfin, si certains le peuvent, elle, non. Le dément syphilitique cherche autour de lui, tend la main vers la seringue dont il perçoit confusément l'éclat, se pique, hurle. Il demande une fois encore qu'on lui explique ce qu'on est en train de lui faire, mais cette fois-ci il ne supplie plus, il ordonne, aboie. Il *veut* savoir. Du tréfonds de sa fièvre il lui reste cette étincelle de lucidité. Anne-Angèle hésite à lui mentir et lui révèle finalement qu'on est en train de lui inoculer un traitement qui élèvera sa température. « En fait, lui dit-elle, avec les quelques mots d'arabe qu'elle connaît, on vous injecte la malaria », elle ajoute que c'est la seule façon de stopper la progression de la maladie.

« Faire monter la fièvre », dit-elle en tâchant de mimer la fumée d'une cheminée.

— Earaq, shifa ! Toi, transpirer, beaucoup, beaucoup et aller mieux après... La maladie sortir de toi par la peau ! Toi comprendre ?

Le pauvre homme ne comprend rien, enfin, il a juste compris qu'on allait lui inoculer la malaria, alors il dit : « Non, non, non, non, la malaria, non ! » Anne-Angèle lui répond que c'est comme ça, lui répète qu'il n'existe aucun autre traitement pour éradiquer la syphilis et que s'il ne voulait pas tomber malade, il aurait fallu qu'il réfléchisse avant d'aller dépenser sa paie dans un bordel.

Le type se débat et ça vire au comique. Dans un cirque, la vieille infirmière et lui auraient fait un duo de clowns épatant. Les enfants en redemanderaient. Le syphilitique hurle en écarquillant les yeux qu'il n'a jamais mis les pieds dans un bordel, jamais de la vie ! Qu'il est juste employé aux vignes, juste un employé des vignes ! Né dans une honorable famille de paysans de Sidi Bettache et qu'à ce titre il mérite qu'on lui fournisse d'autres explications. Anne-Angèle garde son calme. Après tout, peut-être dit-il la vérité ? Elle imagine mal ce bonhomme avec son horrible tête simiesque, ses chiffons sales noués autour du crâne et sa barbe broussailleuse en train de faire le beau dans un salon à putes de Casablanca.

Peut-être s'est-il seulement blessé en maniant le ciseau à raisin d'un autre syphilitique ? L'un de ses patrons peut-être même, l'un de ceux qui l'ont traîné jusqu'ici à l'aube, après avoir fait le tour des charlatans du coin ? Peu importe.

Elle lui demande s'il préfère mourir de la syphilis plutôt que d'avoir la fièvre durant quelques jours.

— La fièvre, on en souffre, mais la syphilis on en meurt toujours, tu comprends ? Tu comprends ce que je te dis ?

Mais non, le bougre n'a plus les moyens de réfléchir, la maladie pense pour lui et c'est atroce. Il attrape un scalpel qui traîne sur la table de soin et le brandit en direction d'Anne-Angèle, la lame dirigée vers l'intérieur, comme un couteau à grappe. Prêt à trancher le cou de la vieille infirmière qui appelle des brancardiers à la rescousse.

Deux Africains pénètrent dans la pièce et s'emparent du forcené, lui tordant le bras jusqu'à lui faire lâcher le scalpel.

Ce bras-là, Anne-Angèle en profite pour y planter sa seringue. Voilà, le paludisme est passé dans la chair du bonhomme. Dans une journée tout au plus, il sera plongé dans un océan de fièvre et, si tout se passe comme prévu, les symptômes de la syphilis régresseront. Ils ne disparaîtront pas totalement bien sûr, puisque la syphilis reste une maladie mortelle, mais ils se feront plus discrets, plus lents. La science aura vaincu. En attendant, le malade continue de proférer une litanie de malédictions à l'endroit des deux Africains, les traitant de fumiers, de fils d'esclaves puants, de moins que des chiens, puis il s'en prend à Anne-Angèle et lui promet d'être emportée par le diable.

Ça aussi, Anne-Angèle connaît. Dans cet hôpital, il en est souvent question, du diable. *Shaitan, Iblis, djinns*. Si elle croyait à toutes ces sottises, il y a longtemps qu'elle serait morte ou transformée en âne, elle aussi. Mais justement, Anne-Angèle n'y croit pas. Ni en Dieu, ni au diable, ni en rien. Elle repose la seringue dans une bassine métallique pour souffler un peu. Ce qu'il lui faut, c'est un grand verre d'eau. Elle cherche autour d'elle la carafe d'eau potable réservée au personnel de l'hôpital, qui est là, mais vide.

Il va lui falloir rester avec sa soif.

Un minuscule homme chauve pénètre dans la pièce, c'est Taillandier, le télégraphiste. Vêtu de son habituelle blouse grise, mal repassée, il tient à la main un courrier qu'il tend à Anne-Angèle.

— C'est pour vous, dit-il, et ça vient de Paris.

Anne-Angèle ne reçoit jamais de télégramme. Il lui arrive assez souvent d'en faire passer à un malade ou à quelqu'un du service, mais celui-ci est pour elle, alors elle s'en empare et le lit.

Le message est économe, quelques mots alignés sur le papier gris lui annoncent que sa sœur Mathilde a été victime d'un accident deux jours plus tôt à Paris et qu'elle est dans le coma. Dans un coin de la feuille de papier se trouve l'adresse de son employeur : un certain *Chanfrin-Bellossier, rue de la Muette*, dans le quartier du même nom.

Le soleil est haut. C'est un jour d'avril 1944. Il est neuf heures, peut-être neuf heures trente, il fait déjà chaud. Anne-Angèle fait quelques pas dans la pièce. La cloche qui annonce les huit minutes de pause matinale réglementaires ne devrait pas tarder à retentir. L'infirmière en aurait bien besoin, de ces quelques minutes, pour réfléchir à la façon dont elle va bien pouvoir s'organiser. Alors en attendant elle se rassied au bord du lit, ne sachant que faire de ce papier qui pèse bien plus lourd qu'il n'y paraît.

Et c'est dans ce moment de trouble que le malade alité lui attrape la main et y plante ses dents. Anne-Angèle hurle. Les deux Africains arrivent en

16

courant, balancent des gifles au syphilitique, le sanglent pour le plaquer sur son matelas, mais il est trop tard. Anne-Angèle a été mordue, le mal est passé en elle, *il est passé*. Et c'est tout.

L'histoire commence ici.

1

Les beaux quartiers

Ce ne sont plus des vagues mais des montagnes d'eau qui viennent se briser contre le hublot. Il y a deux heures à peine, lorsque Anne-Angèle est montée prendre une bouffée d'air frais sur le pont, on apercevait encore les côtes marocaines perdues dans la mélasse gluante et métallique de la houle, mais désormais c'est autre chose, il fait nuit et l'obscurité produit un son de violoncelle. À presque soixante ans, Anne-Angèle n'ignore rien du bruit lugubre des tempêtes. Avant d'être infirmière au dispensaire de Casablanca, elle travaillait à bord de navires transportant des troupes entre l'Afrique et Marseille. Et ce son de violoncelle qui vibre sous celui des turbines, elle le reconnaît, c'est celui du vent qui heurte tout ce que compte un navire de câbles et de manilles. Anne-Angèle sait, pour l'avoir maintes et maintes fois observé, que par des nuits comme celle-ci les filins deviennent lumineux, captant l'électricité céleste comme les diodes d'une ampoule. Un grondement. Elle songe à la foudre et à d'autres déflagrations qui pourraient provenir du fond celles-là, des sous-marins allemands par exemple, de leurs torpilles, mais s'interdit presque aussitôt d'y songer. Anne-Angèle n'a pas peur, elle sait que cela ne sert à rien. Seule la réalité compte. Ce secteur du navire de la Croix-Rouge lui est familier, c'est celui des mourants. Partout autour d'elle se trouvent des personnes allongées sur des brancards, des colons pour la plupart qui ont voulu retourner rendre leur dernier soupir en France, leur terre d'origine. Des cancéreux, des tuberculeux. Et curieusement, entre deux quintes de toux et deux vomissements, ces patriotes qui agonisent formulent encore à voix basse un seul et unique souhait, une prière : celui de ne pas finir en mer.

Anne-Angèle s'est trouvé une place sur un banc, en retrait, dans le secteur réservé au personnel soignant, elle attend là avec son sac de trois jours de change. Dans cette partie du navire, une lumière est allumée en permanence, il doit s'agir d'une lampe à pétrole. Il fait chaud près de cette lueur orangée. Elle tient son télégramme à la main ainsi qu'une autre feuille plus grande et couverte de tampons, celle-ci, et qui lui a été délivrée par le directeur de l'hôpital le matin même : l'autorisation de se rendre en France en zone occupée. Ce document délivré par la Croix-Rouge est valide pour dix jours. Le directeur lui a demandé si elle pensait devoir rester plus longtemps à Paris, mais Anne-Angèle n'a pas su quoi répondre. Dix jours pour se rendre au chevet de sa sœur souffrante, cela lui a paru suffisant. Rester plus longtemps et devoir trouver un logement dans la capitale, elle n'en aurait pas eu les moyens, de toute façon. Et puis, elle a promis à ses collègues de revenir pour l'anniversaire du chef de service, Berthoux, qui se trouve être aussi le jour de celui de Taïa, l'assistante d'étage. Dans dix jours, comme tous les ans à la même date, on débouchera une bouteille de mousseux tiède avec quelques gâteaux aux amandes et au miel que l'on dégustera sur le toit du dispensaire en regardant les premières grandes chaleurs de mai s'emparer des collines avoisinantes. La terre se nimbera du parme des jacarandas et exhalera chaque soir des senteurs d'eucalyptus et de poivriers sauvages. Il fera chaud, il fera bon. Il faudra se préparer à l'été.

Anne-Angèle est épuisée, elle essaie de poser un chiffre sur le nombre d'années qui la sépare de sa dernière visite à Mathilde, elle cherche, peine à se souvenir. Dix, douze années ? Elle ne sait plus. Ce devait être en 27, non, en 17. Peu importe, lorsqu'elle l'a vue pour la dernière fois, sa jeune sœur était heureuse d'avoir trouvé un emploi de femme de maison à Paris, dans les beaux quartiers. C'était avenue Foch. Le temps a passé, il y a eu d'autres adresses, dans la capitale toujours, et pour finir celle de la Muette chez ce Chanfrin-Bellossier, haut fonctionnaire retraité des armées pour ce qu'Anne-Angèle en sait. L'adresse est d'ailleurs celle mentionnée par l'expéditeur du télégramme que la bonne infirmière relit une dernière fois : *accident – chaussée – coma – votre sœur – venir – urgent – respectueusement*. Elle replie le document en deux, en quatre, et là, en dégrafant le rabat d'une poche pour y glisser le carré de papier, elle remarque que sa blessure au poignet, à l'endroit où elle a été mordue par le fou syphilitique le matin même, est un peu rouge et boursouflée. Les points de suture, puisqu'il a fallu en faire trois, aux entailles les plus profondes, à l'endroit des incisives, font apparaître des gerçures. Ça tire un peu. Ce qui n'est pas forcément mauvais signe, au contraire. Ce n'est rien, cette plaie, ça n'est pas grave du tout, se promet Anne-Angèle qui sait, pour avoir vu tant et tant de malades souffrir inutilement, que l'inquiétude ne mène nulle part. Réfléchir amplifie le mal, réfléchir est une activité de bourgeois neurasthénique, réfléchir anéantit les forces physiques de l'être humain. Finalement, réfléchir ne sert à rien, voilà exactement ce que pense l'infirmière qui presque aussitôt, donc, s'interdit d'y songer.

Le corps de Mathilde, les mains jointes sur la poitrine, repose sur le lit de sa chambre de service, un endroit modeste mais confortable. C'est surtout le motif de la tapisserie qui retient l'attention d'Anne-Angèle : un paysage de sous-bois où se mêlent paradoxalement des essences de chênes et de palmiers, des rochers ainsi que quelques animaux stylisés, des biches ou peut-être des chevreuils qui attendent là en ruminant, l'air idiot, dans l'entrelacs tissé de vert et de brun du paradis, avec dans le fond de tout ça un lac, ou peut-être juste une mare, une flaque qui donne une touche de lumière à l'ensemble. C'est beau, mélancolique, de circonstance. Un peu comme si, finalement, cette élégante tapisserie de style médiéval avait été conçue pour un jour comme celui-ci. Mathilde, étendue sous ce rêve tissé, semble tout à fait paisible, inanimée telle Blanche-Neige, à disposition, elle attend.

Anne-Angèle qui, durant sa longue carrière de soignante, a vu tant de cadavres, observe en détail le visage de sa sœur cadette : ce joli menton volontaire, presque masculin, ces cheveux noirs bien peignés, la courbe gracieuse des sourcils qui surplombait autrefois le beau regard gris-vert qu'elle ne verra donc plus jamais. La mort est passée. Les rideaux sont tirés, on entend la pluie qui frappe dehors aux fenêtres de l'immeuble, dans un écho de cour intérieure relayé par le réseau des chenaux et des gouttières. Un ennui résonnant, organique, vaste et solennel, comme seuls les beaux quartiers de la capitale en produisent. Autrefois, il y a longtemps de cela, lorsqu'elles étaient plus jeunes, on leur trouvait un charme commun, puis Mathilde a emprunté le chemin de la beauté et Anne-Angèle, celui de l'inquiétude. Son front s'est plissé, son visage, durci, tandis que celui de la défunte Mathilde, si pâle, est resté lisse. Tellement jeune encore.

Anne-Angèle, en contemplant ce corps, ressent si peu d'émotion qu'elle en vient à se demander si c'est bien celui de sa sœur. Oui, c'est bien elle, c'est bien le sien, il y a cette inclinaison de la bouche surtout, comme un sourire en biais. Cet air narquois, cette joie affaissée, c'était tout à fait Mathilde et c'est toujours là. Intact. Mathilde, depuis la mort, paraît sourire à l'intention de quelqu'un dont elle se moque éperdument.

Anne-Angèle qui n'a quasiment pas fermé l'œil depuis bientôt quarante-huit heures – puisque à la traversée par une nuit de houle il a fallu ajouter les files d'attente dans les bureaux de l'administration portuaire marseillaise, le voyage en train, puis l'arrivée à Paris avec de nouveau la validation du laissez-passer par les services de police allemands – en serait presque à l'envier, cette sœur, d'avoir été emportée par une mort si sereine et si gaie.

Dormir, se réfugier dans un songe définitif, voilà ce qu'il faudrait à Anne-Angèle.

Geoffroy Chanfrin-Bellossier est là lui aussi, dans un coin de la pièce, tassé dans son fauteuil roulant, un modèle en bois et osier large comme un demi-canapé. Vêtu d'un peignoir en soie violine, coiffé comme pour recevoir la croix de guerre, le visage étiré par une longue barbe virant au roux de renard dont on imagine que vingt ans plus tôt – c'est-à-dire avant le jugement de Landru – elle pouvait lui conférer un air séduisant, victorieux.

Le vieil homme, disert comme un perroquet, ressasse d'une voix gutturale les circonstances de la mort de sa fidèle employée.

— Votre pauvre sœur a été renversée en traversant la rue Valette, vous voyez où elle se trouve, la rue Valette ? Elle part du Panthéon pour rejoindre celle de la rue des Écoles. Il y a là une belle descente, couverte de pavés. La voiture qui dévalait a klaxonné, mais Mathilde traversait l'air distrait, elle n'a rien entendu... Après l'avoir heurtée, le véhicule a fait une embardée et foncé droit dans la vitrine d'un fleuriste. D'après les gendarmes, le chauffard n'avait pas changé les caoutchoucs de frein de son véhicule, ce qui, soit dit en passant, ne présente aucun caractère d'exception dans ces périodes de rationnement : on peut couper la farine avec de la sciure, donner l'illusion d'un bas couture avec un trait de crayon, mais les freins d'une automobile nécessitent du bon vrai caoutchouc et le bon caoutchouc manque cruellement. C'est comme ça. C'est la guerre. Quand le conducteur est sorti de son véhicule encastré dans la vitrine, Mathilde était allongée sur la chaussée, la tête contre le trottoir, inconsciente et couverte de pétales. Elle a été emmenée à Lariboisière, mais les médecins n'ont rien pu faire : elle a rendu l'âme après cinq jours de coma. J'ai demandé à ce qu'elle soit ramenée ici pour votre venue.

Chanfrin-Bellossier cesse de parler, submergé par les remords ou par la nécessité de retrouver un peu d'oxygène, car il ne fait aucun doute que ce vieillard au souffle court souffre d'emphysème. Et ce silence fait du bien à Anne-Angèle qui aimerait pouvoir en profiter un peu. Depuis qu'elle a franchi le palier du très bel appartement, il n'a cessé de lui faire part de ses regrets, du lien si merveilleux qu'il entretenait avec celle qu'il appelle « ma bonne Mathilde ». De la joie qu'il a eue de l'engager jeune fille, de sa bienfaisante légèreté. Un puits, un geyser de jovialité.

Anne-Angèle n'est pas surprise, cet hymne à l'originalité et à la gaieté a toujours accompagné le nom de sa sœur. Déjà quand elles étaient enfants, il lui fallait se le coltiner : « Votre sœur Mathilde est si joyeuse ! Si pleine de vie ! Si fraîche ! » Oui, ce refrain, elle le connaît bien. Et ce vieux qui radote dans sa chaise roulante, elle a le sentiment de le connaître aussi, il a le profil typique d'un vieillard qui perd la tête. S'il ne portait pas un nom de notable, ni cette curieuse barbe rousse qui tombe sur son peignoir de soie à 80 francs le mètre, il serait déjà très certainement à l'asile et ce serait une corvée que de devoir lui changer ses couches. Un veilleur de nuit l'aurait déjà très certainement étouffé avec son oreiller, pour sûr, quoi de plus fatigant qu'un vieux fou qui radote avec les yeux écarquillés et les mains qui tremblent.

En empruntant le couloir qui mène à la chambre de service de sa sœur, elle a pu se faire

tout à l'heure une idée de la mégalomanie du bonhomme. Pas un pan de mur qui ne soit épargné
par les médailles et les trophées. Des photos, énormément, qui le représentent presque toutes, lui, le
vieux fonctionnaire des armées, à toutes les étapes
de sa carrière et dans toutes sortes de cérémo-
nies officielles. Ici avec le maréchal Joffre, ici avec
Pétain. Là à Verdun, et là, à Salonique. Et puis
des cartes du monde et encore des trophées de
ses ancêtres représentés eux aussi dans ce couloir,
brossés, confits dans l'huile des tableaux, arborant
sur leur torse de fantôme des rangées de médailles
clinquantes.

La demi-minute de silence est passée et le vieillard s'est remis à soliloquer, mais son timbre est
plus sourd, son regard fixé sur ses pantoufles dont
le motif brodé au fil d'or – et cela ne s'invente
pas – représente les initiales de son commande-
ment : *107e batterie de cavalerie*, pour ce qu'Anne-
Angèle en déduit.

— Votre sœur semblait fort soucieuse ces
dernières semaines. Elle m'avait demandé la
permission d'héberger ici, dans sa chambre de
service, une nièce à vous du nom de Marie. La
fille de votre demi-frère, je crois... comment déjà,
oui, un certain Benoît, celui qui aurait eu des
problèmes d'alcool, vous voyez qui ? Tout était
prêt pour l'hébergement de cette petite, même son
lit, voyez...

Le vieil homme désigne du bout de sa canne un
lit de camp dans un coin de la chambre qu'Anne-
Angèle a tout d'abord pris pour une desserte à
bagage puisque le petit meuble est recouvert d'une
épaisse couverture en laine grise comme celles
utilisées pour les déménagements.

— Mathilde me parlait beaucoup de cette gamine depuis quelques semaines. Elle attendait un document de la préfecture pour aller la chercher en Normandie à l'orphelinat où elle se trouvait. Elle avait demandé à prendre une journée de congé afin d'obtenir une autorisation de la préfecture. C'est cela qui semblait la préoccuper surtout, cette autorisation qu'il lui fallait. Je ne serais pas surpris que votre sœur, en traversant la rue Valette, ait eu l'esprit accaparé par cette gamine… Bon sang, quelle histoire. Quel sens de la famille, surtout !

Anne-Angèle écoute en contemplant le petit lit mais ne répond rien. La fatigue du voyage et l'ennui provoqué par le monologue du vieillard ne lui ont pas fait oublier que Mathilde a toujours eu du talent pour les mensonges et les combines, et encore moins que sa sœur et elle avaient grandi à l'Assistance publique et qu'en réalité elles n'ont ni parents, ni frères, ni sœurs, ni « demi », ni nièces, proches ou éloignées.

Anne-Angèle se souvient très bien de cette manie qu'avait Mathilde, lorsqu'elles étaient gosses, de s'imaginer des maladies, des choses pour qu'on la regarde, qu'on s'occupe d'elle, mais ce qu'elle affectionnait par-dessus tout, c'était de s'inventer des liens de parenté. De préférence avec des gens fortunés. Anne-Angèle se souvient qu'il était même arrivé à Mathilde d'emprunter de l'argent au jardinier de l'orphelinat en promettant que l'un de ses oncles richissimes lui rendrait bientôt visite. Cela créait des histoires sans fin. Et dans ce petit manège fabulateur, elle, l'aînée, l'inquiète, la responsable, avait le devoir de justifier, de s'excuser, de rembourser.

Anne-Angèle n'a rien oublié de tout ça et, à l'évocation de cette histoire de « nièce », elle n'éprouve pas le besoin d'en savoir plus. Elle en conclut simplement qu'avec le temps sa sœur n'a pas beaucoup changé et qu'on ne vient pas si facilement à bout de cette pathologie : la mythomanie.

Anne-Angèle a accepté l'invitation de Chanfrin-Bellossier à partager son souper et elle ne le regrette pas. C'est elle qui l'a d'ailleurs préparé, ce dîner, puisque le vieillard, qui n'a pas encore trouvé de remplaçante pour Mathilde, ignore tout des tâches ménagères, au point de ne pas savoir où se trouvent les casseroles dans cette demeure dont les proportions, il est vrai, évoquent celles d'un château. Il y a eu des œufs mollets en entrée, du lapin et de la semoule comme plat de résistance, de la crème brûlée au dessert, et même un bon vin blanc de Provence pour arroser tout ça. Si on lui avait dit deux jours plus tôt qu'elle goûterait un tel nectar, Anne-Angèle ne l'aurait pas cru. Au moins n'aura-t-elle pas fait le voyage pour rien.

Au fil du festin, il lui a fallu tout de même absorber, en plus de toutes ces raretés culinaires, le radotage de son hôte. Mais ce ne fut finalement pas si désagréable puisque, comme par un fait du hasard, le vieux fonctionnaire a très bien connu quelques gradés qui commandaient les transporteurs de troupes sur lesquels Anne-Angèle a officié en 1916. Cette époque où il a fallu réquisitionner, transformer des cargos et des chalutiers pour le transport des soldats africains, et attribuer avec presque autant de désinvolture des grades de capitaine de vaisseau à des bureaucrates qui n'avaient jamais mis les pieds sur un bateau. Ainsi, à un moment du dîner, Anne-Angèle et Chanfrin-Bellossier ont ri de bon cœur à l'évocation de quelques-unes de ces sommités. Parmi celles-ci, on s'est souvenu par exemple de Lacrosse-Muller, un lieutenant orléanais qui ne supportait pas de passer plus d'une semaine au large, bien connu pour ses malaises en mer et dont Anne-Angèle avait eu l'honneur d'éponger plusieurs fois le vomi. Et Bernard Descombes, un sacré numéro lui aussi, plein d'esprit, très doué pour les discours surtout, et qui n'avait pas son pareil pour repérer les plus naïfs parmi les *troupeaux* de Sénégalais afin de s'en amuser, le temps du transport, en leur faisant croire que les Allemands menaient l'offensive à Verdun à dos d'éléphant et que leurs avions étaient en réalité des oiseaux géants dressés pour le combat.

On a beaucoup ri, vraiment. À la fin du repas, Chanfrin-Bellossier allume un cigare et revient à des choses plus sérieuses, évoquant la mémoire de Mathilde, la pauvre, et l'organisation de ses obsèques.

— Mathilde sera inhumée dans mon caveau familial. Nous bénéficions d'une concession à perpétuité au cimetière de la Muette, alors autant vous faire profiter de ce privilège, je prendrai également à ma charge le cercueil et la cérémonie religieuse. Ne me remerciez pas, vous savez, votre sœur était devenue pour ainsi dire un membre de ma famille...

Anne-Angèle ne sait que répondre. Chanfrin-Bellossier lui a déjà proposé de l'héberger en lui offrant de dormir dans le grand canapé du salon, ce qui lui ferait économiser le prix d'une chambre d'hôtel pour trois nuits. Une fortune pour elle. Par principe, elle se méfie des cadeaux, la vie ne l'y a pas habituée, alors elle insiste pour prendre tout de même le cercueil à sa charge. Et le vieillard, qui reconnaît là une belle intégrité fort martiale, ne peut qu'accepter, par principe, là encore. *Allez, trinquons !*

Plus tard, il faut aider le vieil homme à se mettre au lit et cela donne lieu à d'autres plaisanteries, plus grivoises. En serrant Chanfrin-Bellossier contre elle pour le soulever de sa chaise, Anne-Angèle parvient de sa main libre à ouvrir le lit, remettre en place l'oreiller afin de le reposer avec les précautions dues à un nouveau-né. L'espace d'un instant, le vieil homme s'est cru dans les bras de sa mère, dont un portrait orne d'ailleurs le mur de sa chambre : une bonne femme avec des boucles qui lui tombent en paquets sur le front et un éventail qu'elle tient devant elle comme l'archange son bouclier.

En soulevant Chanfrin-Bellossier, Anne-Angèle hume l'odeur des cheveux du vieillard, un parfum de frais sur le tard, quelque chose de raffiné, comme du lilas. Onctueux. Le vieil homme se laisse faire, n'en revenant pas de la force de l'infirmière.

— Vous seriez parfaite dans des concours d'haltérophilie, s'est-il permis tandis qu'Anne-Angèle le porte de sa chaise vers le lit.

— Oh, vous savez, mon métier n'est pas loin d'être un sport de compétition parfois. Si on empilait tous les corps que j'ai portés dans ma vie, en comptant les vivants et les morts, cela formerait une montagne que je n'aurais plus la force de gravir !

Le vieil homme trouve cette repartie émouvante, pleine d'esprit, réellement très poétique. Anne-Angèle l'en remercie avant de lui administrer sa piqûre et, de nouveau, Chanfrin-Bellossier est surpris de ne rien sentir.

— Mathilde s'y reprenait à plusieurs fois... Êtes-vous sûre que vous m'avez bien piqué ?

En remontant son pantalon de pyjama, Anne-Angèle sourit poliment : elle avait effectivement remarqué sur les fesses blanches du vieillard les traces de piqûres ratées laissées par sa défunte sœur. Presque autant de cratères qu'à Verdun au lendemain de la mère de toutes les batailles. Un vrai désastre. Mathilde n'aura jamais été très douée pour les travaux manuels, elle était drôle et sympathique, c'est sûr, mais tellement maladroite.

Il n'échappe pas non plus à Anne-Angèle que le pauvre homme abuse de la poudre Legras, ce traitement de l'asthme réputé miraculeux mais qui rend dépendant au même titre que les opiacés. Les draps en sont tout blanchis. La bonne infirmière s'est d'abord figuré qu'il s'agissait de poussière ou de pellicules, mais non, c'est bien ce satané poison. De fait, le vieillard prend un petit plateau sur sa table de nuit, y dépose une pyramide de poudre dont il allume le sommet avant d'en inhaler l'âcre fumée. Pauvre monde.

Au moment d'éteindre la lumière, l'expression du vieil homme change pour ressembler à celle d'un enfant craignant d'affronter l'obscurité. Il prie Anne-Angèle de rester encore un peu :

— Vous savez, il me vient une idée : pourquoi ne prendriez-vous pas la place de votre sœur ? Dans les jours qui viennent, il me faudra lui trouver une remplaçante et quelque chose me dit que ce ne sera pas simple. Après tout, à mon âge, j'ai bien plus besoin d'une infirmière que d'une dame de compagnie. De fait, vous et moi avons pas mal de choses en commun, on ne s'ennuierait pas à se remémorer chaque soir nos souvenirs de guerre. Que diriez-vous de rester ? Vous auriez un bon salaire, vous seriez logée, nourrie, et comme je l'avais proposé à Mathilde, vous pourriez héberger dans votre chambre de service Marie, la petite orpheline. Ainsi, tout le monde s'y retrouverait...

Anne-Angèle, ne sachant comment refuser, se contente de remercier le vieil homme pour sa générosité, lui rappelle qu'elle est déjà employée et qu'elle est attendue, là-bas, à l'hôpital de Casablanca. Quant à Marie, la « nièce » qu'elle pressent être le dernier mensonge éhonté de sa sœur, elle préfère ne rien en dire et hoche la tête d'un air entendu.

— À présent, il est temps de dormir, alors bonne nuit, monsieur Chanfrin-Bellossier.

— Bonne nuit, Anne-Angèle.

Il y en a des affaires dans cette armoire, on dirait les rayons de la Samaritaine. Anne-Angèle, en se lançant dans le tri des effets personnels de Mathilde, n'a pas imaginé que celle-ci ait pu accumuler tant de choses : lingerie fine, chapeaux, voilettes, flacons de parfum et d'alcool, vides ou à moitié, et pas mal de bijoux de pacotille, jolis, tout de même. Mais aussi, quantité de boîtes vides de poudre Legras, là encore, laissant penser que Mathilde, en plus d'un petit gorgeon d'eau-de-vie, avait, elle aussi, pris l'habitude d'en inhaler la fumée pour s'endormir. Anne-Angèle décide de répartir tout ça en tas : d'un côté les sous-vêtements, de l'autre les robes et les hauts, et puis dans une boîte à cigares les bijoux enroulés dans du papier journal pour ne pas les abîmer. Dans un autre coin de la pièce, elle a défini un espace au sol pour ce qui doit partir directement à la poubelle : objets abîmés ou trop intimes comme cette brosse à cheveux avec un manche en ivoire représentant un mandarin coiffé d'un bonnet en forme de champignon et dont Anne-Angèle se doute que sa sœur ne s'en servait pas seulement pour arranger sa coiffure.

Anne-Angèle range, jette ou met de côté, cette activité de tri lui fait un bien fou et l'apaise.

La matinée n'a pas été très gaie. Dans le cimetière de Passy il n'y avait pour ainsi dire personne d'autre qu'elle et le vieux Chanfrin-Bellossier qu'il a fallu pousser dans sa chaise roulante sur le gravier des allées derrière le cercueil, porté quant à lui par quatre bonshommes en tenue, avec, en tête d'attelage, un curé qui tâchait de tenir son rôle en bredouillant le contenu de son bréviaire d'une voix monocorde.

Au moment de l'inhumation, quelques personnes sont arrivées tout de même, quatre ou cinq, dont Anne-Angèle s'est dit qu'il s'agissait peut-être d'amis lointains de Mathilde. Mais ces visiteurs-là n'ont fait que passer, simples badauds comme il en traîne devant les salles de spectacle et qui, à défaut de pouvoir se payer une entrée, se contentent de guetter la sortie des artistes. Cette mise en scène très sommaire n'a pas retenu très longtemps leur attention car, à quelques dizaines de mètres, une grande famille du XVIe arrondissement assistait elle aussi à une inhumation avec orchestre, chose d'autant plus rare que les instruments de cuivre ont été réquisitionnés par l'armée allemande. Ces musiciens, bénéficiant sans doute d'une dérogation, ont joué un peu de Chopin, du Mozart aussi. C'était beau, captivant, ça allait bien avec le style du cimetière. Anne-Angèle de sa vie n'avait jamais vu de tombes aussi hautes et aussi représentatives des rêves de grandeur de leurs occupants. Le caveau de la famille Chanfrin-Bellossier par exemple, puisque c'est dans celui-ci que le corps de Mathilde a été inhumé, ressemblait à un petit temple romain illuminé par quelques vitraux aux couleurs de bonbons acidulés, orange, jaune et turquoise avec, dans l'agencement des frises et la forme du perron, quelque chose d'égyptien.

Ça aurait pu être émouvant, mais ce ne le fut pas et les seules gouttes qui roulèrent le long des joues d'Anne-Angèle furent celles d'une averse qui se mit à tomber au mauvais moment, lorsque les employés se lancèrent dans le descellement du caveau. La dernière fois qu'il avait été ouvert, c'était pour la mère de Chanfrin-Bellossier et il avait été refermé avec du ciment de grande qualité, de la bouche même de l'un des ouvriers : Du vrai bon ciment d'avant guerre ! Pour en venir à bout, il a fallu utiliser un burin, trouver un maillet. Et cette manutention a pris une bonne demi-heure. Sous la pluie, de surcroît. Le cercueil placé dans la tombe, les ouvriers sont ressortis du temple romain et le ciel s'est fendu d'un bref rayon de soleil qui aurait pu constituer l'occasion d'une émotion sincère, celle d'un ultime sanglot. Mais à cet instant, précisément, des gens ont commencé à chanter et à siffloter. Pas ceux de la tombe voisine, ni les badauds. Des chants en italien venus de l'autre côté du mur de l'enceinte, où des ouvriers dans une nacelle suspendue à la façade borgne d'un immeuble y peignaient joyeusement une publicité représentant un gigantesque pou, et dont le slogan en lettres noires sur fond pourpre clamait : *Plus jamais de poux avec le flytox Papoutox !*

Anne-Angèle s'est contentée de baisser la tête pour réciter une dernière prière, puis s'est mouchée bruyamment pour simuler la tristesse avant de quitter ce sinistre parc à morts.

Une fois effectué le tri des affaires de sa sœur, Anne-Angèle portera tout ça chez un brocanteur, elle en demandera au minimum les cent francs avancés par Chanfrin-Bellossier pour le remboursement du cercueil et, sa dette réglée, elle pourra retourner au Maroc. Et ce sera bien ainsi. En ordonnant la pile de sous-vêtements de Mathilde, elle remarque un bustier, il est beau, de la dentelle d'Alençon en mailles bouclées. Elle ne résiste pas à appliquer le sous-vêtement contre sa poitrine en s'offrant un vague coup d'œil au miroir. Mais non, sur elle, il est parfaitement ridicule ce bustier, on dirait un harnachement de vitrier. La bonne infirmière a les épaules trop larges et les bras trop longs, un corps de paysanne avec un centre de gravité plutôt bas malgré son mètre soixante-quinze. Le genre de corps qui ne vous destine pas à une carrière de modèle, pas de quoi faire rêver les couturiers. Alors ce bustier, non, Anne-Angèle le repose sur la pile.

Tout en haut du placard, elle a trouvé un beau sac en cuir qui lui permettra de transporter tout ça. Un bagage solide avec un contrefort molletonné renforcé aux doublures par ce qui semble être plusieurs épaisseurs de papier, idéal pour ne pas se blesser le dos.

Le sac est bientôt rempli, l'armoire vidée. Mais il reste encore dans les parties basses du meuble quelques boîtes à chaussures qui contiennent des courriers. Anne-Angèle est gênée, d'autant que les lettres sont rangées par paquets et que certaines de ces liasses sont parfumées. La vie amoureuse de Mathilde, certainement. Un désordre de senteurs à vous faire tourner de l'œil. La bonne infirmière hésite à jeter tout ça directement à la corbeille avec la petite brosse à cheveux au manche en ivoire et quelques autres cochonneries. Mais elle est surprise de découvrir que Mathilde avait gardé dans un paquet à part, et celles-ci nouées par un ruban rose, toutes les cartes de vœux qu'elle, Anne-Angèle, lui avait envoyées du Maroc.

Bonne année 1919, ma chère Mathilde, que tes vœux se réalisent. Bonne année 1920, ma chère Mathilde, en espérant que tu te portes bien. Bonne année 1921, ma chère Mathilde, la santé avant tout, etc. Une carte par année. Une vingtaine de cartes tout de même. Certaines sont assez jolies, illustrées ou décorées avec des gommettes qu'elle avait pris la peine de découper dans du papier d'emballage.

Il y a encore un autre paquet en dessous, quelques lettres arborant une écriture qui n'est pas la sienne. Curiosité est mère de tous les vices, mais trop tard, la bonne infirmière se met à les lire. La plupart de ces petits mots, puisqu'il s'agit de notes très succinctes, évoquent une enfant. *Marie.* Voilà donc le nom de la gamine qui réapparaît. Les documents sont signés d'une certaine *Faustina Stefanini.* On retrouve le nom de cette femme au dos d'une enveloppe avec, cette fois, une adresse : *Faustina Stefanini, La Peste verte, premier étage porte face, rue du Cherche-Midi, VIe arrondissement.*

Ce courrier brûle les doigts d'Anne-Angèle, elle sait qu'elle ne devrait pas poursuivre sa lecture. D'une écriture fine, au crayon de papier, la mystérieuse *Faustina* remercie Mathilde, qu'elle appelle aussi « ma bonne Math » ou « ma chérie », d'avoir accepté de prendre en charge Marie. Il y a des précisions au sujet d'un document administratif à retirer à un guichet de la préfecture, un autre à la mairie proche du Panthéon. Au dos d'une feuille de calendrier usé, glissée entre deux enveloppes, Mathilde s'était entraînée à imiter des signatures à la façon des enfants. Anne-Angèle se souvient qu'il s'agissait pour elle d'une habitude qui allait de pair avec sa mythomanie.

La bonne infirmière hésite à jeter ce courrier, qu'elle garde finalement sur elle avec peut-être déjà, et sans trop oser se l'avouer, l'idée d'aller faire un tour à cette adresse.

Il était vraiment sympathique ce boutiquier, charmant, il faut l'être de toute façon pour se faire une place dans le petit monde de la brocante montreuilloise. Aussi charmant que sa boutique était en désordre. Une pièce large comme un mouchoir de poche et qui sentait fort la pisse de chat avec, inscrit sur la vitrine poussiéreuse en belles lettres myosotis : *Ici nous rachetons à prix d'or tout ce qui ne vaut plus rien.* Anne-Angèle a trouvé cela original et plein d'esprit. Le commerçant avait dans le regard toute la bonté du monde. Lorsqu'elle avait passé la porte de son fourbi avec son sac de quinze kilos d'affaires sur le dos, la première chose qu'il lui avait dite, c'est qu'il lui trouvait un *petit accent.*

— Moi ? a répondu Anne-Angèle, surprise qu'on lui trouve quelque chose.

— Oui, vous, avait rétorqué le chiffonnier qui avait immédiatement deviné qu'elle venait du Maroc, et plus précisément de la région de Casablanca.

Anne-Angèle s'en était trouvée estomaquée. Personne jusqu'alors ne lui avait fait cette réflexion. Il y a longtemps, avant qu'elle n'aille se perdre dans les contrées du Maghreb, elle aussi repérait à l'oreille ce que l'on appelle pudiquement « le chant des colonies », une autre façon de nommer l'accent français des exilés évoquant la pittoresque anisette Phénix, le goût des olives, le culte de la sieste, les présentateurs du cirque Amar, et qu'elle trouvait d'ailleurs plutôt vulgaires.

À cette réflexion, Anne-Angèle n'avait su que répondre, par crainte sans doute de se rendre ridicule, de faire partie de la grande famille des roumis. Et le boutiquier, en voyant sa mine, avait éclaté de rire en avouant avoir lui aussi passé du temps aux colonies, où il conduisait des camions de livraison pour le compte de quelques marchands durs en affaires. Pour ça, il en avait vu, du pays, et il n'était pas mécontent d'être revenu ! Et sur un ton identiquement sympathique il avait repris son accent d'autrefois pour dire à Anne-Angèle que ce qui l'intéressait surtout dans ce sac de vêtements qu'elle lui proposait, c'était le sac lui-même, « juste le sac », dont il avait d'ailleurs vidé le contenu à même le sol, exactement comme on le ferait avec des détritus. Anne-Angèle avait pensé qu'il s'agissait d'une technique de vente consistant à minimiser la valeur de la marchandise pour en faire baisser le prix. Elle avait souvent vu faire ça au souk de Casa. Mais non. Cet homme était plus intéressé par le sac que par le tas de vêtements qu'Anne-Angèle s'était donné la peine de trier et de repasser.

Après avoir appuyé du plat de la main sur les contreforts du bagage et avoir vérifié la régularité des coutures, le brocanteur en avait proposé cent francs, une fortune pour une telle vieillerie. Et tandis que l'infirmière s'en trouvait ravie et lui expliquait que cet argent correspondait précisément au prix du cercueil de sa sœur qu'il lui fallait rembourser, le commerçant avait paru ému et avait ajouté neuf francs. Cent neuf francs donc, qu'il avait sortis de sa caisse et organisés en petites colonnes de pièces sur le comptoir crasseux de son antre.

Les rues n'en finissent pas d'être belles depuis Montreuil où elle a entamé sa promenade. Anne-Angèle marche avec cette belle somme en poche, il lui reste un après-midi à perdre. Il y a encore ici à cette époque le long du boulevard des Maraîchers pas mal de verdure, des cerisiers en fleur surtout, qu'Anne-Angèle éprouve un certain plaisir à contempler. Il n'en pousse pas d'aussi beaux dans la région de Casa. Il y a là-bas toutes sortes d'arbres bien sûr, palmiers, figuiers, dattiers, oliviers, mais ils ne produisent pas d'aussi belles fleurs. Ou alors dans les jardins et cours des demeures coloniales, mais ces arbres n'y fleurissent que pour les yeux des colons et les abeilles qui viennent y butiner paraissent, elles aussi, à leur service. Anne-Angèle, en regardant ces délicates fleurs parisiennes rose pâle, si fines, si fraîches, se demande si elle reviendra un jour en France et il lui semble évident que non. Elle est à deux ans de la retraite et ses maigres revenus ne lui permettront pas le luxe d'un voyage, et encore moins celui d'un logement en métropole. Elle finira ses jours dans un village de la côte marocaine, elle le sait, un patelin qu'elle a eu l'occasion de découvrir avec un ami, enfin, une sorte d'ami, lors d'éphémères expéditions. Là, dans la région de Safi, accrochées aux ruines d'un fortin, on trouve quelques belles maisonnettes aux toits couverts de tuiles arrondies et craquelées comme du pain brûlé. Elle se nourrira de quelques poissons négociés avec les pêcheurs et cultivera son potager. Il faudra vivre de peu. Se contenter de la beauté du paysage, du chant lancinant du ressac. Récolter des baies de laurier pour en faire du savon. Planter même quelques pieds de vigne en veillant à ce que les hérissons n'en fassent pas leur festin la nuit. Aller chaque matin au puits tirer l'eau que la terre veut bien vous offrir, échanger à l'occasion quelques mots avec des paysannes. Trouver un sujet de conversation avec elles, s'accommoder de leur silence. Ainsi passeront les années.

Anne-Angèle observe le cerisier en fleur, elle lève le bras, ne résiste pas à en casser une branche, se trouve bête de l'avoir fait, la pose sur un banc, reprend sa marche.

De cet après-midi parisien, elle gardera surtout le souvenir de ce rameau abandonné sur un banc et de toutes les incroyables vespasiennes qui ont émergé des trottoirs de la capitale. Certaines chapeautées de dômes, de tourelles et percées de meurtrières, semblant inspirées d'architectures ottomanes, sont si belles et raffinées qu'on aurait presque envie d'y loger, n'était l'odeur de pisse, hélas. Les trottoirs de Paris sentent l'urine. Énormément, effroyablement. Une odeur qui vous prend à la gorge. Anne-Angèle se dit qu'elle pourrait s'offrir une bière et même deux avec l'argent perçu en sus, mais l'idée de se retrouver assise à côté d'un Allemand, ou pire encore d'une de leurs maîtresses, la révulse. Et puis, elle se sent moche et mal vêtue, surtout, à cause de cette robe, dont elle a pensé il y a quelques jours en quittant Casablanca qu'elle serait le vêtement idéal pour la ville et qui lui donne ici, à Paris, l'impression de se mouvoir dans un sac. Pour cela, les vitrines des Grands Boulevards sont de traîtres miroirs.

En passant devant un cinéma, elle ralentit, contemple les affiches dont certaines, navrantes de vulgarité, promettent de belles aventures et de longs baisers langoureux. Sur l'une d'entre elles, la plus grande, Gabin plonge ses yeux porcins dans ceux, océaniques, de Morgan. Leurs têtes énormes et colorées semblent ne jamais pouvoir se rencontrer. Anne-Angèle hésite à pénétrer dans la salle, ce serait une façon comme une autre de passer l'après-midi, mais elle craint de s'ennuyer, d'étouffer, et puis, le courrier trouvé dans les affaires de sa sœur et qu'elle garde dans sa poche la taraude. La tentation est forte pour elle d'aller faire un tour du côté de la rue du Cherche-Midi pour savoir – même si elle s'en est déjà fait une idée – à quoi ressemble la Peste verte, et tenter, surtout, d'élucider cette histoire de gamine.

Elle sort le courrier, hésite presque aussitôt à s'en débarrasser dans une belle et majestueuse poubelle en fer forgé dont la gueule ciselée, ouverte et même béante, semble lui hurler : *Donne-moi vite ce dernier résidu de ta sœur, Anne-Angèle, et pars sans demander ton reste !*

Ce qui retient son attention, c'est l'incroyable calme qui règne dans cette entrée. Un silence d'église, une température reposante. Une chaise vide. Un comptoir en chêne vernissé de sombre sur lequel est posée une cloche d'argent sous un panneau « Réception » en cuivre qui invite, en caractères italiques, à « *sonner en cas d'absence* ». Une odeur de parquet nettoyé à l'eau savonneuse, mêlée à celle de friture et de tabac froid dont Anne-Angèle ne saurait dire s'il s'agit d'un mélange agréable.

Elle pourrait encore à ce moment-là changer d'avis, redescendre les quelques marches d'escalier et poursuivre sa promenade à l'ombre des ruelles, traverser la Seine, marcher tranquillement jusqu'à l'appartement de Chanfrin-Bellossier, profiter même du lit confortable de sa défunte sœur Mathilde pour y faire une sieste, préparer tranquillement ses bagages pour le lendemain. Anne-Angèle hésite, mais bon, après tout elle n'a pas grand-chose à perdre en se laissant aller à résoudre cette petite énigme. Elle secoue la cloche d'argent, une fois, deux fois.

Une femme se présente, courtaude, qui devait probablement s'être assoupie dans la pièce voisine, puisqu'elle arrive en se passant une main dans ses cheveux qu'elle a légèrement clairsemés sur le devant, et de son autre main s'allume une cigarette qui a d'ailleurs pris la forme courbe de la poche de sa blouse pendant son sommeil. Elle ne comprend pas tout de suite ce que veut Anne-Angèle qu'elle confond d'abord avec une démarcheuse de la Croix-Rouge à cause de son drôle d'accoutrement, cette robe bleu marine qui lui fait une silhouette de cloche, ces chaussures montantes, poussiéreuses, le genre de souliers que portent les scouts, avec des œillets en fer rouillés gros comme des punaises. Quelle misère.

— L'établissement n'ouvre qu'à dix-neuf heures, dit-elle d'une voix lasse, la caisse est fermée. Et pour la quête, même si la caisse était ouverte je ne pourrais rien vous donner...

Anne-Angèle, confuse, montre l'enveloppe à la réceptionniste.

— Est-ce que vous connaissez quelqu'un ici qui porte ce nom-là ?

La réceptionniste penche la tête et acquiesce. Oui, bien sûr qu'elle connaît, dit-elle en soufflant une bouffée de fumée sur le courrier. Puis, lui ayant proposé de patienter, elle ressort en traînant les pieds.

Anne-Angèle reste un instant seule dans cette entrée de cabaret. Son attention se porte négligemment sur une vitrine où sont alignés des portraits d'artistes, célébrités du moment dont elle n'a bien sûr jamais entendu parler. Visages d'idiots brillantinés, déchirés par de faux sourires audacieux et surlignés au pinceau. Certains de ces joyeux grimaçants tiennent à la main un instrument de musique, d'autres sont déguisés en Mexicains, Gaulois, Tahitiens, et puis sur d'autres photos, plus naturelles celles-ci, on observe des femmes qui n'arborent en guise de vêtements qu'un petit rectangle sombre dissimulant le pubis.

Elle remarque aussi que les murs de la réception ne sont pas noirs comme elle en a eu l'impression en arrivant, mais d'un vert sombre plutôt élégant. Un vert anglais. Et qui justifie peut-être l'appellation « Peste verte » de l'endroit. C'est un nom plutôt original. Enfin, pour Anne-Angèle qui a eu plusieurs fois l'occasion de croiser le chemin de pestiférés, en Afrique notamment, c'est un nom original.

Une jeune femme arrive, Faustina Stefanini, c'est elle, évidemment. La trentaine, encore que son maquillage la rajeunisse, elle porte un ample costume d'homme mais il ne fait à peu près aucun doute que cet écart de taille est un choix, une façon de donner l'aisance nécessaire à sa gestuelle qu'elle a naturellement vaste, lente et gracieuse. Elle a un léger accent italien, ce que remarque immédiatement l'infirmière, lorsque la femme prend la parole pour lui demander après une franche poignée de main ce qui lui vaut l'honneur de sa visite.

Anne-Angèle lui présente le courrier qui comporte son écriture.

Faustina Stefanini y jette un coup d'œil circonspect et l'invite à la suivre dans la pièce voisine, une vaste salle dont les fenêtres encadrées de velours vert sont composées de vitraux, verts eux aussi, qui occultent presque totalement la lumière du dehors, conférant au lieu une atmosphère d'aquarium. Un bar en acajou file le long du mur pour s'arrêter perpendiculairement à une scène sur laquelle gisent quelques instruments de musique dont les plus imposants, une grosse caisse et une contrebasse, sont recouverts d'un tissu noir. Les tables sont drapées de nappes fraîchement repassées, sur lesquelles sont disposés des bouquets de fleurs et des lanternes contenant une bougie neuve pour les représentations du soir. C'est à l'une de ces tables que Faustina, un peu perplexe, propose à Anne-Angèle de s'asseoir, lui offrant, en s'emparant d'un flacon de rhum derrière le bar, de lui servir quelque chose à boire.

— Non, merci, répond poliment la vieille infirmière qui n'a pas pour habitude de boire en fin d'après-midi, d'autant que le breuvage dont son hôte se sert la moitié d'un verre lui fait l'effet d'un jus frelaté, trop alcoolisé et qu'elle ne voudrait pas, outre perdre ses moyens et s'esquinter l'estomac, entamer les neuf francs de bénéfice effectués sur la vente des affaires de sa sœur, pour le cas où cette dame lui demanderait de régler sa consommation, on ne sait jamais à qui on a affaire.

Faustina semble réellement embarrassée, et bien plus encore lorsque Anne-Angèle lui annonce le décès de sa sœur et avoir retrouvé ce courrier dans ses affaires. Il n'échappe pas à la bonne infirmière que son hôtesse s'est subitement mise à trembler et que si elle devait la saluer, là, elle lui aurait trouvé la poignée de main molle et moite. Et parfaitement répugnante.

La jeune femme reste un moment pensive, l'air perdu, puis reprend finalement ses esprits et demande d'une voix mal assurée si elle était au courant du « petit contrat » passé avec Mathilde.

— Non, pas du tout, répond le plus simplement du monde Anne-Angèle, et c'est d'ailleurs la raison pour laquelle je me permets de vous rendre visite.

Faustina reste interdite. Paraissant hésiter à poursuivre la conversation, elle regarde autour d'elle, se penche sur le côté pour s'assurer que la femme de la réception n'écoute pas. Se lève pour tirer la porte, revient s'asseoir, se penche vers Anne-Angèle :

— Êtes-vous capable de recevoir une confidence ?

— Oui, répond Anne-Angèle, qui en profite au passage pour faire valoir à son interlocutrice qu'elle est infirmière et que, dans ce genre de métier, on ne transige pas avec le secret.

Faustina allume une cigarette en remisant dans la poche de son gilet un briquet d'un geste soudain très masculin. Elle en tire deux ou trois bouffées avant de se lancer.

— C'est une bien triste affaire, mais puisque vous me dites que vous savez garder un secret. Voilà... comment dire... j'ai eu une fille en arrivant à Paris, il y a quelques années de cela. Le fruit d'un amour de passage que je n'ai eu d'autre choix que de confier à une famille d'accueil... La vie était difficile pour moi à l'époque, tellement difficile. Et puis j'étais sotte. Rapidement, je n'ai plus eu les moyens de payer ces braves paysans qui ont perdu confiance et j'ai remis le bébé à l'Assistance publique. Les années ont passé, longues années. J'essayais d'oublier, mais je me sentais terriblement coupable. Littéralement assaillie par les cauchemars. J'ai voulu maintes fois reprendre l'enfant à l'Assistance, mais ma situation constituait un obstacle moral. La suspicion aussi que j'abandonne de nouveau ma gamine...

— Bien sûr, acquiesce Anne-Angèle qui se souvient avoir vu le visage de cette femme encadré dans l'entrée du cabaret et dont le costume, inspiré d'un ballet oriental, semblait avoir surtout été conçu pour être dégrafé.

Elle n'a effectivement aucune difficulté à imaginer que l'Assistance publique rechigne à faire confiance à une artiste de scène, pour ne pas employer le mot d'*effeuilleuse*. Et puis, l'autre chose qui la frappe, c'est cette façon curieuse qu'elle a de s'exprimer. Comme si ce monologue avait déjà été maintes et maintes fois récité. Anne-Angèle est à peu près certaine que, si elle lui reposait une seconde fois la question, cette femme emploierait exactement les mêmes termes, dans le même ordre, sur le même ton de lassitude fabriquée, en aspirant des bouffées de fumée dans l'espace récréatif des virgules et des points-virgules, les recrachant avec une petite moue dégoûtée. Tout cela sonne terriblement faux.

— Il arrivait à votre sœur de venir prendre un verre le soir après son travail pour se détendre, nous sommes devenues amies. Elle était pour moi un soutien moral et c'est elle qui m'a proposé d'aller chercher mon enfant à ma place.

— Mathilde ? se permet Anne-Angèle, surprise à l'idée que l'on ait pu considérer sa sœur comme une personne morale.

— Oui, Mathilde était une femme formidable. Lorsqu'il m'arrivait d'être mélancolique, elle trouvait toujours les mots pour me réconforter. C'est elle qui a eu l'idée ingénieuse de demander à son patron le droit d'héberger ma fille dans sa chambre. Ainsi, tout redevenait simple. En se faisant passer pour sa marraine, elle aurait accoutumé la petite à la vie parisienne, lui aurait fait profiter un peu de l'éducation des beaux quartiers. Progressivement, elle aurait tissé un lien entre elle et moi. Elle m'aurait présentée comme une amie tout d'abord, nous aurions passé du temps ensemble, je lui aurais fait quelques cadeaux, et la petite aurait fini par me trouver sympathique et m'aimer, qui sait, et j'aurais peut-être fini par trouver le courage de lui dire la vérité... et combien je regrettais de l'avoir abandonnée.

— Et, euh... comment ma sœur s'y serait-elle prise concrètement, pour créer ce lien entre elle et vous ? questionne Anne-Angèle, estimant qu'être là, à écouter de telles inepties, lui fait économiser le prix d'une place de cinéma.

— Elle pensait emmener la gamine chaque jeudi, son jour de repos, dans un endroit neutre, un parc par exemple. Au début, je me serais mêlée à la foule des passants, le temps pour moi de m'habituer à cette enfant. Et un jour, je serais sortie de la foule pour rencontrer Mathilde, j'aurais demandé qui est cette petite fille, je lui aurais dit : « Tu es jolie, comment tu t'appelles ? » Et la gamine m'aurait répondu : « Je m'appelle Marie ! » avec un sourire si charmant... si désarmant...

En disant cela, Faustina semble vivre cet instant si intensément qu'Anne-Angèle ne résiste pas à jeter un œil à côté de la table pour vérifier que la fillette ne s'y trouve pas. Cette histoire est tout bonnement insensée. Anne-Angèle s'attendait à quelque chose de farfelu, mais pas à ce point-là. Peut-être avait-elle besoin de ça pour se dégoûter définitivement de sa sœur. Pour cette raison au moins, elle ne regrette pas d'avoir mené son enquête. Il y a des gens comme ça qui passent leur existence à inventer des histoires, avec beaucoup de naïveté parfois, encore qu'Anne-Angèle peine à imaginer que sa sœur ait pu être réellement naïve. Non, elle était juste insensée, au moins aussi folle que cette Faustina Stefanini qui se met subitement à pleurer des larmes qui tombent goutte à goutte dans son verre de rhum, y matérialisant de petites spirales opaques.

Dieu seul sait ce qui serait arrivé à cette gamine si sa sœur lui avait effectivement donné l'occasion de quitter l'orphelinat. Une autre pensée traverse l'esprit d'Anne-Angèle : elle se demande en considérant cette jeune femme – sa tenue, surtout – si elle et Mathilde étaient de simples amies ou si, par-dessus le marché, elles étaient amantes. On voit des choses tellement incongrues, de nos jours.

Faustina pose sa cigarette.

— Il y a encore autre chose qui m'ennuie, dit-elle en se servant un autre verre.

— Ah ? Quoi d'autre ? soupire la bonne infirmière.

Elle resterait bien encore un peu à bavasser, mais elle constate que la lumière du jour décline au travers des vitraux. Il va lui falloir ne pas tarder à prendre congé de son interlocutrice pour reprendre le chemin du XVIe arrondissement, et retrouver tout aussi naturellement celui de sa propre destinée en retournant au Maroc.

— La somme que j'ai versée à Mathilde pour sceller notre contrat...

— Vous avez remis de l'argent à ma sœur ?

Pas la moindre pièce de monnaie dans cette chambre de service. Rien, absolument rien. Anne-Angèle a retourné les tapis, déplacé la table de nuit, cherché sous le pied d'une lampe dont le socle creux aurait pu constituer une cache idéale, mais non, aucune trace des mille francs évoqués par Faustina Stefanini. La bonne infirmière s'énerve, s'arrête, réfléchit. Elle s'en veut d'avoir été si curieuse, elle n'aurait jamais dû aller traîner du côté de la rue du Cherche-Midi, fouiller dans ces satanés courriers non plus, et surtout, elle en serait presque à regretter que sa sœur Mathilde soit morte. Oui, vraiment, atrocement. Pour la première fois depuis son arrivée elle regrette sa disparition, parce que, si elle était toujours de ce monde, elle lui alignerait directement deux paires de gifles pour avoir marché dans une combine pareille, aussi louche. Comment peut-on être à ce point stupide ? Anne-Angèle, elle, n'a pas mis plus de quelques minutes à déceler chez cette Faustina les caractéristiques propres aux hystériques. Il faut l'être, de toute façon, hystérique, pour abandonner une enfant et le regretter des années plus tard. Anne-Angèle imagine avec moins de difficultés que sa sœur ait vu là l'occasion de s'enrichir. Mille francs en billets de cent, ça peut vous faire tourner la tête, ça doit faire de l'effet. Dans tous les cas, ça doit constituer une belle épaisseur de papier. Anne-Angèle se penche en avant, retourne le matelas et le sommier. En général, c'est là que l'on dissimule l'argent, les idiots surtout, et Mathilde n'était pas l'inverse d'une idiote. Rien sous le matelas non plus. Enfin si, quelques emballages de bonbons et des paquets de cigarettes vides. Rien d'étonnant, Mathilde utilisait déjà son lit comme poubelle lorsqu'elle était gosse. Cochonne ! Salope ! Truie ! Anne-Angèle doit retrouver cet argent. Absolument. Elle pourrait s'en moquer, retourner au Maroc, y reprendre le cours normal de sa vie, mais elle se connaît, elle culpabiliserait jusqu'à la fin d'avoir laissé une telle ardoise derrière elle et son existence ne serait plus jamais « normale » justement, cette dette lui collerait des insomnies. Des maux de tête. On est honnête ou on ne l'est pas. Et honnête, la bonne infirmière l'est au point que c'en est presque une maladie. Elle s'assied, reprend sa respiration, inspecte l'intérieur du meuble tiroir par tiroir en se demandant s'il ne recèlerait pas une partie cachée, un double fond. Et c'est là que l'idée lui vient : l'argent était dissimulé dans les parois du sac, ce beau sac en cuir dont elle avait remarqué que les doublures étaient rembourrées. Elles n'étaient pas remplies de papiers journaux comme elle l'a imaginé, mais de billets de banque ! Mais oui, c'est évident. Cette salope de Mathilde avait certainement prévu de prendre la tangente...

Rue du Volga, rue d'Avron, rue de Buzenval, impasse du Loup… Les rues défilent et étirent leurs interminables façades poussiéreuses. Balcons, fenêtres, portes-fenêtres dans lesquels on croit apercevoir des fragments de vie abrégés par un rideau tiré, un volet, une bougie que l'on éteint pour allumer la pièce voisine. Une ville tout entière qui se dirige inexorablement vers le sommeil. Dans le mauvais sens hélas. Anne-Angèle vient de réaliser qu'elle n'a pas pris le bon autobus, enfin si, elle a pris le bon autobus mais dans la mauvaise direction. *Montreuil, c'était de l'autre côté*, c'est ce que lui dit le chauffeur sans même la regarder, en envoyant son pouce par-dessus son épaule. La bonne infirmière bouscule les passagers pour redescendre du véhicule, lourds, les passagers, pas concernés, et puis elle manque de basculer sur le marchepied, perd une chaussure en sautant sur le trottoir, la ramasse, court et court aussi vite qu'elle le peut. Ne prêtant plus attention aux cerisiers du boulevard des Maraîchers, ni à leurs stupides bourgeons qui peuvent bien éclore, fleurir, faner, pourrir dans le sodium des réverbères qui viennent de s'allumer et impriment les trottoirs de cercles incandescents. Elle doit arriver chez le brocanteur avant la fermeture, ou pire, avant que ce bagage n'ait trouvé un repreneur. Ce serait ça, l'enfer. Elle n'ose pas consulter sa montre, tout à l'heure il était dix-neuf heures et c'était il y a une éternité. Elle imagine le bagage posé sur les étagères du boutiquier, pour garder espoir, contenir son énergie, ne pas perdre le souffle.

Elle repasse devant le cinéma, celui avec l'affiche de Gabin et Morgan, se fraie un chemin dans la foule. Un homme-sandwich fait les cent pas, elle ne l'a pas vu, le heurte, trébuche, tombe avec lui. Se relève, le temps de découvrir sur sa pancarte cette saloperie de réclame antipoux. Là même image de phthiraptère représenté sur ce panneau stylisé tel un treizième signe du zodiaque, celui de la poisse absolue, et le même slogan qu'au cimetière, la veille : *Plus jamais de poux avec le flytox Papoutox !* Une vraie malédiction. Anne-Angèle, effarée, a de nouveau perdu son soulier. Le gauche, encore. Le rechausse, reprend sa course sans même s'excuser. L'homme-pou, en réajustant sur ses épaules les bretelles de son costume de bois, balance un juron d'une voix de fausset :

— Mais ne t'excuse surtout pas, vieille charogne ! Vers où que tu galopes comme ça, t'as le feu où je pense ?! hurle-t-il de sa voix grotesque.

Les gens qui trépignent devant le cinéma s'esclaffent, tels des ânes, et se fendent à leur tour de quelques insanités.

Anne-Angèle, qui n'a pas le temps de s'en offusquer, est déjà loin.

Les marchands de Montreuil les plus chanceux, ceux qui ont certainement fait leur chiffre d'affaires, ont déjà baissé leur rideau. Plus rien à voir avec le matin même, un autre décor, un dédale de ruelles sombres où les biffins se sont débarrassés de ce qui était invendable, paniers éventrés, casseroles démanchées, tiroirs vermoulus remplis de bouquins ramollis par la pisse de rat, peluches borgnes aux membres décousus, bouffées par la vermine. Et puis des vêtements encore, en lambeaux et si sales qu'on les a jugés impropres à servir de chiffons. Le quartier ressemble à une poubelle et ça pue.

Anne-Angèle est perdue.

Mais non, la voilà, elle reconnaît la rue, il lui faut à présent trouver le bon numéro. Elle se rappelle la forme de la bâtisse qui lui avait fait de loin l'effet d'une roulotte à la verticale, avec par endroits des rafistolages de taule, la vitrine avec l'inscription en belles lettres myosotis, et qu'il s'agissait d'un numéro pair. Le 12, croit-elle. Elle est au 120. Elle sait que les numéros des rues parisiennes débutent toujours par le côté orienté vers la Seine, c'est un bon repère, mais où se trouve la Seine ?

Elle a récupéré son sac et ça a été un parfait calvaire. Au moment de le renégocier, le commerçant a montré son vrai visage, celui d'un dépouilleur, une ordure. Une véritable ordure. Le genre à s'engraisser par exemple sur le dos des Juifs. D'ailleurs, à y regarder de plus près, les affaires de sa boutique, quelques bibelots principalement, étaient de bien trop bonne qualité pour ce quartier. Ce marchand, très certainement de mèche avec les agents de la Gestapo, devait se servir directement dans les appartements abandonnés par leurs propriétaires. Riche, beaucoup trop riche, trop sympathique, trop bien portant pour être honnête, c'est évident. Un charognard de première. Mais le sac était encore là, Dieu merci ! Posé bien en évidence sur les dernières étagères, celles regroupant les valises et les malles. Encore luisant du coup de cirage qu'Anne-Angèle lui avait donné le matin même. Lorsqu'elle lui a proposé de le racheter, le marchand a tout simplement refusé, arguant qu'il y tenait beaucoup et qu'il comptait le garder pour lui. Et comme la bonne infirmière insistait en faisant valoir qu'elle se sentait finalement très attachée à cette affaire qui avait appartenu à sa sœur défunte, il a fait mine de compatir et lui a demandé combien elle serait prête à en donner, de ce sac, auquel elle se sentait si « attachée ». Anne-Angèle, qui n'a pas l'âme commerçante, ne l'a jamais eue et n'en a jamais fait un complexe, n'a su que répondre. Souriant, le boutiquier a repris la parole en s'emparant du bagage pour lui asséner qu'il en voulait au moins deux cent vingt francs de ce très beau sac en cuir... ou deux cent dix, mais pas moins. Soit le double du prix négocié le matin même.

Aux cent neuf francs gagnés sur la vente et qui devaient lui permettre de rembourser le cercueil de Mathilde, elle a rajouté les quatre-vingts de son billet retour pour le Maroc. Tout ce qui lui restait. Et elle a donné sa montre en plus, objet de moindre qualité pour le coup, et dont elle avait constaté ce soir-là qu'elle avançait d'un bon quart d'heure. Voilà, le compte est bon, *merci monsieur*, au revoir.

Anne-Angèle s'engouffre dans les ruelles avec son sac. En baissant le store de la boutique, le commerçant lui fait un petit signe de la main, de façon amicale et vicieuse, qui semble vouloir dire : « Revenez donc vous faire plumer à l'occasion ! » Mais elle ne répond pas à cette provocation.

Elle avance en essayant de paraître la moins nerveuse possible pour ne pas attirer l'attention des quelques clochards qui se sont rassemblés dans les allées et remuent du bout de leurs bâtons les détritus pour y trouver – qui sait ? – un bouton d'argent, quelques sous oubliés. Sinistre population sortie tout droit d'un tableau de Bruegel, définitivement voûtée à force de fouiller. Certains, les plus pragmatiques, portent sur eux les couches successives de tout ce qu'ils ont récolté : manteaux pelés, peaux, tapis, serpillières. Pour garder les mains libres, ils ont posé sur leur tête une casserole, une boîte à biscuits, vides et cabossées, dont on pourra revendre le fer aux Manouches. Cet attirail leur fait des silhouettes de Rois mages sortis pour le jour de l'Épiphanie. Si ces malheureux avaient idée du trésor que transporte Anne-Angèle, il ne fait aucun doute qu'elle ne rentrerait pas chez elle vivante. Son histoire prendrait fin ici, et se résumerait à trois lignes dans les journaux du matin avec pour titre à sensation : *Une infirmière de Casablanca retrouvée égorgée aux puces de Montreuil.*

Anne-Angèle s'interdit d'y penser.

Il lui faut à présent trouver un endroit tranquille, un parc par exemple, puisqu'elle en voit un, justement, à quelques dizaines de mètres vers la sortie du marché : un lieu paisible où s'asseoir pour découdre la doublure du sac.

Elle franchit le portail du square, repère un banc entre deux bosquets, à l'abri des regards, ouvre le bagage. Pour constater que la doublure a été décousue et que cette ordure de commerçant a pillé son précieux contenu.

La Peste verte vient d'ouvrir ses portes. Faustina et Anne-Angèle sont installées dans une loge au deuxième étage, un endroit exigu mais bien agencé. Une fenêtre donne sur la rue et deux autres, en forme de meurtrières celles-ci, permettent de surveiller l'activité dans la grande salle. On entend, provenant de l'étage inférieur, le brouhaha des premiers clients empruntant l'escalier, comme un rythme de tambours auquel s'ajoute, aigu, métallique et succinct, celui des cintres des vestiaires et des bouteilles que l'on sort de leurs caisses et, en fond, ceux des instruments que l'orchestre accorde. Le spectacle va bientôt commencer, Faustina est abattue, Anne-Angèle bien plus encore, tellement mal en point qu'elle a même accepté un verre de rhum, et un autre encore.

— Je suis navrée, dit-elle, j'ai fait de mon mieux pour récupérer l'argent que vous aviez avancé à ma sœur, tout ce que j'ai pu, vraiment, mais je me suis bêtement fait avoir...

Faustina, s'apprêtant à faire son entrée en scène, est vêtue d'un costume dont il est difficile d'imaginer de quel folklore il s'inspire : c'est une tenue qui étincelle, voilà tout, comme sa peau d'ailleurs, couverte de paillettes, la faisant ressembler à un paysage de neige par une nuit de pleine lune.

— C'est Dieu qui m'a punie, dit-elle en soulignant d'un trait gras son œil d'où coulent quelques larmes qui, en roulant sur ses joues, dessinent des sillons dans la poudre tels ceux que les insectes laissent sur l'écorce des arbres.

— Vous êtes certaine que l'argent se trouvait dans ce sac ?

— Tout à fait sûre, répond la bonne infirmière qui en a les mains qui tremblent.

Il s'est passé tant de choses en une seule journée, si elle avait su que ça l'embarquerait dans de telles péripéties, elle n'aurait jamais fait ce voyage jusqu'en métropole. Jamais. Elle s'en veut.

Faustina lui affirme que s'en vouloir ne mène à rien. L'argent n'est pas le plus grave, dit-elle. Mais la bonne infirmière ne voit pas les choses de cet œil. Pour elle, ça n'est pas qu'une question d'argent, mais aussi de principe.

— Une fois rentrée au Maroc, je vous enverrai chaque mois une partie de mon salaire, promet-elle. Je ne pourrai peut-être pas vous rembourser l'intégralité des mille francs, mais au moins la moitié, j'espère.

La brave femme, en se laissant servir un troisième verre de rhum, paraît avoir vieilli de vingt ans. Ce ne sont plus des cernes qu'elle a, mais deux rideaux bistres qui lui dégringolent sur les joues. Elle répète en boucle qu'elle est une femme honnête, qu'elle trouvera une solution, *parce que dans la vie, on trouve toujours une solution*, etc.

— Mais comment ferez-vous pour vivre en m'envoyant votre salaire ? lui demande Faustina. Si vous acceptiez de remplacer votre sœur et de prendre en charge Marie, l'espace de quelques mois, eh bien non seulement je ne vous en voudrais pas, mais en plus, je vous en redonnerais, de l'argent !

En disant cela, la jeune femme sort de son tiroir à maquillage une petite trousse de velours, brodée à ses initiales, que l'on dirait pleine de bigoudis et dont elle extrait plusieurs rouleaux de billets ceints de gros élastiques, qu'elle défait pour en étaler quelques exemplaires sur la console. De magnifiques coupures de cent francs, neuves et lisses comme si elles venaient d'être imprimées. Sur leur verso, Sully vêtu d'un haut marron à col fraise se tient assis à une table, une main négligemment posée sur un parchemin, l'autre accolée à son menton. L'air de s'ennuyer, il contemple un château édifié sur un petit monticule de verdure dominant un fleuve, traversé par quelques ponts déserts. Tout autour de cette forteresse, des paysans s'activent à la traite des vaches, ou pour d'autres aux moissons. Il fait un temps splendide sur ces gravures. D'autres billets, tournés côté recto, ceux-là, arborent dans des tonalités beiges et bleutées un buste de femme couronnée de laurier et vêtue d'une toge blanche, et qui symbolise à coup sûr la République. Son bras musclé se tend vers un enfant qui, lui-même, soutient l'espace rond et pur telle une hostie, du filigrane. L'enfant semble heureux, et la femme confiante.

Anne-Angèle n'a jamais vu autant d'argent.

— Voyez, poursuit Faustina, si vous acceptiez de reprendre le marché que j'avais passé avec votre sœur, je pourrais vous donner déjà, disons cinq cents francs, puis cent par semaine. D'ici quelques mois, ce seront huit cents autres francs... Après tout, il faut apprendre à faire confiance au destin, moi je dis que c'est peut-être le ciel qui vous envoie. Et puis, pour être tout à fait sincère, je me sentirais bien plus en sécurité de savoir ma fille avec vous plutôt qu'avec Mathilde. Elle était un peu tête en l'air, n'est-ce pas ?... Imaginez qu'elle ait été avec Marie, le jour où elle a été renversée !

Anne-Angèle écoute. Au moins là-dessus, elle est d'accord. Mathilde aurait été incapable de prendre en charge une enfant, c'est certain. Elle était notoirement irresponsable et n'aura, finalement, jamais cessé de l'être. Elle pouvait à la rigueur faire illusion auprès d'un vieil homme tel que Chanfrin-Bellossier, mais c'est tout.

Faustina, qui continue d'étaler devant elle les billets telle une astrologue ses cartes divinatoires, reprend la parole. C'est au sujet de Chanfrin-Bellossier, justement.

— Ce vieux monsieur qui employait votre sœur et qui avait gentiment accepté d'héberger la petite chez lui, peut-être serait-il prêt à vous engager à la place de Mathilde. Vous y avez pensé ? En additionnant votre salaire à l'argent que je vous donnerais pour veiller sur Marie, vous vous feriez un petit pactole, de quoi voir venir pour pas mal de temps.

L'infirmière réfléchit. Les trois petits verres d'alcool lui ont fait du bien, elle en a encore le gosier tout brûlant. Sa main se pose négligemment sur un billet, elle n'a jamais ressenti une telle douceur combinée à une impression de propreté, c'est infiniment délicat et soyeux, un billet de banque. Anne-Angèle comprend à cet instant l'idée du *matelas,* communément utilisée lorsqu'on évoque la fortune, *avoir un beau matelas, être assis sur un beau matelas*. Elle, ce billet lui fait plutôt l'effet d'un tapis, merveilleux, enchanté. Portée par une telle étoffe, votre main devient légère, il doit être si simple de désigner quelque chose sur un étal, d'être libre de choisir, d'en reprendre même deux fois. D'acheter, juste pour essayer, se faire une idée, et laisser même un pourboire afin d'obtenir un sourire. Puisque même les sourires se monnaient. Cet argent, cette somme de petits tapis volants, c'est le mouvement, la vie, le véritable sens du mot *liberté*.

L'espace d'un instant, en se laissant resservir un ultime gorgeon de rhum, puisqu'il faut bien finir la bouteille, elle se voit, seule et vieillissante au Maroc, dans un gourbi au bord de la Méditerranée à cultiver son jardin, aller au puits pour y glaner les mauvaises grâces de quelques paysannes autochtones, et finir en soliloquant devant un pied de pois chiches.

Cette vision lui paraît soudain tout à fait désuète.

Elle patiente depuis un bon quart d'heure dans le bureau de la mère supérieure de l'orphelinat de Thibouville et il lui faut lutter pour ne pas laisser les souvenirs la submerger. L'établissement où elles se trouvaient, Mathilde et elle, lorsqu'elles étaient enfants, était plus petit, moins moderne, c'était un orphelinat du Nord, mais certaines choses demeurent identiques. Il y a cette odeur de rance et d'encens, l'atmosphère de bondieuserie surtout, le Christ au mur, bras en l'air tel un mort victorieux qui assisterait depuis son supplice à l'arrivée du Tour de France, une statue de plâtre peint, réaliste et grande comme un homme. Cette odeur de carton humide qui s'ajoute au reste. Et puis, ce bruit des enfants qui travaillent, en fond, comme un souffle. Les enfants ne parlent pas fort dans les orphelinats, ne se plaignent pas, ne connaissent pas le luxe de l'ennui. En guise de distraction, ils effectuent des petits travaux, rendent des services à la communauté, enfilent des cordelettes dans des étiquettes, font de la broderie, passent le balai, cirent les parquets. Et quand ils jouent dans la cour, c'est en paraissant s'excuser par avance de déplacer de la poussière avec leurs souliers.

Un orphelinat reste un orphelinat.

Anne-Angèle n'a pas eu la moindre difficulté à convaincre la mère supérieure, une religieuse replète d'environ soixante-dix ans, en lui présentant un certificat de famille falsifié, qu'elle était la tante de Marie. Tout cela était notifié sur le document, cacheté par l'administration de l'Assistance publique. La religieuse, en archivant le document dans un secrétaire débordant de paperasserie, a quand même tenu à l'avertir que l'enfant qu'elle allait lui confier n'était pas des plus dociles. En effet, selon elle, il s'agit d'une enfant renfermée, instable.

— Longtemps, personne ne lui a rendu visite. Lorsqu'elle est arrivée ici, elle venait de passer ses quatre premières années chez des parents nourriciers de l'Allier. Ces braves paysans lui ont donné l'amour qu'ils ont pu, mais ont cessé de prendre des nouvelles du jour au lendemain... C'est parfois plus simple pour une enfant qui n'a jamais connu ses parents que de ne plus rien attendre. Alors, j'espère que là où vous l'emmenez les gens seront aimants, responsables.

Marie, précédée de la religieuse, pénètre dans la pièce. Les cheveux longs et châtains, elle est déjà grande pour ses douze ans. Elle est vêtue d'une blouse grise comme un écho à la couleur de ses yeux qu'elle a, d'un gris plus foncé, et qu'elle conserve rivés au sol où elle semble vouloir trouver refuge.

Anne-Angèle, en la voyant, se dit que ça ne va pas être facile et que la gamine a effectivement l'air esquintée. Elle a cette manière de poser les pieds, en dedans. On voit tant de choses dans le mouvement des pieds, surtout là, chaussés de galoches informes, avec des moignons de lacets, noués en triples nœuds effilochés, comme si l'enfant, en enfilant ses chaussures le matin, avait eu peur de s'envoler, de ne pas même être reliée à ça. Ses godasses.

La mère supérieure suggère à Marie de saluer sa tutrice. Marie hoche vaguement la tête en direction d'Anne-Angèle, en fixant toujours le sol. Elle a un petit sac posé à ses pieds et qui contient certainement les quelques affaires données par l'Assistance publique. Anne-Angèle a connu cela, autrefois. Ces vêtements qui vous arrivent sur le dos, lustrés par le mouvement des autres. Tout est usé dans les orphelinats. Elle se souvient entre autres des cuillères en fer biseautées par le frottement sur les assiettes. Le bruit des couverts qui raclent. Celui des enfants qui n'ont pas suffisamment mangé. Le son du ventre creux.

La mère supérieure conserve le feuillet destiné à l'administration et rend un exemplaire signé à Anne-Angèle. Puis elle embrasse Marie sur les joues en lui saisissant fermement les épaules.

— Adieu, Marie, là où tu vas, tu auras sans doute de la chance. Alors pense à nous de temps en temps !

— C'est une enfant parfaite, voilà exactement ce qu'affirme Chanfrin-Bellossier. Absolument parfaite et parfaitement éduquée !

C'est bien simple, il n'en revient pas, le vieux. Il y a surtout cette relation que la gamine entretient avec les images pieuses : chaque fois que Marie passe devant un crucifix ou une représentation de la Vierge, elle s'arrête et effectue une double génuflexion en se signant. Et quand elle croise un portrait de Pétain, et il y en a une bonne demi-douzaine dans l'appartement du vieil officier, idem, Marie fait halte et se signe avec une sorte de bégaiement discret qui constitue sans doute un Notre Père ou un Je vous salue Marie.

— On en serait presque à souhaiter que tous les enfants soient éduqués par l'Assistance publique ! Voyez comme elle est brave ! s'exclame Chanfrin-Bellossier en observant la petite.

Non, il n'en revient pas d'une telle perfection, d'une pareille discrétion, surtout. Depuis qu'elle est arrivée, il y a une semaine déjà, Marie n'a pas dû prononcer plus d'une quinzaine de mots. Des formules de politesse exclusivement : *merci, bonjour, s'il vous plaît, pardon, au revoir...* Elle peut rester immobile durant des heures, assise sur une chaise à fixer la fenêtre comme si la perspective des toits parisiens suffisait à la distraire. À moins que ce ne soient les mouches à la surface des carreaux et dont elle semble s'être fait une mission de les attraper pour les écraser. En guise de distraction, elle les aligne sur le rebord de la fenêtre. Créant patiemment avec leurs dépouilles des formes géométriques – carrés, losanges, même des croix. Il arrive qu'elle chantonne, d'une voix si basse qu'elle ne semble le faire que pour elle-même, des airs là encore inspirés de la liturgie. Toujours les mêmes notes soufflées du bout des lèvres. Et lorsque quelqu'un passe à proximité, l'enfant s'interrompt, ou poursuit mais bouche fermée. Le chant devient plus grave, comme celui d'une procession funèbre. Que fête-t-elle ? Qui honore-t-elle ? La mort des insectes sans doute, dont elle remplit chaque soir une petite boîte d'allumettes qu'elle porte en fredonnant ainsi, et d'une démarche martiale, à la poubelle de la cuisine.

Elle est parfaite, vraiment parfaite, *absolument merveilleuse*.

En revanche, le vieux Chanfrin-Bellossier s'étonne du peu de ressemblance entre la gamine et celle qu'il appelle désormais « ma bonne Anne-Angèle ». Celle-ci, qui n'a jamais été très adroite pour les mensonges, doit faire preuve d'imagination et ça n'est pas simple pour elle. Elle s'invente avec Marie un lien de parenté volontairement très complexe afin que le vieillard s'y perde et cesse de lui poser des questions :

— Le père de Marie, Benoît, était en réalité un demi-frère à Mathilde et moi. Un enfant que notre défunte mère avait eu d'un premier mariage, à une époque où, jeune fille, elle buvait beaucoup et avait, comme bien souvent les alcooliques, des relations avec des hommes de passage. En l'occurrence, un ouvrier chapelier qui, le pauvre, avait subi un empoisonnement en inhalant du nitrate de mercure et souffrait de la très rare « maladie du chapelier fou ». Oui, c'est cela, le père de Marie, Benoît, était handicapé mental par un effet de résurgence de la maladie de son propre père. Ce qui explique, en somme, ce drôle de caractère de la gamine, qui est un peu l'addition de toutes ces tares...

Le vieillard en reste bouche bée, mais loin d'être ennuyé ou égaré par ce cheminement complexe, il aimerait que le récit se poursuive. Anne-Angèle promet de lui en dire plus au moment du coucher où, après la piqûre et une double inhalation de poudre Legras, il lui faut revenir sur l'enfance de son frère.

— Un petit gars difficile en vérité... Il nous battait, Mathilde et moi. Comme ça, juste pour le plaisir ! Au point qu'il m'arrivait de devoir défendre Mathilde en balançant des coups à mon tour, qu'il fallait soigner ensuite, évidemment. C'est d'ailleurs en passant de l'arnica sur les cocards de mon frère Benoît que je me suis découvert une passion pour le corps médical.

Quand Chanfrin-Bellossier, tout intrigué, demande à son infirmière de ne pas éteindre la lumière et de poursuivre encore un peu, Anne-Angèle, prise au dépourvu, s'invente encore une tante bigote, fruit d'un inceste, un grand-oncle moine, et tout un tas d'autres cousines lointaines, et même très lointaines, puisque émigrées vers les

Pays cajun avec des gars d'Alençon. Cette partie-là de sa famille, elle peut la résumer d'un bloc en imitant leur accent, ce qui ne manque jamais de réjouir le vieillard qui s'endort l'esprit illuminé par toutes ces cocasseries.

Mais la journée n'est pas finie pour Anne-Angèle qui, après avoir vérifié que son employeur ne rallume pas la lumière en cachette, doit débarrasser la table, faire la vaisselle et la lessive aussi. Pour ces tâches, en général, Marie lui donne un coup de main. Il n'y a pas plus rapide qu'elle pour plier les chemises et les empiler impeccablement. Elle est également très douée pour passer un coup de fer sur les torchons, un savoir-faire inculqué à l'orphelinat. Plus tard, une fois dans sa chambre de service avec la gamine, Anne-Angèle ouvre des recueils d'histoire et de géographie, mais là, c'est un désastre. L'enfant ne connaît et ne comprend rien. À l'entendre, la France est grande comme cinq fois les États-Unis. Plus grave encore, elle ignore tout simplement le nom des grandes figures politiques, ainsi Philippe Pétain qu'elle désigne comme étant le « papa de la Vierge Marie ». Ce qui a au moins le mérite d'expliquer les génuflexions et les prières de la gamine lorsqu'elle passe devant son portrait.

Cet enseignement scolaire n'est pas non plus chose aisée pour la bonne infirmière dont la culture générale se limite peu ou prou au *Manuel de la morale professionnelle de l'infirmière*, ouvrage vous enseignant les trois cent et une manières d'accepter la condition de femme serpillière sans rechigner, et qui commence par : *Patience est mère de vertu*.

Dans la petite chambre, Marie occupe le lit d'appoint et Anne-Angèle, celui de la défunte Mathilde.

Parfois, au moment de s'endormir, l'enfant se met à parler dans la semi-pénombre. Le plus difficile pour elle, lorsqu'elle s'adresse à Anne-Angèle, semble de la tutoyer, elle n'y parvient pas. Pour plus de simplicité, Anne-Angèle le lui a proposé. Et c'est certainement cela qui crée des complications dans l'esprit de la petite. Quand elle s'adresse à elle, ses phrases commencent à la deuxième personne du singulier mais se terminent à la deuxième du pluriel et sont souvent rythmées par de longs bégaiements.

Entre deux bégaiements, par exemple, Marie redemande à Anne-Angèle de bien vouloir lui réexpliquer quel lien de famille les unit.

— Tu pourrais me redire qui vous êtes par rapport à moi ? demande-t-elle en fixant la bonne infirmière.

Question simple dont la réponse nécessite moins d'imagination, par exemple, que pour Chanfrin-Bellossier. Anne-Angèle se contente de lui resservir le mensonge formulé à la mère supérieure de l'orphelinat :

— Je suis une sorte de tante.

Mais la gamine l'interroge :

— Et... et ça va durer longtemps ?

— Qu'est-ce qui va durer longtemps, Marie ?

— Que tu soyez ma tante ?

Anne-Angèle est embarrassée de ne pouvoir lui apporter aucune précision à ce sujet. Combien de temps va-t-elle devoir s'occuper de cette enfant ? Elle l'ignore.

Jusqu'alors, le contrat passé avec Faustina est honoré. Depuis un mois déjà, Anne-Angèle emmène Marie chaque jeudi au parc du Luxembourg, à l'endroit des bacs à sable et du départ des poneys. Un espace animé et bruyant où Anne-Angèle prend place sur un banc et suggère à la petite fille de s'asseoir à côté d'elle et de lire. Marie a beaucoup de peine à tenir en place. En général, elle lâche son livre pour faire des châteaux de sable avec les enfants, sans pour autant parvenir à établir un contact avec eux, puisque Marie bégaie et s'énerve dès que l'on refuse de jouer avec elle.

Pendant ce temps, Anne-Angèle ne manque jamais d'observer discrètement les passants pour tâcher d'y reconnaître Faustina. L'affaire n'est pas simple, car la jeune femme apparaît le plus souvent coiffée d'un chapeau, parfois même le regard masqué par des lunettes de soleil. Elle prend place à une dizaine de mètres de distance et reste ainsi à contempler sa fille sans que son visage trahisse la moindre émotion.

En général, elle se lève au bout d'une dizaine de minutes et disparaît dans la foule du parc, sans jamais se retourner.

Que pense-t-elle ? Anne-Angèle n'en a pas la moindre idée.

Un autre soir de la semaine, le lundi en général, après avoir mis au lit le vieux Chanfrin-Bellossier avec sa piqûre et son lot de mensonges soporifiques, Anne-Angèle quitte discrètement l'appartement de la Muette pour se rendre au cabaret de la Peste verte où une enveloppe contenant de l'argent lui est remise par la réceptionniste qui tient les vestiaires. En général, Yvonne, cette fille un peu simple à l'accent breton qui a connu Mathilde et la trouvait sympathique, invite la bonne infirmière à rester un moment avec elle et lui offre quelque chose à boire. Comme on ne sert pas de tisanes à la Peste verte (il est précisé au-dessus du bar qu'*On ne sert rien de ce qui est bon pour la santé*), Anne-Angèle a pris l'habitude d'une petite eau-de-vie de verveine qui la détend et lui donne l'occasion d'observer l'activité de cet endroit où se joue chaque soir un spectacle différent et sur des thèmes parfois très originaux.

Parmi les habitués, on remarque quelques couples lesbiens, dont une grosse femme plutôt moche et vulgaire, Rose Meurice, qui, d'après Yvonne, serait de la Gestapo. Elle a les cheveux si gras qu'elle n'a pas besoin de les brillantiner, un coup de peigne suffit. Un petit peigne en argent qu'elle sort de sa poche et qu'elle lèche avant de s'en mettre un coup, tenant dans le creux de son autre main un minuscule miroir, en argent lui aussi et dans lequel elle semble avoir des difficultés à caser la totalité de son énorme tête. L'effort que cet exercice lui demande anime son faciès de quelques grimaces masculines et sévères. Parfois, lorsqu'elle extrait le peigne de sa poche, un autre ustensile émerge, un petit pistolet qui ressemble à un briquet mais dont Yvonne affirme qu'il fonctionne, et aussi une paire de menottes, dont la taille, quant à elle, laisse deviner qu'elles sont destinées à des poignets de femmes.

Que font tous ces gens le reste du temps ? Quels emplois occupent-ils dans la journée ? Anne-Angèle s'efforce de ne pas trop y songer.

L'accoutrement qui apparaît le plus fréquemment reste bien entendu l'uniforme des officiers allemands qui, d'un thème à l'autre, se bornent à tenir dans cette joyeuse orgie le rôle de l'occupant. Mais, sous l'effet conjugué de la musique et de l'alcool, il n'est pas rare que certains de ces messieurs finissent par tomber la veste et se retrouvent torse nu dans une baignoire remplie de champagne que deux cerbères au visage enduit de cirage ont amenée au centre de la piste. Elle est jolie, d'ailleurs, cette baignoire. Tard dans la nuit, un concours est organisé : on offre une prime aux entraîneuses qui arriveront à y tenir à plus de cinq et composer là-dedans des figures « orientales ».

L'humain n'est pas si facile à distraire.

Plus rarement, parmi ce troupeau bruyant, Anne-Angèle observe Faustina qui, ayant accompli son numéro, passe d'une table à l'autre, distribuant des sourires et des caresses en veux-tu en voilà, s'arrêtant plus longuement à la table d'un moustachu élégant portant une cape, et qui est remarquable par sa façon de poser sa canne en travers de la table.

Une belle canne avec un pommeau en argent qui semble signifier de ne pas l'importuner.

En toute fin de soirée, Faustina trouve parfois le temps d'échanger un mot avec Anne-Angèle qu'elle nomme à présent sa « bonne amie ». La complimentant pour l'éducation remarquable prodiguée à Marie qu'elle n'appelle presque plus jamais sa fille, mais *l'enfant*. Juste l'enfant.

Lorsque Anne-Angèle lui demande quand compte-t-elle établir un premier contact avec elle, la jeune femme reste évasive. Elle ne sait pas, affirme ne pas se sentir prête. On ne s'improvise pas mère aussi facilement. C'est qu'il se passe des choses importantes dans sa vie, un homme qu'elle fréquente et qui pourrait bientôt l'épouser.

— Ce serait formidable pour cette enfant d'avoir en une seule fois une mère et un père, n'est-ce pas ? dit-elle en regardant fixement devant elle, d'une façon qui, il faut l'avouer, déstabilise quelque peu la bonne infirmière.

Mais Anne-Angèle s'interdit de porter un jugement, ce monde qu'elle fréquente depuis quelque temps lui semble si loin de tout ce qu'elle connaît.

Ça n'est peut-être pas Faustina qui est folle, mais elle-même qui n'est plus de son époque. Et puis, folle ou pas, Faustina paie, *elle paie*.

Avec ses premiers émoluments, la bonne infirmière a investi dans de nouveaux vêtements. L'élément déclencheur de ce désir d'élégance a été un orage durant lequel, s'étant réfugiée sous un porche du boulevard Exelmans, elle a tendu la main pour vérifier qu'il ne pleuvait plus. Une passante l'ayant prise pour une clocharde y a déposé une pièce.

Depuis ce jour, Anne-Angèle a donc décidé d'entreprendre quelques efforts vestimentaires. D'être un peu moins l'« ex-infirmière de Casablanca », la gourde, la grotesque, et un peu plus l'employée des beaux quartiers. Elle s'est rendue chez un couturier recommandé par Chanfrin-Bellossier qui lui a confectionné deux tailleurs de ville. Non sans mal, pour cet artisan qui n'avait jamais vu des proportions aussi étranges, la longueur des bras surtout, dont il a dit plusieurs fois (les lèvres fermées sur ses aiguilles) :

— Excfepfionnels, tout fimplement excfeptionnels, ma fère madame !...

Sans qu'Anne-Angèle ne sache trop d'ailleurs comment prendre cette sorte de compliment.

Elle est dorénavant vêtue convenablement et se surprend parfois, en passant devant le grand miroir au rez-de-chaussée de l'immeuble, à se trouver séduisante, au point de ne pas se reconnaître. Elle se dit que si elle avait été vêtue ainsi lorsqu'elle était plus jeune, elle aurait peut-être eu une autre vie. Aurait-elle fait des études ? Séduit un homme ? Eu des enfants ?

Anne-Angèle sourit face au miroir de se sentir devenir si frivole.

Marie fait des progrès elle aussi, considérables, cela tient presque du miracle. Dans la mémorisation des leçons, particulièrement. Anne-Angèle est très étonnée de découvrir que l'enfant qu'elle prenait, il faut l'avouer, pour tout à fait limitée se souvient d'à peu près tous les cours qu'elle s'est donné la peine de lui faire apprendre depuis sa sortie de l'orphelinat. Une mémoire vertigineuse, abyssale, déconcertante. Tout est là, simplement organisé dans sa tête, l'histoire de France, le calcul, les sciences naturelles. Et puis, ayant parfaitement intégré le tutoiement lorsqu'elle s'adresse à l'infirmière, elle commence à faire des confidences. Il lui arrive d'évoquer l'orphelinat qu'elle décrit comme un lieu entièrement vide. Elle raconte les couloirs, les dortoirs, le réfectoire, les fenêtres avec leurs chaînes de sécurité, les toits visibles depuis celles de l'atelier, la cour, l'arbre qui poussait dans la cour, mais ce sont des lieux vides.

Anne-Angèle s'étonne :

— Tu n'avais pas d'amis là-bas ?

Marie fait un effort de mémoire. Elle dit que si. Elle avait un ami, mais c'était un ami tellement important qu'elle préfère ne pas en parler.

— Ça fait trop de peine.

Anne-Angèle insiste et finit par apprendre qu'il s'agissait d'un chat. Un simple chat. Un animal qui passait le plus clair de son temps devant une fenêtre à attraper des insectes. Marie, lorsqu'elle l'évoque, le fait avec beaucoup de calme, en réunissant ses mains sur ses genoux, paraissant mimer l'attitude du félin. Le regard perdu au loin, très loin. Elle dit que *cet ami* lui manque, et qu'elle est certaine que ce manque est réciproque. Ce qu'elle redoute le plus, c'est que, resté seul à l'orphelinat, il ne se laisse dépérir. Lorsqu'elle regarde par la fenêtre, c'est à lui qu'elle pense.

— Tu sais, Marie, c'est le passé, tout ça.

— Qu'est-ce que tu veux dire par là, ma tante ?

— Je veux te dire que cette vie est derrière toi, et que des chats, tu auras l'occasion d'en avoir d'autres, ailleurs...

— Où ? demande Marie avec, dans ses profonds yeux gris, une innocence qui glace le cœur de l'infirmière et l'encourage à s'engager sur le chemin de la vérité, mais avec prudence, comme il convient de le faire lorsqu'on emprunte un sentier le long d'une falaise.

— Je vais t'avouer quelque chose, Marie : si tu es gentille, que tu continues de bien apprendre tes leçons et surtout de bien te comporter avec les autres enfants lorsque nous allons au parc, tu seras récompensée...

— Comment ?

— Tu peux garder un secret ?

— Oui.

— Bientôt la guerre sera finie et je crois que tu seras accueillie par des gens très riches, tu auras bien de la chance...

La gamine reste placide. Elle ne comprend pas. Et Anne-Angèle s'en veut de lui en avoir trop dit. Depuis quelque temps, la pauvre femme se découvre du cœur, c'est dangereux. Pour couper court à la conversation et ne pas trop s'approcher du précipice de la sentimentalité, l'infirmière demande à Marie de reprendre la lecture de son livre, ou mieux encore, elle l'autorise à faire du patin à roulettes. De beaux patins que Chanfrin-Bellossier lui a offerts pour son anniversaire, et il faut voir comme la gamine file là-dessus. Une vraie championne. Là non plus, elle n'a pas mis longtemps à apprendre. Dans le jardin du Luxembourg, il lui arrive fréquemment d'échapper à l'attention de sa *tante* pour emprunter le circuit des trottoirs.

Anne-Angèle en a des sueurs froides. À l'idée, surtout, d'être vue en train de paniquer par Faustina qui, il faut l'avouer, semble devenue experte dans l'art de se mêler à la foule, car depuis quelque temps la bonne infirmière ne l'identifie plus du tout. Elle croit l'apercevoir, là, sous les traits de cette mère de famille, de cette joueuse de badminton ou encore, cette lectrice dissimulée derrière un journal, mais non, ça n'est jamais elle. Et la bonne infirmière, sotte qu'elle est, de se persuader qu'il s'agit d'une marque d'estime, que l'actrice de cabaret lui fait confiance au point de ne plus éprouver la nécessité de venir surveiller ses agissements. Ainsi, la demi-heure réglementaire passée, Anne-Angèle et l'enfant s'en retournent à la Muette.

Le lieu privilégié par Marie pour l'activité de patinage demeure l'appartement de Chanfrin-Bellossier. La surface des parquets est bien moins rugueuse que celle des trottoirs. Elle file et file encore là-dessus. Parfois, lorsqu'elle rencontre le vieil officier sur son chemin, elle le contourne et le pousse dans sa chaise roulante, à son corps défendant.

À voir naviguer ainsi ce duo sur roulettes d'une pièce et d'un couloir à l'autre, on dirait une machine de guerre.

Le vieux brandit sa canne.

— Stop ! Stop ! hurle-t-il comme les enfants le font depuis toujours, en semblant demander : « Encore ! Encore ! »

En quarante ans de bons et loyaux services aux armées, bien planqué qu'il était dans les bureaux du ministère, il n'a jamais ressenti d'émotions aussi intenses.

Il y a, bien sûr, quelques incidents, comme ce beau vase dont on s'est souvenu qu'il était en porcelaine une fois dispersé au sol en mille morceaux. Ces rideaux arrachés parce que le vieux s'y est agrippé afin de ralentir la course et, enfin, ce miroir qui a basculé de tout son poids du haut de la cheminée. Miroir brisé n'est pas très bon signe à ce que l'on dit, sept ans de malheur, tout de même. Mais lorsque l'on a douze ans, on ne le voit pas venir.

L'enfant rit, elle crie. Elle hurle de joie.

Anne-Angèle lui ordonne de se calmer, de faire preuve de maturité. Mais le vieux n'est pas de cet avis.

— Mais non, mais non, ma chère, laissons cette gamine se dépenser. C'est l'avenir et le changement ! Et ça fait du bien à tout le monde !

Au point même qu'il en rajeunit lui aussi et de façon spectaculaire. N'a-t-il pas l'idée, un beau matin, de raccourcir sa barbe ? Cette barbe dont il a soudain l'impression qu'elle le *vieillit*. Comme il s'en confie à Anne-Angèle et que cette dernière, prudente et psychologue, minimise, le vieillard demande son avis à Marie qui ne se gêne pas pour lui dire qu'effectivement, sa mise est ridicule et qu'il ressemble même à un vieux bouc. Pas seulement à cause de la barbe, mais aussi à sa manière de rire – il faut reconnaître que le vieillard bêle plus qu'il ne rit.

— Non seulement vous avez une barbe de chèvre, mais vous sentez le vieux bouc ! hurle l'enfant.

Ce qui fait encore bien rire le vieillard, au point même qu'il s'étouffe. Comme il tousse de façon inquiétante, jusqu'à en devenir violet, Anne-Angèle lui prescrit de se reposer quelques heures sur le canapé du grand salon.

Quand elle revient dix minutes plus tard, elle trouve Marie en train de lui tailler la barbe à grands coups de ciseaux. La tête du vieil officier reposant sur le côté, elle a surtout coupé à gauche et le résultat est pour le moins original. Chanfrin-Bellossier, en découvrant son visage dans les fragments du grand miroir, trouve que ça lui va très bien, « cette coupe de traviole », vraiment. Selon ses propres termes :

— Ça dynamise d'un côté, un peu comme si le vent sacré de la jeunesse soufflait de nouveau sur ma vieille figure !

La vie est belle, elle est magnifique. Anne-Angèle se plaît à rêver qu'une fois Marie rendue à sa mère, elle finira ses jours ici, rue de la Muette. Et – qui sait ? – que Chanfrin-Bellossier fera d'elle son héritière ou lui laissera l'usufruit de sa chambre de service.

Ces quelques mètres carrés, au tout dernier étage d'un bel immeuble haussmannien avec vue sur les toits, deviendront un repaire idéalement confortable, facile à chauffer et à entretenir. Elle pourra même, bénéficiant de temps libre, nouer des relations amicales avec quelques bourgeoises du voisinage, s'inviter aux tables de bridge, prendre fonction de confidente. Se trouver, ainsi, un petit emploi de dame de compagnie auprès des plus fragiles, en faisant mine de compatir à leur neurasthénie. Se réjouir, en secret et par contraste, d'avoir mené une vie si passionnante, si pleine d'aventures, si utile aux autres. Ces vieilles pelures distinguées lui donneront certainement un surnom affectueux, en parlant d'elle, on dira « la dame des colonies », « la brave », ou allez savoir quoi.

On se pressera pour l'avoir à dîner. Il fera bon vieillir ainsi.

En attendant, Chanfrin-Bellossier, qui n'envisage plus son quotidien sans sa fidèle infirmière, lui propose de faire venir ses affaires du Maroc. Elle n'en voit pas l'intérêt, pour les quelques vieilleries laissées là-bas, mais comme il insiste et s'engage derechef à prendre le transport d'une malle cabine à ses frais, elle finit par accepter.

Il est des moments comme ça où le bonheur des autres passe par le souci du vôtre. Il faut savoir laisser faire, ne pas contrarier ce mouvement naturel de la satisfaction. La bonne infirmière n'a jamais ressenti de façon aussi nette l'impression de faire partie d'un tout, de s'être trompée pendant ces longues années en imaginant ne devoir compter que sur elle-même.

Il en va ainsi de la sagesse.

Un soir pourtant, quelque chose se passe. C'est un lundi. Anne-Angèle s'habille pour se rendre à la Peste verte et toucher son salaire. Il est un peu plus de vingt-trois heures. Elle a vérifié que Chanfrin-Bellossier est endormi, les fenêtres du couloir, verrouillées, pour éviter les courants d'air, a rangé quelques assiettes, remonté les couvertures sur Marie qui dort elle aussi à poings fermés dans la chambre de service. Elle quitte l'appartement, ferme à double tour derrière elle, cache la clé dans le grand vase à côté de la porte d'entrée sur le palier là où l'on dépose les parapluies et les vieux journaux, comme elle en a pris l'habitude.

Il a plu abondamment en fin d'après-midi et la poussière du sol qui d'ordinaire vous dessèche la gorge a été siphonnée par les caniveaux. L'air est pur et le ciel piqueté d'étoiles. Vaste nuit. Somptueuse nuit. Les gens qu'elle croise paraissent tranquilles, eux aussi. Ils déambulent en se tenant par la taille, les épaules, le nez en l'air comme pour absorber les effluves de ce bel été finissant. Qu'est-ce qui est en train de se jouer là-haut dans le ciel, qu'est-ce qui se dessine dans les étoiles ? Il est désormais presque officiel que l'Allemagne perd la guerre. Dans les plaines de Sibérie, la déculottée hivernale a, paraît-il, été magistrale. Paris sera peut-être même libérée au printemps prochain. Les gens le disent, on le sent aussi dans le comportement des soldats que l'on croise ce soir-là et qui affichent une expression presque nostalgique, comme les participants d'une effroyable colonie de vacances dont le séjour tirerait inexorablement vers sa fin.

Anne-Angèle, qui d'ordinaire emprunte le métro, le moyen le plus simple pour relier les beaux quartiers du XVIe arrondissement à ceux de Saint-Germain, décide de faire le trajet à pied en remontant par les bords de Seine. Un kilomètre de temps perdu, mais il fait si bon, à fleur d'eau, l'air est encore plus frais. En marchant – et c'est tout à fait nouveau – il lui vient à l'esprit que, si sa sœur n'était pas morte, elle n'aurait jamais eu l'occasion de séjourner dans cette ville merveilleuse.

Anne-Angèle sourit en contemplant le ciel.

Elle fait un détour par les Tuileries, dont les marronniers à cette heure tardive exhalent une odeur âcre et vivifiante, proche de la réglisse. En prenant place sur un banc, elle remarque des amoureux allongés sous des bosquets fleuris.

Ils s'enlacent et s'embrassent sur la terre humide, se submergent de baisers et de caresses.

Anne-Angèle se lève, reprend son chemin au bord de la Seine et traverse le pont des Arts pour rejoindre la rue du Bac. Encore une grande bouffée d'air. L'eau du fleuve vibre de toutes les lumières de la ville au passage d'une péniche. Elle en a presque les larmes aux yeux.

Mais en arrivant devant la Peste verte, une chose l'étonne. Tout est éteint. Et cette obscurité, elle ne se l'explique pas. Elle recule, se plante au milieu de la chaussée pour avoir une vue d'ensemble. Les fenêtres des loges qui donnent sur la rue, au deuxième étage, les seules habituellement éclairées à cette heure-ci, sont plongées dans l'obscurité. La vitrine où l'on affiche le programme des festivités et le tarif des consommations est recouverte d'un papier noir. Anne-Angèle ne comprend pas. La première idée qui lui vient à l'esprit est qu'il s'agit peut-être du thème du jour. Très original, une farce. Le thème de la fête ce soir, c'est : *La nuit. Le silence. L'obscurité. L'absence.* Les habitués vont apparaître déguisés en ombre, en fantôme, peut-être sont-ils déjà là, songe-t-elle, tellement bien grimés qu'on ne les voit pas.

Cette idée la fait sourire. Elle frappe contre la porte, une fois, deux fois, attend.

Mais non, il n'y a pas de fête ce soir. La vie a cessé d'être un jeu.

Ils sont décidément très étranges, les motifs de cette tapisserie. Curieusement, depuis son arrivée, Anne-Angèle ne s'y est intéressée qu'une seule fois, lorsque le corps de Mathilde reposait sur ce lit. Elle l'avait trouvée dans le ton, un peu triste. Et c'est comme si, par la suite, en s'appropriant la chambre de sa sœur, cette tapisserie d'inspiration médiévale n'avait plus existé. Mais en cette nuit marquée du sceau de l'insomnie, cette forêt du paradis où poussent des arbres hétéroclites et vivent toutes sortes de bestioles lui semble monstrueuse. Certains des animaux ont les pattes très étrangement dessinées, un peu comme si l'artiste tapissier avait voulu souder des bustes de bêtes à des jambes humaines. Une biche notamment, qui s'abreuve dans un étang la croupe en l'air, lui fait un effet obscène. Et puis, ces nuages qui traversent le ciel semblent eux aussi cacher quelque chose. D'autres détails apparaissent à Anne-Angèle. Comme ces cavités dans les rochers, par exemple. Elle ne les avait jamais remarqués, ces trous. Elle se demande quel genre de bêtes peuvent s'y réfugier. Des araignées ? C'est quoi, ce drôle de paysage ?

Cela fait maintenant plusieurs jours qu'elle ne dort plus. Ou alors de façon très succincte. Dès que ses paupières s'alourdissent, la machine infernale se met en route et les pensées défilent comme dans un mauvais film : au lendemain de la fermeture du cabaret, prise de panique, elle décide de mener son enquête auprès des commerçants de la rue du Cherche-Midi. La plupart font semblant de ne pas savoir. « Hein ? La Peste verte ? Fermée ?... Non, pas au courant ! » Les plus hypocrites feignant même d'ignorer qu'il y avait un cabaret dans cet immeuble dont les portes ont été scellées. Anne-Angèle parvient à obtenir un début d'information par l'intermédiaire d'un marchand de journaux, un vieux bonhomme plutôt sympathique qui lui fait part, pour l'avoir lu dans l'un de ses torchons, sur un ton de journaliste radiophonique, des premiers éléments du mystère :

— À la Peste verte, oui je sais, il y a eu un problème... Une entraîneuse s'est entichée d'un type de la haute, le marquis de Thèze ou je ne sais quoi. Un hurluberlu infréquentable qui se livrait à des petites arnaques et a revendu de fausses actions minières à un officier allemand. L'officier a assez mal digéré l'entourloupe, et le marquis a été obligé de quitter Paris, quant à son entraîneuse, eh bien je crois bien qu'elle est partie avec lui... Folle amoureuse, je vous dis. Bon, en attendant, la Peste verte n'est pas près de rouvrir ! D'ailleurs, ah ben tiens... j'en ai gardé un exemplaire, de ce journal.

Le vieillard, en bon commerçant, a extrait un numéro de *Je suis partout* de la pile sur laquelle il était assis.

— Moitié prix pour vous ! lui a-t-il proposé.

Et Anne-Angèle a vu, oui, bien lu. Tout en bas, à la rubrique des faits divers, sous un tas d'histoires sordides, dans un encadré de deux pouces à peine, la photo de Faustina, le visage couvert de paillettes, et celle du marquis, de face et de profil, avec en titre : *Arnaque à la Peste verte, une entraîneuse et un marquis d'opérette activement recherchés !*

La bonne infirmière hésite à se rendre le jour même dans un commissariat pour obtenir de plus amples informations. Si Faustina a été arrêtée, il doit bien y avoir un moyen de savoir où elle se trouve et d'entrer en contact avec elle. Mais elle craint de devenir suspecte à son tour et opte pour la discrétion.

En y réfléchissant, il lui paraît plus judicieux d'attendre. Si Faustina décide de reprendre contact avec elle, elle le fera très certainement au parc du Luxembourg. Oui, voilà, retrouver son calme, garder son sang-froid. De retour au jardin, Anne-Angèle, aux aguets, finit par remarquer dans le secteur du bac à sable un individu d'une quarantaine d'années, coiffé d'un canotier et qui lit. L'homme semble attendre quelqu'un. Il ne tourne que très rarement les pages de son journal. Parfois, il croise le regard d'Anne-Angèle, interrogateur. Il ne fait rien, mais de façon curieusement déterminée. Enfin, c'est ce que ressent Anne-Angèle qui hésite à lui adresser la parole, lui demander le plus naturellement du monde s'il connaît Faustina Stefanini, et s'il n'aurait pas, *par hasard*, un message à lui faire passer.

Mais une semaine s'est écoulée et il n'est plus temps de tergiverser.

Ce jeudi-là est la fête de l'Assomption. Les poneys sont aux écuries, le théâtre de Guignol est fermé et le bac à sable aussi morne qu'un cendrier.

En chemin, dans les rues désertes de la Contrescarpe, puisqu'on a fait un petit détour par ce côté-là, on a croisé quelques familles endimanchées qui filaient vers les églises. On a entendu quelques chants filtrer des murs de celle de la rue Saint-Jacques et même un petit bout de prêche : « ... Voici les miracles qui accompagneront ceux qui auront cru en mon nom, ils chasseront les démons, ils parleront de nouvelles langues, ils saisiront des serpents, s'ils boivent quelque breuvage mortel, ils ne leur feront point de mal... » Très émouvant, mais l'humeur n'était pas à traînasser. Anne-Angèle précède Marie qui file avec ses patins à roulettes sur le trottoir.

Le parc semble désert et cette quasi-absence de visiteurs permet à Anne-Angèle d'en avoir le cœur net : le seul type qui est présent sous le préau, comme à son habitude, c'est l'homme au canotier.

Anne-Angèle suggère à Marie d'aller faire un tour du parc en lui précisant avoir besoin de rester seule un instant. Marie ne se fait pas prier pour disparaître.

Après avoir tout de même hésité, la bonne infirmière s'approche de l'individu en cherchant ses mots :

— Bonjour. Je crois que nous avons une petite affaire en commun, n'est-ce pas ?

Elle pose un point d'interrogation en bout de phrase, c'est un point prudent, presque aussitôt dissipé par le type qui referme son journal et sourit.

— En effet… une « petite affaire », comme vous dites. Eh bien, suivez-moi.

Il consulte sa montre, glisse son journal dans la poche intérieure de sa veste, se lève et se dirige à grands pas vers le portail qui donne côté Vaugirard, avec à sa suite Anne-Angèle et Marie qui l'a rejointe et lui demande à voix basse où elles vont.

— Sois gentille, Marie, ne pose pas de questions, lui répond sur le même ton la bonne infirmière, je dois avoir une discussion avec ce monsieur.

Le *monsieur* a une démarche élégante. Il porte certainement des fers aux souliers, qui, en rencontrant le sol, claquent avec la régularité d'une horloge. Cette partie-là de la rue du Commerce est incroyablement vide. Tout à l'heure, en remontant la rue de Vaugirard, la plus longue de Paris, elles ont encore croisé quelques familles sur le parvis d'une église, assoupies par le prêche du curé, les yeux alourdis par l'obscurité, mais maintenant il n'y a plus rien, plus personne. Juste les pas du type qui résonnent.

Après avoir traversé une place où quelques marchands de peaux de lapin finissent d'entasser des caisses en râlant, l'homme bifurque, passe sous une porte cochère, salue une concierge qu'il appelle par son prénom, traverse une cour d'immeuble, repasse par une autre porte, d'un immeuble moins chic, cette fois. Sans se donner la peine de vérifier qu'Anne-Angèle et Marie le suivent toujours.

Là, au pied d'un escalier qui fleure l'humidité, il s'arrête enfin, se tourne vers Anne-Angèle :

— Une seconde...

Il sort une clé de sa poche et ouvre la porte de ce qui ressemble à un laboratoire. C'est la première impression d'Anne-Angèle. Une chambre photographique est dressée sur un trépied au milieu de la pièce. L'appareil est recouvert d'un drap sombre, quelques plaques de rechargement sont posées sur une table, prêtes à l'emploi. Tout au fond de la pièce, le mur est couvert d'images, disposées avec la rigueur d'une mosaïque. Anne-Angèle a déjà vu ce genre de dispositif au commissariat de Casablanca, qui est déjà bien équipé en matériel d'identification photographique. Elle est soudain convaincue que l'homme est de la police. Est-il au courant de ce qui s'est passé au cabaret ? Mène-t-il une enquête pour retrouver la trace de Faustina et de son ineffable comparse ? Prise de panique, elle songe à fuir. Ce qui ne sera pas simple à cause de Marie qui a gardé ses patins à roulettes aux pieds et ne pourra pas franchir rapidement la cour pavée sans risquer de déraper.

Mais la peur se dissipe quand l'homme prend la parole, avec une sorte de douceur dans le regard.

— Alors, combien, pour combien de temps ? demande-t-il en extrayant de sa poche une pipe qu'il bourre de tabac.

— Pardon ?

— La petite, combien, pour combien de temps ?

Anne-Angèle, qui s'est habituée à l'obscurité, remarque que les images épinglées aux murs, tous ces petits clichés qu'elle avait pris dans un premier temps pour des photos anthropométriques, sont en fait des nus. D'enfants, filles et garçons, tous dévêtus. Avec, dans presque tous les cas, un vague alibi artistique, puisque la plupart de ces chérubins sont affublés d'ailes ou d'une auréole, mais en tout cas, ils sont nus.

Parmi celles-ci, d'autres images, floues, car prises à la sauvette, montrent des enfants jouant dans un bac à sable, des petites filles surtout qui, tout à leur activité de construction de châteaux de sable, ont les fesses en l'air ou les jambes écartées pour celles qui sautent à la corde.

Le lieu est sans relation avec un commissariat et il paraît à présent évident à Anne-Angèle qu'elle a affaire à un pervers, juste un sinistre obsédé, qui n'a absolument rien à voir avec Faustina Stefanini.

L'individu, qui a remarqué l'air effarouché de la bonne infirmière, reprend la parole avec une intonation beaucoup plus vulgaire cette fois, qui se veut rassurante ou complice, mais qui n'est que vulgaire.

— Allons, allons... Qu'est-ce qui vous arrive, vous hésitez ? Vous ne serez pas la seule à vous faire un peu d'argent de poche en me prêtant l'enfant de vos maîtres... Moi, cette petite, pour deux heures de pose, je vous en donne quatre carnets de timbres de rationnement.

En disant cela, l'homme jette un œil en direction de Marie.

— Et toi ? Ça te plairait, une petite séance de photo ?

Chanfrin-Bellossier écoute Anne-Angèle depuis bientôt trois quarts d'heure. Tassé dans sa chaise roulante, la barbe taillée de biais, les yeux rivés au sol, il ne dit rien.

Il est d'ailleurs tellement silencieux que la bonne infirmière hésite à suspendre son récit. Il est pesant, ce silence, dès qu'elle reprend sa respiration. Insupportable. Elle lui a déjà dévoilé comment elle avait découvert les courriers de Mathilde dans son armoire. Le contrat passé avec Faustina, la valise contenant certainement les mille francs, le brocanteur, son taudis puant... La Peste verte, les spectacles salaces, sa clientèle de lesbiennes mêlée de tout ce que l'on peut imaginer, et dont les portes sont, pour un temps encore indéterminé, scellées par la Gestapo. Elle s'apprête à lui répéter la version du marchand de journaux : la jeune femme disparue avec un type de la noblesse dont elle s'est entichée, un escroc. Elle aurait dû conserver l'article pour accréditer son histoire tant tout cela lui semble absurde à présent, mais elle s'en est débarrassée, par prudence. Ce qui est dommage, car il comportait quelques précisions sur la psychologie de Faustina, que le chroniqueur présentait telle une mythomane invétérée, et sur ce Louis de Thèze, « marquis » se faisant passer pour un héros de l'aviation et qui, en fait d'ultime vol plané héroïque, aurait principalement commis l'erreur de tenter de s'évader de Cayenne en sautant sur les récifs. Ce qui explique sa canne au pommeau d'argent qui lui a valu le surnom de Lolo la Canne dans le milieu des arnaqueurs à la petite semaine.

La bonne infirmière avoue au passage ses propres fabulations au sujet de sa prétendue famille.

Voilà, tout est dit, Anne-Angèle est épuisée, dévastée par sa propre culpabilité. Elle s'interrompt et regarde ses pieds.

Et un silence de cour de justice envahit la pièce.

Chanfrin-Bellossier continue de contempler fixement le sol lui aussi, en émettant des sons qui ne forment aucun mot et se limitent à des petits mugissements.

Il fait *Hummm...* et puis encore *Huuuuuum...*

Et cette façon de ruminer donne une vague idée du piètre décideur qu'il a dû être autrefois, lorsqu'il œuvrait au ministère des Armées. Le genre de bonhomme capable d'écouter pendant des heures et, au moment où tout le monde s'attend à ce qu'il tranche, de se tourner vers un subalterne pour s'enquérir de son avis. Mais là, Chanfrin-Bellossier ne dit rien et se contente d'émettre des borborygmes les yeux rivés au sol, l'air accablé, fabriquant quelques tortillons dans ses poils de barbe en y enroulant le bout de ses doigts crispés, ce qui achève de lui faire une tête de fou, quelque part entre Raspoutine et François Ravaillac. Il semble vouloir parler, mais est subitement pris d'une quinte de toux, longue, sèche, l'obligeant à ressortir une boîte de poudre Legras de sa table de nuit, en extraire une petite pyramide de poudre qu'il dépose de sa main tremblante sur une soucoupe avant d'en approcher la flamme d'une allumette. En se penchant sur le minuscule brasier, il manque d'enflammer son sourcil, tousse encore une fois pour, enfin, reprendre la parole.

— Est-ce que Marie est au courant ?

— Euh, non.

— Et est-ce que vous allez lui dire la vérité ?

— Eh bien, je ne saurais trop quoi lui dire. Elle pense elle aussi que je suis de sa famille…

Chanfrin-Bellossier redevient songeur.

— Oui, c'est effectivement mieux comme cela. Dans la vie, tant que l'on ne sait rien, il ne faut rien dire… En revanche, vous ne pouvez pas rester dans la capitale.

Anne-Angèle, décontenancée par cette affirmation, s'apprête à argumenter, mais Chanfrin-Bellossier ne lui en laisse pas le temps.

— Je vais me renseigner auprès d'un ami qui travaille pour la Croix-Rouge. Il y a dans l'est de la France un certain nombre de dispensaires qui manquent de personnel médical, je pourrais vous recommander. Le mieux serait que vous disparaissiez en province avec Marie pour quelques mois. Disons jusqu'au printemps, puisque d'ici là il semble à peu près certain que Paris sera libérée.

— Dans l'est ? En zone occupée ? demande Anne-Angèle. Est-ce qu'il ne serait pas plus simple que je ramène Marie à l'orphelinat et que je retourne au Maroc ?

— Impossible, lui répond le vieux. Si vous vous êtes présentée à l'orphelinat avec de faux documents, il est fort possible que l'administration allemande en ait pris connaissance. Les institutions religieuses n'échappent pas à la vigilance de la Gestapo, vous savez. Ainsi, votre signalement a peut-être déjà été transmis aux autorités portuaires. Vous seriez arrêtée en rejoignant l'Espagne... Imaginez que la police découvre que moi, Chanfrin-Bellossier, je vous ai hébergée avec cette gamine dont on ne sait rien et qui est peut-être une fille de résistant, ou une petite juive ?

Ce dernier mot, Chanfrin-Bellossier l'a articulé en baissant la voix. Comme si soudain les murs de son appartement, chargés de tant de souvenirs inutiles, étaient de surcroît pourvus d'oreilles inquisitrices.

2

Des champs à perte de vue

Une gare perdue dans la brume. Quelques charrettes, des camions de ravitaillement allemands aux tons ocre et gris, dont les moteurs tournent au ralenti et injectent dans l'air une épaisse odeur de fuel. Ces véhicules sont reliés à un wagon-citerne immobilisé sur une voie de garage par de longs tuyaux de caoutchouc, tels des porcelets à leur mère. Des hommes en activent les pompes, emmitouflés dans leur combinaison dont les manches, fermées par d'énormes gants de peau, leur confèrent des silhouettes comiques de dessin animé, comme autant de lointains cousins de Mickey Mouse, ce petit rongeur qui défraie la chronique de l'autre côté de l'Atlantique.

Un peu plus loin dans ce décor de brume, d'autres militaires, en bras de chemise ceux-là, terminent de décharger les sacs de grains qu'ils se passent de main en main, avec l'apparente légèreté de nuages sombres qu'ils font retomber à l'arrière de charrettes auxquelles sont harnachés de solides percherons. Aux bruits des camions se mêlent les cris des manutentionnaires et l'ébrouement de leurs chevaux, eux qui ne sont d'aucun pays et se foutent bien du nom qu'on leur attribue tant qu'on leur donne du grain, justement.

Il ne doit pas être guère plus de six heures du matin. Anne-Angèle et Marie viennent de descendre du train, elles attendent au milieu de cette foire vaporeuse et bestiale la venue du médecin qui doit les emmener au village de Tourcy. L'homme a été prévenu par la Croix-Rouge et doit leur faire visiter le dispensaire désaffecté.

Elles attendent. Deux ombres grises qui semblent soudain n'en faire qu'une. Deux sœurs qui patientent, comme insensibles à la prégnante fraîcheur de l'aube malgré la finesse de leurs vêtements, tant ce qui se passe autour d'elles accapare leur attention.

Une voiture arrive et se gare, c'est une automobile comme l'on en trouve encore à cette époque, une sorte de gros scarabée noir pétaradant, de la famille des tractions ou de juste avant, une Citroën dans tous les cas, qui s'est rangée entre deux camions-citernes et un percheron.

Un homme en descend, petit et bedonnant, bien habillé, d'ailleurs c'est surtout son costume qui retient l'attention d'Anne-Angèle : un vêtement qui lui confère une allure de cintre ambulant, comme si ce costume le portait plutôt que l'inverse. Une silhouette amidonnée qui s'avance vers l'infirmière en tendant la main.

— Bonjour, chère madame, je suis le docteur Joseph Serraval, la Croix-Rouge m'envoie, je suis venu vous chercher en voiture !

Le quinquagénaire s'étonne avec amabilité du peu de bagages que les deux femmes ont emporté, un grand sac en toile qu'il jette négligemment sur le siège arrière avant d'inviter Marie à y prendre place à son tour.

— C'est la petite-nièce ? demande-t-il d'un air narquois à Anne-Angèle qui hoche discrètement la tête en s'installant sur le siège passager, sans avoir omis de secouer ses souliers pour les débarrasser d'un résidu collant et marronnasse qui semble résulter d'une déjection chevaline.

— Laissez, laissez, nous sommes à la campagne, ici ! ricane l'aimable Serraval en actionnant le clignotant à bras de sa voiture qui effectue une marche arrière et quitte ce décor en produisant un doux son de vaporetto.

L'automobile s'éloigne, devient minuscule et musicale jusqu'à se dissoudre complètement dans ce paysage de glaise.

Joseph Serraval conduit de façon très adroite et il a des mains étonnamment courtes et velues pour un médecin, c'est ce que remarque immédiatement la bonne infirmière qui tâche de ne pas se laisser intimider par le confort de son automobile, dont le moteur envoie de l'air tiède qui balaie son visage en lui procurant un sentiment de réconfort inespéré.

Le trajet a été long pour venir jusqu'ici. Très long. Pour rejoindre la gare de l'Est, la veille au soir, Anne-Angèle, qui craignait les contrôles inopinés de la Gestapo, a préféré la marche au métro. Convaincre Marie de presser le pas n'a pas été chose aisée. Elle a fondu en larmes plus d'une fois, arguant qu'elle aurait préféré chausser ses magnifiques patins plutôt que ces souliers vernis qui lui comprimaient les pieds. Une fois parvenues à la gare de l'Est, elles ont gagné le compartiment du train, de troisième classe puisqu'il n'y avait plus que ça, qui était bondé. Et la gamine, pressée et ballottée par le mouvement des corps et des bagages, a vomi, une première fois à la hauteur de Meaux et une autre fois lorsque le train s'est arrêté dans une gare où l'odeur de fuel recouvrait celle des latrines débordantes.

C'est à cet endroit que le convoi s'est immobilisé et a été rallongé de plusieurs wagons-citernes. Passé cette gare, il a fallu supporter cette lourde odeur de fuel à chaque arrêt.

Pour finir, les contrôleurs ont ouvert les portes et fenêtres et, à l'odeur du vomi, mêlée à celle du fuel, s'est ajoutée celle du charbon de la locomotive que l'air glacé du dehors vous balançait au visage comme autant de particules abrasives.

Profitant d'une halte en rase campagne, tandis qu'Anne-Angèle se laissait gagner par le sommeil, Marie a tenté de descendre du train, en prétextant un besoin urgent de prendre l'air et de se dégourdir les jambes, alors qu'il était à peu près évident qu'elle cherchait à s'échapper.

Mais à présent, tout va bien. Très bien même. Sur la route cabossée et boueuse qui mène à Tourcy, la voiture de Serraval file sans encombre, se permettant même de doubler, en les prévenant d'un petit coup de klaxon courtois, quelques camions-citernes allemands partis de la gare.

— Il y a un camp d'aviation à quelques kilomètres du village, précise le toubib en pointant l'horizon du doigt. Juste là, de l'autre côté de la forêt, voyez... Ce qui explique les allées et venues de ces lourds camions-citernes. Ce sont eux qui défoncent nos routes pour ravitailler leurs avions ! Pour ça, on peut dire qu'ils ne sont pas trop méticuleux, nos Allemands. Voyez, ils stockent leur carburant dans cette zone-là !

Anne-Angèle regarde par politesse sur le côté en faisant mine de s'intéresser et ne voit rien de spécial. Des champs, de la boue, encore des champs, et puis finalement quelques barrières matérialisant dans le paysage et à perte de vue une ligne claire sur laquelle l'occupant a posé des panneaux d'indication. Derrière cette ligne, elle aperçoit des silhouettes d'avions ainsi que de volumineux réservoirs auxquels les lourdes bâches vertes striées de gris qui les recouvrent donnent des allures de chapiteau. Oui, en regardant défiler ce paysage, Anne-Angèle croit reconnaître l'espace d'un instant un gigantesque camp tzigane. Une installation nomade comme on les représente dans les livres d'enfants. Un paysage de papiers découpés. Elle sent son corps s'alourdir, ses paupières se refermer doucement. Il fait si bon dans cette voiture.

Le docteur Serraval essuie d'un coup de chiffon la boue gluante qui s'est amalgamée sur le pare-brise et que l'essuie-glace ne fait qu'étaler bruyamment, piteusement.

— Les avions qui se posent sur cet aérodrome font le trajet entre Berlin et Londres, ils effectuent ici une halte pour faire le plein, laisser souffler les pilotes... Tout ça pour vous dire que ce camp intéresse les Alliés, qui nous bombardent de plus en plus fréquemment. C'est une chose à laquelle il va falloir vous habituer ici, ma chère collègue. Les bombardements... Vous permettez que je vous appelle ainsi ? Chère collègue ?

Anne-Angèle se contente d'opiner du chef mais s'en trouve très touchée. On ne lui a jamais parlé de cette façon, « chère collègue », personne ne lui a jamais dit ça. Là-bas, au Maroc, quand un médecin ou un chef de service s'adressait à elle, c'était sur le ton que l'on emploie en général pour parler à une femme de ménage (le ton variant, bien entendu, en fonction de l'âge et de la plastique corporelle des infirmières, et Anne-Angèle, avec son mètre soixante-quinze, ses grands pieds

114

et sa mâchoire prognathe, n'a jamais fait partie de celles envers qui on a des égards). Et c'est ainsi que, galvanisée par ce « chère collègue », Anne-Angèle contemple la route qui défile sous la boue du pare-brise, confortée par l'idée que se laisser porter par la destinée a parfois du bon.

Ce cabinet d'infirmerie en bordure du village de Tourcy, au lieu-dit de la Verrerie, ne lui fait pas si mauvaise impression. Il s'agit d'une petite bicoque d'un étage aux murs beigeasses. Une baraque qui a peut-être fait partie d'un lotissement ouvrier autrefois. Cette impression est renforcée par l'existence d'un autre bâtiment plus long dont il ne subsiste qu'une ruine et à laquelle la maisonnette est soudée par un lierre opulent.

Par endroits, sous l'emprise végétale, on devine une inscription *Cab...* et plus loin ...*irmerie*, car la liane arborescente a depuis longtemps fait son affaire des enduits, soulevé quelques briques sous le toit et eu raison des châssis de fenêtre dans la partie ombragée de la bâtisse.

Une rivière coule à quelques dizaines de mètres, séparée de la maison par une friche comportant quelques plants d'oignons laissant imaginer qu'elle était, il n'y a pas si longtemps, un potager prolifique. Et puis, le temps s'est arrêté, comme parfois le temps.

Serraval s'est donné la peine de descendre de sa voiture et il continue de présenter l'endroit avec l'amabilité d'un guide d'excursion. Tout à l'heure, lorsqu'il avait évoqué en chemin le camp d'aviation et ses réserves de carburant, c'était avec une pointe d'admiration dans la voix et c'est avec une déférence similaire qu'il présente maintenant le cabinet d'infirmerie et l'usine mitoyenne, surtout.

— Il y a quelques années encore, cette usine produisait des bouteilles pour les plus grandes marques de champagne et employait tous les hommes de la région. Le cabinet d'infirmerie tournait quasiment jour et nuit, au rythme des accidents du travail de la fonderie : des brûlures bénignes aux problèmes pulmonaires dus à la poussière de verre. Cette usine, c'était un peu le soleil de Tourcy, il y faisait une chaleur extraordinaire. Et puis, une nuit, des avions anglais l'ont bombardée. Il doit même rester dans les décombres un ou deux obus qui n'ont pas explosé, pour cela il faudra faire bien attention de ne pas aller y traîner, prévient-il en regardant Marie… Depuis cet événement, les Allemands sont très pointilleux quant au respect du couvre-feu. Après dix-neuf heures, il faut fermer les volets ou couvrir les carreaux de papier journal. Vous en avez, des journaux ? demande-t-il à Anne-Angèle qui, pendant ce temps-là, s'est avancée dans la baraque pour visiter.

Une cuisine à gauche, séparée d'une autre pièce aux murs couverts de céramique par une simple cloison, un vieux poêle en fonte, des armoires pourries dont la vermine a extrait, en les alignant sur le sol, des petits tas de sciure fine. Un couloir, puis un escalier qui mène à l'étage. Du lierre encore, qui rampe au sol, a même réussi à soulever des tommettes par endroits.

À première vue, cette baraque est insalubre, mais Anne-Angèle se méfie de cette *première vue* justement, résultant de la fatigue du voyage. Il est assez commun d'affirmer que l'on *sent tout* d'une maison en y mettant le pied pour la première fois, mais dans la vie, pour les humains comme pour les maisons, tout est affaire de présentation, d'apparence. Cette baraque mal fichue et qui sent le moisi, il va leur falloir l'adopter et trouver le moyen de s'y sentir bien. Et puis, la proximité de cette longue usine calcinée influe forcément sur la perception que l'on a des lieux. Anne-Angèle essaie d'imaginer la maisonnette sans la proximité de ces murs effondrés et charbonneux.

Elle ressort de la maison pour retrouver Serraval en train de brosser le portrait du précédent occupant.

— Un homme insaisissable, pour ne pas dire fourbe, qui n'a jamais su se faire aimer par les gens du voisinage. Mais cet air qui le desservait tant devait être généré par la peur, en conclut le toubib, car ce pauvre homme était probablement juif et la cohabitation avec les gens du coin qui, soit dit en passant, sont un peu arriérés en matière de perception des « étrangers » n'a vraiment pas dû être facile. Il a disparu, lui aussi, les gens l'ont vu courir comme rendu sourd et fou par les bombardements.

Serraval demeure un moment à fixer la terre humide qu'il gratte du bout de ses souliers de cuir, l'air de se demander ce qu'il aurait pu faire pour aider ce malheureux à s'intégrer au village. Puis il sort de sa rêverie, consulte sa montre et s'excuse : il aurait voulu participer au nettoyage de la maison, mais il a encore quelques consultations urgentes à honorer.

Les flammes du brasier illuminent la cour. Anne-Angèle et Marie y balancent tout ce qui encombre la maison. De ce qui n'a pas été trop corrompu par l'humidité on gardera un vieux matelas, des instruments de cuisine, quelques couvertures abîmées mais de bonne qualité, une armoire et une table qu'il faudra plus tard monter dans la chambre (et qui se révéleront être des meubles bien plus lourds et encombrants qu'il n'y paraît) et des étagères en chêne épargnées par les parasites et sur lesquelles il suffira de passer un coup de chiffon pour leur redonner de l'éclat. Anne-Angèle est étonnée par la force de Marie, son agilité, surtout. Un peu comme si soudain elle était devenue un peu moins timorée. Anne-Angèle, en la regardant, se dit qu'elle ferait bien de l'imiter. Arracher, décoller, déclouter, casser. Garder le moins possible. Laisser derrière soi ses états d'âme et ses souvenirs. Admettre, se forcer d'admettre que ce bref séjour dans la capitale n'aura été qu'un passage pour accéder à des jours meilleurs, ici même. À la campagne. Dans cette maison.

Toutes deux entrent, ressortent et se croisent, l'une chargée d'une planche, l'autre d'une vieille caisse. Elles échangent des regards mais n'éprouvent nul besoin de se parler.

Il fait un bien fou à voir et à sentir, ce feu. Il donne envie de danser, de chanter. Dans l'amalgame des braises on reconnaît encore çà et là un tiroir, quelques charnières métalliques que la chaleur fait rougeoyer et fondre, au point de leur donner l'aspect racorni de pelures d'oranges. Par instants, tous les sons du feu se fondent dans un long sifflement, puis crépitent à nouveau dans des brassées d'air étincelant.

Attirés par la fumée, des gamins du village passent une tête par-dessus le mur en silex qui borde le jardin, avec l'air nigaud des badauds par un jour de fête foraine, ou plutôt celui, plâtreux et morbide, des figurines destinées au casse-pipe, car ils ont triste mine, ces gamins-là. Pour certains, ils ne sont que grimaces vivantes, curieuses, attentistes. Mais cette laideur tient surtout à leur coupe de cheveux, si rase qu'ils en paraissent chauves. Parmi eux, un petit tondu d'une douzaine d'années qui a l'air un peu plus débrouillard, quoiqu'il ne faille pas mélanger la débrouillardise et la brutalité puisque ce garçon a vraiment un regard de brute et le sommet du crâne cabossé et couvert de croûtes. Il avance timidement dans le jardin et demande à Anne-Angèle s'il peut donner un coup de main.

Elle le remercie :

— Non, non... c'est gentil de ta part, on devrait pouvoir se débrouiller !

En revanche, elle encourage Marie à accepter la main tendue de ce petit gars qui articule : « Moi, c'est Célestin... »

120

— Célestin, mais c'est un bien joli petit nom ça, pas vrai, Marie ? renchérit Anne-Angèle.

Marie ne répond rien. Alors la vieille femme insiste :

— Mais si, Marie, allez, va donc te promener, rends-toi aimable. Après une journée pareille, une bonne marche ne pourra te faire que du bien.

L'enfant marche avec Célestin au bord de la rivière, un courant d'eau étroit dont les talus ont été entamés par l'entreprise colonisatrice des ragondins jusqu'à leur donner çà et là l'apparence ouvragée d'une cathédrale. Marie tâche d'imaginer la taille de ces bestioles. Si ce sont des rats, ils sont énormes, s'ils sont de la variété des ours, alors ce sont des créatures insignifiantes. En d'autres lieux, des racines argentées de trembles et de saules émergent à la façon d'un combat de serpents, se disputant à n'en plus finir l'espace du sable pour y effectuer leur mue d'écorces.

Célestin prévient Marie de regarder plutôt le sol qui est couvert d'éclats de bouteilles.

— Ça date de l'explosion de la Verrerie, dit-il. Un avion est passé une nuit. On a entendu un énorme coup de tonnerre et, au matin, le village entier était recouvert de ces débris ! Une pluie de verre, tu vois ?

Célestin pointe son index vers le ciel comme si l'avion s'y trouvait encore, puis il mime le geste de se protéger les oreilles. Il n'est finalement pas si timide, il serait même plutôt du genre prolixe, ce gamin, il a tant de choses à raconter qu'il en est tout essoufflé. Sur les quelques mètres de distance qui séparent la maison de la rivière, il a déjà trouvé le moyen de faire savoir à Marie que ses parents sont propriétaires de la seule boucherie alentour : « La Maison Trabel, qui se trouve dans la Grande Rue du village, par là, enfin, plutôt de ce côté-ci... » Son père, et son grand frère Bernard surtout, y travaillent dur. Son aîné n'a que seize ans mais, à l'en croire, il en paraît déjà presque vingt car, dit-il, « il n'y a pas plus fort que lui pour tuer une bête. D'un coup, comme ça, avec une masse. La bestiole s'effondre et ne se relève pas ! ».

Célestin regarde par terre comme si la bête y agonisait et qu'il était lui-même armé d'une masse.

Marie ne répond rien, elle se contente de scruter ce sol qui lui semble tout à fait merveilleux : à certains endroits, là où la rivière forme un coude, parmi les trèfles d'eau et les épis cylindriques roses des renouées, les débris de verre se sont accumulés jusqu'à former des pyramides turquoises, polies par le mouvement de l'eau glacée. Vers le milieu du cours d'eau, là où elle est plus profonde, une traînée lumineuse laisse deviner que ce sont des tonnes et des tonnes de fragments colorés qui gisent par le fond. Marie est littéralement fascinée par la profondeur de cette rivière, tous ces reflets. Ces pyramides, surtout.

En envoyant son pied dans les monticules de couleur avec l'air de ne pas en percevoir la beauté ni d'en redouter le tranchant, Célestin explique à Marie qu'il connaît ce coin-là comme sa poche et qu'il y en aurait, des choses à dire. Vraiment beaucoup de choses...

— De toute façon, elle a toujours été bizarre, cette rivière. Les Gaulois y jetaient déjà tout un tas de trucs à ce qu'il paraît, des statuettes de bronze surtout, à chaque fois qu'ils voulaient obtenir quelque chose. C'est pour ça qu'elle s'appelle la Bellesme, cette rivière, c'était le nom d'une divinité. « Bellesme », ça veut dire « belle » en fait. Les Gaulois ne faisaient rien sans lui demander son avis... Des fois, elle disparaît dans les galeries souterraines, puis elle ressurgit au milieu d'un champ ou dans la forêt, pour finalement retourner dans son lit...

Les deux enfants demeurent un instant à contempler le cours d'eau, en silence. Marie se dit qu'elle porte bien son nom, cette rivière, et que si elle avait été gauloise, elle aussi lui aurait peut-être voué un culte. Elle se répète pour ne pas l'oublier : « Bellesme, Bellesme, Bellesme... » L'eau souffle et vibre.

Une voix appelle depuis le village, bien réelle et bien nasillarde, celle-ci.

— Célestin ! Ho, Célestin ! Sale petit tas de feignasserie ambulante, qu'est-ce que tu fous ? Où t'es passé ?

Célestin s'excuse, dit qu'il s'agit de son grand frère Bernard, justement.

— Bon, voilà... je suis bien content de t'avoir rencontrée, Marie, même si, pour parler franchement, je suis pas sûr d'avoir entendu le son de ta voix !

Et il disparaît en manquant de se prendre les pieds dans l'une des nombreuses racines qui rampent sur le talus. Tandis qu'au loin la voix de Bernard continue de résonner, « Célestin, Célestin, qu'est-ce que tu fous, sale petite saleté de petit taré ?! ».

Au centre de la cour, le feu s'éteint doucement. De toute la pourriture laissée par l'ancien locataire, il ne subsiste à présent qu'un tas de braises dans le scintillement rougeoyant desquelles on imaginerait pouvoir déchiffrer l'histoire tout entière de l'univers. Sous les pieds de Marie, le sol est chaud, il fait encore bon. Anne-Angèle incite la gamine à retourner chercher de l'eau à la rivière pour éteindre tout ça.

— Le jour tombe et il ne faudrait pas attirer bêtement l'attention des Allemands en enfreignant dès le premier soir les règles du couvre-feu, dit-elle. Tu m'entends, Marie ?

Marie observe l'infirmière dans l'air bleu du jour déclinant, ce visage lui semble soudain si peu familier. À Paris, il y a seulement une journée et une nuit, Anne-Angèle faisait encore partie d'un bel appartement, elle était un fragment d'une vie nouvelle et incompréhensible. Une étrangère à qui il n'était finalement pas si désagréable d'obéir. Mais ce soir, dans l'atmosphère humide de ce nouveau décor, il lui paraît évident que cette vieille femme lui a raconté des fables en se faisant passer pour un membre de sa famille afin de l'extraire

de son orphelinat, des sornettes aussi à lui promettre une vie heureuse et chanceuse au sein
d'une nouvelle famille, et qu'elle ignore elle-même
ce qu'elles font là toutes les deux dans ce patelin,
et comment elles vont s'en sortir, précisément.

L'enfant dit qu'elle voudrait retourner à Paris.
Anne-Angèle lui répond que c'est hélas impossible.

— Il va falloir te sortir cette idée de la tête,
Marie, tu m'entends ? Des tas de choses sont pos-
sibles désormais, mais ça, non.

Marie regarde sa tante, elle espère encore une
autre phrase, quelques mots rassurants, mais la
tante ne dit plus rien. Elle pousse du bout d'un
bâton la cendre froide vers ce qui subsiste de
braise, puis elle l'écrase du pied afin d'en effacer
la dernière lueur.

Et le premier soir passe ainsi, sans plus de
discussion. Anne-Angèle et Marie ont posé sur la
table les vivres de chez Chanfrin-Bellossier apportés dans leurs bagages : un morceau de pâté
et du bon pain noir sur lequel affleure encore
l'odeur lointaine des meubles cirés du bel appartement parisien. En partant, le vieil officier n'en
menait pas large en les voyant quitter l'appartement de la Muette. Il a répété plusieurs fois
à quel point il était désolé, juré de ses vieilles
mains tremblantes que s'il avait été plus jeune et
valide, il les aurait accompagnées lui-même. En
voiture. Des promesses faciles, mais pour autant,
il paraissait sincère.

Anne-Angèle, à voir la fillette manger triste-
ment, cherche à la rassurer en lui vantant les
vertus d'un bon séjour à la campagne. La qualité
de l'air, de la nourriture, des contacts humains,
qui ne sont pas à mettre dans la balance avec

les risques encourus, lorsqu'une guerre tire à sa fin, à vouloir demeurer dans les capitales que l'assaillant, vexé, détruit presque toujours en premier. Anne-Angèle est tentée de raconter à Marie comment se terminent toutes ces sales guerres et comme il leur semblera judicieux, dans quelques semaines, d'avoir fait le choix de s'installer ici, lorsque à la première page des journaux on montrera des images d'une tour Eiffel effondrée, dont les poutres partiellement fondues se mélangeront aux gravats de l'Arc de triomphe et du Louvre. Ces bombes-là, celles de la vexation germanique, ne se contenteront pas d'être incendiaires comme celles qui ont illuminé récemment le ciel londonien, ce sera plus fou encore, plus brutal, plus inventif. Une chose effroyable dont on n'entendra même pas le souffle.

— On sera mieux ici, Marie. Tu verras, on sera beaucoup mieux.

Anne-Angèle aimerait faire encore l'article de ce bel avenir à Marie, y mettre plus de conviction. Mais elle n'en fait rien, car elle se sent elle-même très fatiguée. Très fatiguée, vraiment exténuée.

Elle regarde longuement Marie qui continue de la dévisager elle aussi, en mangeant ce bon pain qui lui remplit les joues. Son regard n'est plus du tout celui de la gamine sortie d'un orphelinat, c'est un regard plein d'intelligence et de curiosité. L'infirmière se dit qu'elle devrait peut-être lui parler plus franchement. De sa mère, par exemple. Son étrange mère. Mais pour lui en dire quoi ? Le drame, pense-t-elle, ce serait que Marie commence à la questionner à ce sujet. Elle se trouverait bien en peine de lui fournir d'autres explications que celles qui l'ont motivée à s'occuper d'elle. L'argent. Juste l'argent. « J'ai accepté de m'occuper de toi en espérant gagner un peu d'argent, Marie... » Alors non, elle se ressaisit, le mieux consiste à ne rien dire. Faire silence. Avec le temps, pense-t-elle, la gamine se fera sa propre idée. Qui sait, une fois cette foutue guerre terminée, elle partira peut-être à la recherche de ses parents. Les trouvera. Ce sera son aventure de vie, une vie meilleure. Ça ne la regarde pas.

Un peu plus tard ce soir-là, en glissant son corps sous les couvertures d'un lit improvisé à partir de l'ancien matelas dont on a rembourré les trous avec de la paille et quelques chiffons roulés en boule, Anne-Angèle remarque que sa blessure au poignet, cette plaie de rien du tout qui semblait s'être cicatrisée lors de son séjour à Paris, est en train de se réinfecter. L'articulation est enflée. Les traces de morsure réapparaissent sous forme de petites taches brunes et longilignes, comme si le syphilitique venait d'y replanter ses incisives. Du plat de sa main, l'infirmière comprime doucement la blessure et ne sent rien. Pas même la chaleur de sa paume. Elle se promet de ne pas succomber à l'inquiétude, pas tout de suite. La journée a été longue et c'est avec cette main-là, justement, qu'elle a traîné les meubles jusqu'au feu. Cette insensibilité résulte très certainement de la fatigue. Juste de la fatigue.

Marie inscrit son prénom en majuscules sur un beau cahier bleu ciel. Elle s'y reprend à plusieurs fois pour en tracer les pleins et les déliés, en prenant garde de ne pas les épaissir d'une tache d'encre. Le *M* surtout est ravissant, droit sur ses pattes comme une sauterelle, et elle n'en revient pas, Marie, d'être portée par un prénom si aérien. La petite école de Vrimont où Anne-Angèle l'a accompagnée ce matin, à trois kilomètres à pied tout de même de Tourcy, ne compte pas plus d'une trentaine d'élèves. La gamine est installée dans un endroit très confortable à l'angle du poêle à bois et d'un placard où sont rangés craies et crayons et d'où émane une bonne odeur de papier et d'encre sèche. Sa voisine de pupitre, une fille coiffée de nattes et qui porte sur le visage qu'elle a long et pâle un joli sourire, se nomme Solange. Entre deux mots posés sur le papier, Marie jette des coups d'œil en direction de Célestin, le petit rustre de la rivière, qui se trouve là également, à quelques mètres devant, dans l'alignement des dos. Par moments, il se retourne pour observer Marie lui aussi, mais très furtivement, d'autant plus gêné de croiser son regard qu'il est entouré de garçons qui, dans cette classe, sont séparés des filles par une allée centrale où la maîtresse, une solide sexagénaire montée sur des cuisses de percheron, effectue des allées et venues, un livre à la main, en énonçant une dictée d'une voix de tragédienne.

Le héros de cette dictée se nomme Martial et se promène dans un paysage montagneux.

— « C'est un jour de printemps, Martial marche dans la montagne, il est joyeux et insouciant. Mais sur le chemin, un imposant rocher l'empêche d'aller plus loin. Martial a envie de pleurer, mais cela ne serait pas courageux. Il se redresse, inspire, et se met à chanter pour se donner du courage l'air du Maréchal : "Une flamme sacrée monte du sol natal..." Martial entend l'écho d'autres voix qui reprennent en chœur le refrain, monter de la vallée : "Tous tes enfants qui t'aiment... et vénèrent tes ans... À ton appel suprême ont répondu présent..." Ses jeunes compagnons arrivent et n'ont pas besoin d'en discuter avec Martial car ils ont compris l'enjeu. Avec leurs cannes, unis comme un seul homme, ils parviennent à dégager l'imposant rocher. La voie est libre ! Maréchal, nous voilà, devant toi, le sauveur de la France, nous jurons, nous, tes gars, de servir et de suivre tes pas !

L'institutrice referme son livre puis lève une main en direction d'une gravure au-dessus du tableau, représentant Pétain, justement. L'image semble avoir été peinte par un amateur, décalquée sur une autre peinture. Le vieillard maladroitement dessiné regarde au loin, l'air confiant et serein. Aux commissures de ses lèvres naît un sourire paternel qui invite à la confiance. Par ce geste de la maîtresse, les enfants comprennent qu'il faut poser leur plume et entonner l'hymne du Maréchal.

La classe se met à chanter, ne formant plus qu'un seul corps vibrant, une seule âme.

À l'heure de la récréation, en revanche, les choses se compliquent un peu pour Marie qui s'est trouvé une place confortable dans un coin de la cour, en retrait des activités débilitantes de chat perché, de la corde à sauter et des osselets. Elle ne dit rien, regarder les autres lui suffit. Des enfants aussi vifs et sûrs d'eux, elle n'en a jamais vu autant. Ce ne sont pas les gamins pâlichons du jardin du Luxembourg, ni ceux de l'orphelinat, qui auraient été punis, à genoux les mains derrière le dos deux matinées de suite, pour tant de raffut inutile.

Les écoliers, conscients d'être observés, finissent par s'intéresser à elle, eux aussi. Formant un cercle autour de la curiosité, ils lui demandent pourquoi elle est venue s'installer dans la région avec sa tante. Marie hésite à répondre, car Anne-Angèle lui a fait promettre d'en dire le moins possible. Comme les gamins insistent, Marie leur répond qu'elle préférerait parler d'autre chose, que sa vie n'est pas très passionnante. Mais sa politesse de petite citadine les titille, ils ne sont pas sots, enfin, pas totalement. On ne vient pas s'installer dans un patelin aussi minable, comme ça, sans raison.

— C'est quoi, ce que tu nous caches, Marie ? Allez, parle, quoi, tu nous prends pour des nigauds ?

Alors Marie, devenue l'attraction de la cour de récréation, invente, pour les satisfaire, une histoire dans laquelle son père est un chirurgien parisien qui l'a envoyée ici avec l'une de ses plus fidèles infirmières pour respirer le bon air de la campagne.

— En réalité, ma tante n'est pas ma tante. C'est plutôt une sorte de gouvernante. Mes parents ont pensé que ce dispensaire était une aubaine... Nous allons, elle et moi, passer l'hiver ici.

— Et tes parents ne sont pas inquiets de te laisser seule avec une vieille bonne femme comme ça ?

— Non. À l'occasion, ils nous rendront visite, ce n'est rien pour mon père de venir jusqu'ici avec sa belle voiture de sport.

Les gamins n'en demandaient pas tant. Ils se remettent à jouer, mais ça n'est plus comme tout à l'heure. Un léger malaise s'est installé. Ils auraient préféré à la rigueur qu'elle soit juive, ou fille d'ouvrier, même orpheline. Ils sont déçus, cette image de fille de chirurgien, ça leur colle un complexe.

Marie ne se sent pas très fière, elle non plus. Elle baisse la tête et fait semblant de griffonner avec son crayon sur un bout de papier. Comme elle n'écrit rien de précis, que Solange passe dans son dos et le lui fait remarquer, Marie rétorque qu'il s'agit de notes prises « à sa manière ».

— C'est avec ce genre d'écriture, par exemple, que les médecins rédigent les ordonnances...

Solange ne comprend pas vraiment l'intérêt d'écrire de façon illisible, Marie répond que c'est comme ça chez les médecins.

— Moins on déchiffre ce qui est écrit et plus ça fait docteur.

Solange est épatée.

Anne-Angèle fait le tour du village pour se présenter et annoncer l'ouverture prochaine de son cabinet d'infirmerie. Elle marche dans l'axe opposé à la route principale, qui mène, pour ce qu'elle a pu observer, vers la zone occupée par le terrain d'aviation. Là-bas, ce n'est rien d'autre que champs boueux et réservoirs de carburant. Alors, pour se faire une idée plus optimiste du lieu, elle emprunte une rue qui monte en pente douce depuis le dispensaire vers le clocher, dont les murs sont composés de caillasses hétérogènes. L'endroit offre une vue sur l'horizon et même, en clignant des yeux, jusqu'à la ville de Reims dont il semble à Anne-Angèle qu'elle peut en entrevoir la cathédrale. Mais elle s'en moque, elle n'a jamais été très portée sur l'architecture, ni sur l'Histoire. Seul l'avenir l'intéresse, et son avenir à elle se trouve ici, à Tourcy.

Le docteur Serraval lui a bien expliqué qu'il s'occupait des patients de la région de Vrimont où il a son cabinet, et qui comprend, paraît-il, quelques maisons ainsi qu'une ferme domaniale. Et qu'il lui faudra donc, quant à elle, se limiter à soigner les patients de ce secteur.

Elle n'en revient pas de l'état de désolation du patelin : murs mitraillés, canalisations éventrées dégorgeant un flot fangeux, matérialisé en aval du village par une mare noire luisante.

Comme elle réemprunte la rue principale, son attention est attirée par une enseigne, un panneau de tôle rouillée accroché à une façade, et sur lequel elle reconnaît le motif d'un insecte agrandi. Un pou. La plaque ne tient plus qu'à un clou et bat dans le vide avec le vent, heurtant le mur dans un bruit de gong. Anne-Angèle s'efforce de ne pas y voir un signe et poursuit son chemin.

Les vêtements qu'elle porte ce jour-là, les seuls qu'elle ait emportés de Paris, l'ensemble en tergal et le manteau coupé sur mesure, lui font l'effet d'être déplacés. De lui donner l'air d'une vieille bourgeoise. Finalement, sa cape d'infirmière aurait été plus appropriée et l'aurait rendue beaucoup plus crédible auprès de la population locale qui, pour ce qu'elle en voit, est principalement composée de vieillards. Les jeunes hommes valides sont certainement partis effectuer leur STO en Allemagne. « Une réserve naturelle d'arriérés profonds », voilà ce que pense Anne-Angèle des villageois, et du patron du bistrot plus particulièrement, lui qui ne semble même pas se souvenir de l'existence d'un cabinet d'infirmerie à côté de la Verrerie. Lorsqu'elle pénètre dans son antre – seul commerce en activité avec la boucherie Trabel, un autre endroit pitoyable dont les propriétaires ont des têtes à vous faire peur de manger de la viande – il y a là, accoudés au zinc, quelques hommes pas du tout beaux à voir, comme souvent l'est la faune des comptoirs. Parmi ces alambics humains, un type au regard notoirement fourbe, qui empeste la résine de bois et porte une plaque de garde forestier accrochée de travers au col de sa veste, et deux autres, un béret enfoncé sur le crâne au point qu'on n'en voit presque plus leurs yeux. Anne-Angèle doit faire mine de s'intéresser à leurs âneries, trinquer, et même payer une tournée avec le peu d'argent qui lui reste. Misère de misère.

Elle se persuade que ce budget investi dans les relations de bon voisinage portera ses fruits. Il faut s'ouvrir au monde, cesser de ne compter que sur soi ! De toute façon, avec la tournée de mauvais alcool artisanal qu'elle leur a payée, elle aura au moins contribué à leur abîmer la santé. Les affaires sont les affaires, voilà ce dont elle essaie de se convaincre. Mais, en quittant l'infâme bouge et comme si la matinée n'avait pas été suffisamment mauvaise, Anne-Angèle croise un clochard. Le type, accroupi sous un pont, s'est déplié pour devenir un homme voûté, puant, en se présentant : « Raoul, celui que tout le monde connaît ici », puis l'a suivie en lui réclamant des tickets de rationnement.

Comme elle lui explique être venue dans la région pour y ouvrir un cabinet d'infirmerie et qu'elle ne dispose de rien d'autre que sa bonne volonté pour se tirer d'affaire, le clochard paraît se réveiller d'un seul coup. Il se met à trembler :

— Un peu d'éther, ma petite dame, pour un grand blessé de guerre ! Juste un peu d'éther !

Visage gonflé aux lèvres minces quasi inexistantes, yeux rouges exorbités comme des feux de locomotive, il présente toutes les caractéristiques de l'alcoolique en manque. Un vrai drame ambulant. Anne-Angèle, qui a beaucoup de mal à se débarrasser de cette glu nauséabonde, se cache

136

derrière un arbre pour vérifier que l'individu ne la suit pas avant de reprendre le chemin de la Verrerie qu'il est aisé de retrouver puisqu'il longe le paisible cours d'eau de la Bellesme.

Un bruit de moteur au loin, comme un bourdon pris dans une toile d'araignée. Le ronflement s'interrompt, puis se rapproche. À ce son-là, Anne-Angèle s'est déjà habituée, il s'agit d'un avion de l'aérodrome voisin qui se livre à des exercices. Par moments, l'engin pétaradant pique du nez, coupe ses moteurs pour passer en rase-motte sur les toits de Tourcy, puis les rallume.

La bonne infirmière attend, assise sur une chaise dans la cuisine délabrée du dispensaire, s'astreignant à quelques pensées constructives. Ces pensées, elle en est certaine, finiront par transformer l'atmosphère de cet endroit et faire venir des patients.

Elle a fixé sur la porte une petite boîte à messages contenant un carnet et un crayon sur laquelle elle a inscrit *Bienvenue* avec un double point d'exclamation, pour le cas où quelqu'un se présenterait en son absence. Mais avant tout, elle a repeint une partie de l'enseigne avec un reliquat de peinture trouvé dans les débris de l'usine. Il ne lui en restait pas suffisamment pour recomposer la totalité du mot INFIRMERIE, mais INFIRM est déjà parfaitement lisible depuis la ruelle voisine.

Quand le cabinet d'infirmerie aura trouvé sa patientèle, pense-t-elle, elle investira dans un autre pot de peinture et raffraîchira les murs de la cuisine, dans laquelle elle a décidé d'installer son cabinet. Une couche de bleu turquoise, ce sera la couleur idéale, ça fera médical. Rassurera les patients. Patience.

Parfois, vers le milieu de la journée, quand vient le vent de l'est, apportant une odeur de carburant, elle perçoit confusément le son d'une sirène. Ça n'est pas une sirène qui annonce un bombardement, c'est un son plus guttural, comme celui d'un cor de chasse et qui signale certainement l'heure de la cantine à la caserne, car elle retentit sur le coup de midi. Autrefois, paraît-il, les cloches de Tourcy sonnaient les douze coups. Mais les Allemands les ont démontées dans le cadre du programme de récupération des métaux. À l'heure qu'il est, si ces lourdes pièces de bronze produisent encore un son, c'est probablement celui, sifflant, des bombes quelque part sur le front de l'Est.

Mais voilà un autre bruit de moteur, plus proche.

Une voiture pénètre dans la cour : *Ah, mais c'est celle du bon docteur Serraval !* Il donne un coup de klaxon et passe la tête à la portière, jovial comme à son habitude, très en forme, vraiment. En général le toubib fait une halte en rentrant de ses consultations à Reims pour prendre des nouvelles et remonter le moral de la bonne infirmière.

— Avec l'hiver et ses brumes givrantes, vous verrez, les grippes et les bronchites vont aller bon train ! Les gens vont se mettre à tousser d'un seul coup. Gardez confiance, ma chère collègue,

gardez confiance ! Et n'oubliez pas qu'en méde-
cine le temps, surtout lorsqu'il est mauvais, joue
de notre côté !

Lorsqu'elle est présente, il pose affectueusement
sa main sur le front de Marie comme s'il prenait
sa température ou cherchait à l'amadouer, car
l'enfant, qui n'est pas habituée aux gestes d'affec-
tion, se contracte systématiquement en grimaçant.
Cela fait sourire Serraval. Le bon docteur est sympathique, généreux et drôle, il se démène. Il a déjà
fourni l'essentiel du matériel nécessaire au fonctionnement du cabinet : seringues, compresses,
ventouses, et même un pot contenant de belles
et jeunes sangsues. Et surtout, le plus important,
il lui arrive de laisser un peu de nourriture, des
légumes donnés par les moins fortunés de ses
patients : des rutabagas essentiellement.

Mais aujourd'hui, il apporte quelque chose de
beaucoup plus volumineux.

— Une malle est arrivée ce matin à la gare,
pour vous !

La malle cabine dépasse du coffre de sa traction
avec l'étiquette de la Compagnie de navigation
mixte encore accrochée aux poignées qu'Anne-
Angèle reconnaît à son graphisme de soleil cou-
chant.

— Ça vient du Maroc, elle a transité par Paris !

D'ailleurs, le docteur Serraval a apporté un
courrier avec la malle. Une enveloppe froissée
qu'il sort de sa poche et tend à la bonne infirmière, avant de décharger le bagage, remonter
dans sa voiture et disparaître.

Geoffroy Chanfrin-Bellossier
Ancien Attaché au ministère des Armées.
Médaillé de l'Ordre de la Légion d'honneur
et de la Croix de guerre.
Citation à l'Ordre du Régiment
Citation à l'Ordre de la Brigade
Citation à l'Ordre de la Division

Paris le 9 Septembre 1944

Ma chère Anne-Angèle,

J'espère que tout se passe bien du côté de Reims. Votre bagage a fini par arriver du Maroc et il n'a pas été sans difficultés pour moi de le récupérer.

J'espère que les fonctionnaires des douanes ne vous auront rien subtilisé au passage...

À Paris, il fait de plus en plus lourd, surtout en soirée. Je vous confirme que vous avez fait le bon choix en acceptant de vous exiler à la campagne. Quelle étuve, ici !

Vous devez être bien occupée à soigner toute la misère du monde dans votre dispensaire.

En espérant avoir bientôt de vos nouvelles, je vous salue, ma chère infirmière, sachez que vos bons soins me font gravement défaut.

Geoffroy Chanfrin-Bellossier

P.-S. : Dites à Marie que j'ai réussi à me tailler la barbe tout seul.

Anne-Angèle relit plusieurs fois la lettre, cherchant entre les lignes un message qui lui aurait échappé et lui permettrait d'envisager la possibilité d'un retour dans la capitale. Mais cette brève missive ne contient aucun double sens ni sous-texte, et de l'illustre Chanfrin-Bellossier elle n'aura plus jamais de nouvelles.

— Bon sang, ce qu'elle pèse lourd, cette malle !

Marie et Anne-Angèle ont de grandes difficultés à la tirer jusque dans l'entrée de la maison. Pour franchir le perron, on s'y reprend à plusieurs fois. Il y a quelques semaines encore, ça aurait été un jeu d'enfant pour l'infirmière que de déplacer une masse comme celle-là, mais sa main droite n'est presque plus du tout opérationnelle. Le pouce et l'index semblent paralysés. Sensation quelque peu étrange, comme si cette main-là n'était plus tout à fait la sienne. Pour l'instant, elle n'en a parlé à personne, pas à la pauvre Marie en tout cas, qui paraît déjà suffisamment inquiète lorsqu'elle rentre le soir de l'école en demandant si des gens sont venus se faire soigner dans la journée. Et à qui Anne-Angèle doit mentir pour la rassurer. « Ce n'est rien, Marie, ne t'inquiète pas. Trois fois rien... » Mais lorsqu'elle soulève le bandage, elle la trouve tout de même un peu inquiétante, cette blessure. La trace de morsure s'est dédoublée à la façon d'une décalcomanie, exactement comme si elle avait été mordue une seconde fois. Quelques petits tubercules ovoïdes d'une teinte cuivrée forment un arc de cercle, semblable au mouvement

143

d'une éclipse solaire, avec par-ci, par-là, quelques points rouges violacés ne semblant quant à eux n'obéir à aucun ordre logique. La bonne infirmière qui, dans la vie, a vu tant et tant de phénomènes générés par la peur se persuade qu'il s'agit d'un eczéma et qu'il est inutile de s'en inquiéter pour l'instant. Il faut se fier à l'intelligence du corps. Tout ça finira forcément par cicatriser.

En ouvrant la malle, Marie pousse un cri d'admiration. Il y a tant de choses là-dedans : des vêtements tout d'abord, légers, en toile de lin pour la plupart, puisqu'il s'agit de ceux qu'Anne-Angèle avait l'habitude de porter au Maroc, mais pas seulement, il y a aussi des burnous en laine épaisse, de couleurs vives, brodés de rouge et de violet que la gamine déplie en s'extasiant. Et puis aussi des tapis muraux et des coussins. L'odeur qui se dégage de tout ça est vertigineuse. Mélange de mouton, de cuir de chameau, de cannelle, de safran et de bois de santal. L'odeur du souk. Anne-Angèle en a presque le tournis. Au point qu'elle ose à peine s'en approcher, de ce coffre, par crainte d'y basculer, de devenir d'un seul coup un souvenir du Maroc, elle aussi. À ses affaires personnelles, ses collègues du dispensaire de Casablanca ont joint des cadeaux : celui qui attire tout de suite son attention est une bouteille remplie d'eau scellée par un bouchon de cire et dont l'étiquette arbore une main de Fatma dessinée de manière enfantine, accompagnée d'une calligraphie arabe. Cette bouteille, Anne-Angèle sait très bien de quoi il s'agit. C'est de l'eau de mer. Ou plus précisément de l'eau des *sept vagues*, une tradition berbère qui consiste à en récupérer sur sept vagues successives en récitant un verset du Coran. Un porte-bonheur, probablement offert par l'assistante d'étage, la petite Taïa, à laquelle Anne-Angèle a envoyé une carte postale depuis Paris. Oui, c'est elle, d'ailleurs elle a joint à ce flacon magique un mot bourré de charmantes fautes d'orthographe : *Tris contante que tou soi trouver travail à Pari, je toi souhaiter boucoup chance*, etc.

Dans ce fourbi, sous les tissus, il y a aussi d'imposantes gravures médicales. Dans une boîte : quelques fossiles, une rose des sables, un caméléon séché et un bocal fermé dont Marie, en le dévissant et le portant à ses narines, demande s'il s'agit d'une épice.

— Non, Marie, ça, c'est du henné. Ça ne se mange pas du tout.

— À quoi ça sert, alors ?

— À tout un tas de choses qui ne nous seront pas d'une grande utilité ici... Si tu le mélanges à de l'eau, ça devient rouge. Si tu dessines avec ce mélange un œil dans ta main, ça te protège du mauvais sort. Au Maroc on en met sur la tête des mariées, ou sur les mains des jeunes mères, les plus superstitieux en badigeonnent même leurs chameaux !

Anne-Angèle, amusée par l'étonnement de la gamine, poursuit son inventaire des mille et une façons de contrer le mauvais sort au Maroc :

— Le sel, qu'il faut disposer dans chaque coin d'une maison lorsqu'on y emménage, le bois qu'il faut frapper en disant « *Sh'kaoui* » lorsque quelqu'un parle de la maladie, les pieds qu'il faut se laver lorsque l'on quitte la maison d'un mort, les chaussures qu'il ne faut jamais superposer. Ne jamais verser d'eau bouillante dans les égouts pour ne pas incommoder les *Jnouns*, sortes de fantômes dont il faudra calmer la colère en répétant à volonté : « *Bismillah rahman rahim ! Bismillah rahman rahim !* » Et puis dans un registre plus scientifique, il y a la *Btana*, une peau de mouton ensanglantée qu'il faut se passer sur le visage pour se protéger de l'acné et des points noirs... et en couvrir la tête des jeunes femmes qui peinent à trouver un mari.

Anne-Angèle en pouffe toute seule.

Mais Marie n'écoute plus, elle a trouvé tout au fond de la malle un album photographique en cuir de chameau orné d'un palmier. À l'intérieur, des clichés sépia de femmes berbères aux visages tatoués, de musiciens tenant des instruments aux formes insolites, de bonimenteurs et de fakirs prises sur la place d'un village, de maisons aussi, ventrues, aux angles arrondis par la chaux, percées de minuscules fenêtres et, pour certaines, accrochées aux flancs de monts irradiés par la sécheresse où broutent quelques chèvres minuscules.

Il y a également, parmi toutes ces images, des portraits de femmes au visage rond et fardé les faisant ressembler à des poupées ou, pour d'autres, à d'étranges pâtisseries. Elles sont vraiment très belles. Leurs robes à volants laissent entrevoir des jambes gainées de bas à rayures ou de chaussettes ornées de pompons. Pour la plupart, elles sont assises dans un fauteuil recouvert d'un tissu soyeux, l'air définitivement pensif, rêveur. Ces images-là sont accompagnées d'une inscription : *Femmes juives de Tunis.*

Marie tourne les pages de cet album somptueux en prenant garde de ne pas froisser les intercalaires de papier glacé et constellés d'un motif de toile d'araignée en filigrane. Elle désigne une photo qui diffère des précédentes : celle d'un jeune homme de type européen chevauchant un chameau. Il n'a pas plus d'une vingtaine d'années, porte un sarouel, une veste en cuir crasseuse et un casque colonial posé de travers sur la tête. Se rajoutent à sa dégaine une barbe clairsemée d'adolescent, ainsi qu'une paire de lunettes automobiles qui masquent son regard. *Jean-Edmond Saligny*. Oui, c'est ça, Jean-Edmond Saligny. Anne-Angèle est surprise d'avoir dû faire un effort pour se remémorer ce nom. Et pourtant, elle en a passé, du temps, avec ce drôle de type. Un jeune saint-cyrien envoyé par ses parents dans la région de Casablanca pour se perfectionner en zoologie et en botanique. Il avait loué une chambre dans le secteur réservé au personnel de l'hôpital, ce devait être en 1919. Il venait alors de terminer ses études et se rêvait une vie d'aventurier. La plupart des clichés de l'album, c'est lui qui les a pris.

Anne-Angèle s'empare du portrait, émue. Elle l'entend encore lui raconter de sa voix monotone l'histoire du dernier bubale d'Afrique du Nord, une variété de gazelle à longues cornes dont, en 1920, il ne restait, paraît-il, plus qu'un spécimen mâle vivant au zoo du Jardin des plantes à Paris. Le jeune Jean-Edmond disposait d'ailleurs d'un petit folioscope, qui montrait, quand il l'effeuillait du pouce, la pauvre bête en train de tourner en rond dans sa cage. Un homme sensible, curieux de tout. Il était surtout fasciné par l'étude des étoiles dont il pouvait parler des heures entières, la nuit, en regardant le ciel. D'ailleurs, parmi les quelques objets qui traînent tout au fond de la malle, il y a un caillou, brun et luisant, qui pèse le poids de l'acier. Un fragment de météorite trouvé dans le désert et qu'il lui avait offert. Un morceau d'étoile. Anne-Angèle est troublée. Des noms lui reviennent confusément en mémoire : la constellation du Toucan, la galaxie naine du Sagittaire, la nébuleuse de la Tarentule...

Cet album photo et ces curiosités, il lui en avait fait cadeau parce qu'elle lui rendait des services occasionnels et qu'elle avait pris l'habitude de l'accompagner dans ses expéditions aux alentours de Casablanca, dans les carrières de phosphates qui regorgeaient de fossiles, mais parfois aussi jusqu'aux dunes de l'erg Chebbi. Jamais beaucoup plus loin. Des missions de deux ou trois jours, qu'Anne-Angèle prenait sur ses repos. Cela la distrayait, la changeait de la fréquentation des malades, des bonnes d'étage, des autres infirmières et des religieuses qui formaient ses seules relations amicales, là-bas. Pour autant, un monde les séparait. Ce jeune individu était aussi cultivé et prolixe qu'Anne-Angèle était inculte. Il pouvait réciter des pans entiers de l'Encyclopédie universelle, raconter avec enthousiasme les grands moments de la vie de Charles de Foucauld, personnage dont il enviait la renommée, l'exemplarité morale. L'humilité. Frappé qu'il avait été par la lecture de son ouvrage *Reconnaissance au Maroc*. Anne-Angèle était une bonne oreille pour Jean-Edmond. Cela ne la dérangeait pas de l'écouter parler. Elle le faisait avec l'humilité d'une infirmière.

Parfois, en l'aidant à extraire un fossile du sable, elle effleurait sa main, s'imaginant ainsi initier un premier geste amoureux. Elle avait lu ça dans des romans de gare. Frôler la main d'un homme, comme pour envoyer un signal.

Se surprenant à rêver de délicatesses, de caresses, habituée qu'elle avait été jusqu'alors à manipuler les corps comme de la viande, malade ou morte, la majorité du temps.

Ils s'étaient fréquentés un an, un peu plus, peut-être. Et puis le jeune homme avait disparu. Une mort dont rêvent sans doute les jeunes aventuriers. Emporté par sa propre curiosité, dissous dans un courant d'air.

Anne-Angèle reste interdite devant cette malle. Cette vie-là lui paraît si lointaine, presque un autre monde, et pourtant ces événements ne remontent pas à plus d'une trentaine d'années.

L'idée lui vient qu'elle ne devrait rien garder de tout cela, que l'attachement au passé est une mauvaise chose. Tout ce fatras, cette sensiblerie, ces objets superstitieux surtout, il faudrait en faire un feu, songe-t-elle. Un grand feu, aussi joyeux que celui qu'elles ont nourri avec les affaires du précédent locataire.

— Tu vas m'aider, Marie, on va ressortir cette malle et nous allons faire un beau feu de tout ça !

Mais Marie n'est pas de cet avis et pense, elle, qu'au contraire ce serait dommage de se défaire d'un tel trésor. Qu'il faudrait s'en servir pour décorer les murs de cette baraque.

— Ça mettrait un peu de couleur, ça égaierait !

Anne-Angèle insiste pour que Marie l'aide à ressortir le bagage, mais l'enfant n'a pas le temps car il est l'heure de se rendre à l'école, dit-elle.

Anne-Angèle reste avec ses souvenirs, elle essaie de déplacer seule l'énorme coffre, sans y parvenir.

La cour de récréation bruisse à en devenir sourd. Marie, en observant les écoliers, se dit que cet endroit est bien pire qu'un asile de fous. Elle ne comprend pas ce qu'ils ont tous à se dire de façon si urgente et si violente. Ni la maîtresse, qui hurle encore plus fort qu'eux pour leur intimer de se calmer, de se taire, de mieux se tenir, les excitant plus encore. Et pour finir, qui leur distribue des paires de claques à s'en brûler les doigts. Comme si cette dame, finalement, éprouvait un malin plaisir à les frapper. La personne la plus folle de cette communauté, c'est peut-être elle. La maîtresse.

Marie ne bouge pas, elle se dit que le mieux, dans ce petit pays de l'enfance perpétuellement en guerre, c'est de rester proche de l'arbre. Le seul arbre de la cour. Un vieux châtaignier qui, s'il a réussi à pousser dans ce coin, doit porter en lui de grandes valeurs de sagesse. Comment font les arbres pour supporter les humains depuis si longtemps ? Comment cet arbre a-t-il réussi à pousser aussi droit en voyant s'agiter sous ses branches tant et tant de générations de petits tordus ? Elle n'en sait rien.

Solange, la seule écolière qui semble à peu près calme – les petites filles en donnent parfois l'illusion –, s'approche de Marie, en dissimulant un sac de toile sous sa veste. Un petit sac qui bouge, étrangement.

— Tiens, regarde, Marie...

Solange dénoue le sac et la première chose que Marie aperçoit de l'insigne créature, ce sont deux grands yeux vert émeraude qui la scrutent.

— C'est un chaton que j'ai sauvé de la noyade, dit Solange. Mes parents en ont balancé toute une portée dans la Bellesme hier soir. Quand j'ai retiré le sac de l'eau, ils étaient tous morts, sauf lui... C'est un miraculé !

Le petit animal regarde Marie intensément, avec une empathie curieuse, comme les félins envisagent leur proie. Puis il ouvre la gueule et miaule. Mais de façon presque inaudible, comme s'il avait compris qu'il ne fallait pas se faire remarquer par les autres écoliers présents dans la cour, ni par la maîtresse. Ce miaulement est pour Marie, juste pour elle. Son pelage est couvert de taches, ce n'est pas tout à fait un chat comme les autres. Il n'est pas à proprement parler gris ou noir ou tigré ou roux, il est un mélange de tout cela. Comme éclaboussé par une filiation ancienne et composée de tout ce qui constitue la sauvagerie des espèces prédatrices de rongeurs et d'oiseaux. Et surtout, il a une tache sombre autour d'un œil qui rend l'autre, le gauche, plus vert encore. De la couleur des profondeurs de la Bellesme, justement, dans lesquelles il a failli périr noyé.

Marie n'a jamais rien vu d'aussi beau, d'aussi réussi.

Il n'y a pas si longtemps, les dimanches surtout, pendant lesquels elle restait seule sous le préau de l'orphelinat de Thibouville, il lui arrivait de passer des après-midi entiers à converser avec le chat de la mère supérieure, un vieil animal pelé, obèse et apathique que rien ne semblait jamais déranger et qui exhalait une odeur rance lorsqu'il bâillait. Tandis que celui que Solange lui montre est si propre, si neuf. Il semble être né il y a quelques heures à peine. Il regarde Marie et miaule à nouveau, mais sur un ton de panique, cette fois-ci.

— Prends-le dans ta main, lui dit Solange. Regarde, il veut juste que tu le prennes avec toi.

— Tu crois ?

— Non, j'en suis sûre, lui répond la gamine, qui sort le chaton du sac et le lui dépose dans la main.

Marie le soupèse. Il est si léger, c'est ça qui est surprenant. Il ne pèse pas plus lourd qu'un poussin. En effleurant du bout des doigts son duvet vaporeux, elle sent poindre les os de la petite colonne vertébrale et ceux de la cage thoracique, alignés comme autant de frêles et courbes brindilles. Émue, la gamine palpe les oreilles caoutchouteuses et presse le dessous de ses pattes pour séparer le cartilage des coussinets, faisant jaillir une herse de griffes acérées, minuscules et translucides, qui n'ont encore jamais agrippé, blessé ni attrapé quoi que ce soit. Marie retourne le petit animal pour observer en détail son ventre curieusement rond, comme enflé, dont le pelage est un assemblage de taches et de rayures d'une couleur bien plus claire, comme celle d'une chouette effraie. L'animal se laisse faire, il ronronne.

— Tu vois, dit Solange, il t'a déjà adoptée.

— Ma tante ne voudra jamais qu'on le prenne avec nous à la maison, elle n'aime pas les animaux.

— Ça n'est pas grave. Tu n'as qu'à le cacher, et quand tu retourneras vivre à Paris, tu l'emporteras avec toi. Je suis sûre que tes parents seront ravis.

Marie hésite. Elle amorce le geste de le remiser dans le sac, mais le petit félin réagit, écarte les pattes en grand et sort ses griffes, exactement comme si Marie s'apprêtait à le jeter du haut d'un clocher.

Solange semble embarrassée.

— De toute façon, si tu ne le prends pas, mes parents le noieront à nouveau.

Le soleil de septembre passe entre les branches des saules et darde de ses rayons une nuée de mouches blanches qui tournoient au-dessus de la Bellesme, comme rendues folles par les reflets du courant qui se mélangent aux débris de verre épars. Tout n'est que brillance. À quelques mètres dans l'ombre, là où le courant tourne et attaque la berge pour former une plage de sable gris, Marie ramasse des cailloux et des branches de bois flotté. Elle a récupéré en fouillant dans les décombres de l'usine une lourde pièce de métal éventrée en forme de cloche, encore qu'il s'agisse peut-être d'un fragment d'obus, qui fera un abri idéal. De toute façon, l'animal ne devrait pas y rester trop longtemps. Si elle l'avait amené directement chez elle, sa tante aurait refusé. Marie commence à la connaître, pour arriver à la convaincre il faut avoir recours aux ruses diplomatiques que l'on réserve en général à une vieille mule. Ne jamais se montrer pressée, ni énervée. La gamine se promet d'avoir trouvé avant la fin du jour les arguments afin qu'Anne-Angèle accepte d'héberger l'animal.

En attendant, elle dispose un tapis de feuilles tout au fond de la cloche avant d'inciter le petit félin à y pénétrer. La bestiole miaule et tente de s'échapper, tandis que la gamine referme la brèche avec des cailloux qu'elle recouvre d'une épaisse écorce de hêtre, faisant ainsi ressembler le petit édifice à une hutte votive, d'où s'échappe un miaulement plaintif.

— Chut ! dit-elle à voix basse. Si tu restes sagement là-dedans jusqu'à ce soir, j'aurai une surprise pour toi !

Les murs de l'infirmerie sont couverts de tapis et de tissus colorés. Cette activité de décoration a occupé l'esprit d'Anne-Angèle le temps d'un après-midi, et pour cela au moins elle ne regrette pas d'avoir suivi les conseils de Marie. En plus des tissus, il y a les gravures médicales légendées en arabe, dont les couleurs vives et la simplicité ont la fraîcheur des gravures d'enfant. Au Maroc, ces illustrations étaient indispensables pour bien se faire comprendre et mettre les malades en confiance, surtout quand il fallait rivaliser avec les promesses d'un marabout, qui est dans les pays du Maghreb le véritable concurrent de l'hôpital.

Parmi ces représentations, il y a entre autres une splendide vue en coupe du système digestif présentant le cheminement complexe et labyrinthique des intestins, un globe oculaire à grande échelle que d'aucuns pourraient confondre avec un œuf d'autruche sectionné. Mais la plus grande, la plus belle de ces affiches, est sans conteste celle qui représente un squelette en mouvement, qui semble vous dévisager et même vous saluer, avec sa main droite levée. L'ossature est surlignée de vert dans le contour sombre de la silhouette.

Anne-Angèle épingle cette impressionnante gravure au-dessus du poêle à bois. Cette affiche pédagogique fait ressembler la cuisine à un véritable cabinet d'infirmerie. C'est beau, c'est chaleureux. Pour achever de rendre la maison tout à fait accueillante et donner au couloir une apparence de salle d'attente, Anne-Angèle dispose sur une étagère sa rose des sables, le petit caméléon séché, la photo de son jeune ami Jean-Edmond et, pièce maîtresse, le flacon contenant l'eau des *sept vagues* qui, par un effet de loupe, semble donner de l'embonpoint au jeune aventurier.

L'infirmière contemple l'étagère, qu'elle trouve belle, vraiment, très réussie, mais pas seulement : elle se persuade que cet autel fera venir des patients.

Et d'ailleurs, en voici un qui arrive, justement. C'est Raoul, le clochard rencontré en sortant du bistrot. Anne-Angèle pensait l'avoir semé, il aura retrouvé sa trace. Il frappe au carreau. Il paraît un peu moins fou, plus propre, moins tremblant, moins en manque. Encore qu'il s'agisse peut-être d'une ruse. L'infirmière se méfie, hésite à le laisser pénétrer dans le cabinet.

Tout en continuant de frapper au carreau, il dit qu'il a mal à une jambe.

Elle hésite encore, mais finit par y voir un signe du ciel. Un peu comme si, en acceptant ce miséreux comme premier patient, cela lui vaudrait la clémence de Dieu ou, plus pragmatiquement, la confiance des villageois qui deviendront à leur tour ses patients.

L'apôtre au visage congestionné prend place sur la table de la cuisine, ses vêtements sont sales, la peau de ses joues couverte d'une jachère de poils gris qui ont peut-être été rasés un jour, mais sans l'aide d'un miroir, laissant sur son menton de petites touffes grises jaunies par la nicotine. Sa chemise, à laquelle il manque des boutons, laisse entrevoir tout un tas de médailles religieuses, représentations du Christ, portraits de la Vierge, saint Christophe et même un saint Lazare qui se disputent sa vieille toison de poils collés par la sueur.

L'individu, pour se donner l'air sympathique, lance des coups d'œil satisfaits autour de lui.

— Elle est jolie votre petite maison, dit-il en regardant la gravure du squelette. C'est quoi, ces inscriptions, du « peau rouge » ?

— Hein ? Non, c'est de l'arabe, répond Anne-Angèle, c'est le nom des os en arabe.

Elle lui indique en approchant son doigt de l'affiche une suite de signes qu'elle traduit par *humérus, radius, omoplate*, mais le type s'en fiche. Il dit qu'il a mal à une cheville et que cette cheville-là qui est la sienne est bien française, tout en continuant de chercher du regard autour de lui.

Anne-Angèle lui demande de préciser de quelle cheville il s'agit.

— Celle-là, dit-il en faisant sauter sa chaussure d'un coup de talon.

Anne-Angèle s'agenouille et retrousse son pantalon. Il y a en effet un hématome. Mais il y a fort à parier que cette blessure il se la soit faite lui-même puisque Anne-Angèle, en relevant la tête, remarque que l'horrible individu fixe un flacon d'alcool à 90 degrés posé bien en évidence sur l'étagère entre le bocal des pansements et celui des sangsues.

C'est ça qu'il est venu chercher, de l'alcool. Juste ça.

En rebaissant la jambe de son pantalon, elle lui annonce qu'elle ne peut rien faire pour lui, hélas, et le prie calmement de bien vouloir remettre sa chaussure et de déguerpir.

Mais le type ne voit pas les choses ainsi.

— Quoi ? Comment ? Vous ne voulez pas me soigner ? Mais moi je pense au contraire qu'il faudrait que vous me la désinfectiez, cette blessure ! Vous préférez me voir amputé, c'est ça ?

Il tend une main redevenue tremblante en direction du flacon, ce qui oblige la bonne infirmière à lui saisir le bras pour le tordre d'un coup sec. Elle a appris ça autrefois, lorsqu'elle travaillait à bord des navires. Cette prise lui avait permis de se tirer de bien des mauvais pas. Une clé qu'il faut savoir pratiquer de la main gauche et ça tombe bien, car la droite, qu'Anne-Angèle garde bandée, n'est presque plus du tout opérationnelle.

Elle pousse le vieil ivrogne vers la sortie, mais il s'agrippe à la porte en faisant valoir qu'il est quelqu'un d'important dans la région, l'un des seuls à être revenu de Verdun intact ! Et qu'il en a eu des médailles honorifiques autrefois, plein comme ça ! dit-il en définissant l'espace d'un rectangle sur sa poitrine.

Anne-Angèle, en désignant son front, lui rétorque qu'elle aussi en a vu plein comme ça ! Des alcooliques dans son genre. Et, le poussant d'un violent coup d'épaule, elle le traite de loque et d'abruti. Pour se rendre plus offensive encore, elle ajoute une grossièreté en arabe.

Le visage du vieil alcoolique est écarlate, ses lèvres tremblent. Il ramasse une pierre, tente de la frapper. Mais ses gestes sont vraiment faciles à esquiver. Passant d'un pied sur l'autre, Anne-Angèle trouve encore le moyen de lui flanquer une gifle. Le bonhomme en devient fou, il sautille et tourne sur lui-même, manque de basculer, la pierre lui échappe et traverse un carreau.

Anne-Angèle pousse un juron, en français cette fois, elle retourne en courant dans la maison et en ressort armée du pique-feu qu'elle brandit à la face de l'ivrogne.

— Tu la vois, cette barre de fer ? Si tu remets les pieds ici je te fends le crâne avec. De toute façon, pour ce que tu es capable de réfléchir, ça ne devrait pas changer grand-chose ! Allez, du vent ! Ouste ! Dégage !

Le clochard quitte la maison en vociférant, mais Anne-Angèle, ne s'y fiant pas, demeure un moment derrière la porte.

Et ce fameux coup, c'est Marie qui manque de
le recevoir en pleine figure. Si elle n'avait pas eu
le réflexe de faire un pas de côté en pénétrant
dans la maison, elle serait morte.

— Qu'est-ce que tu fais là, ma tante ? Pourquoi
tu as voulu me frapper ?

— Excuse-moi, Marie, j'ai cru que c'était un
visiteur malveillant. Je me sens un peu fatiguée,
ces jours-ci...

Ce qui n'est évidemment pas pour rassurer
la gamine qui a bien remarqué elle aussi que
sa tante ne tourne pas tout à fait rond depuis
quelque temps et qu'elle lui ment en prétendant
recevoir des visites. Si ses patients sont reçus à
coups de tisonnier, les choses ne vont pas s'arranger ! pense-t-elle. Et ça n'incite pas la gamine à
lui faire l'article du petit animal magnifique caché
au bord de la rivière et qu'elle aimerait tant pouvoir ramener à la maison. Maison qu'elle trouve
étrangement décorée, d'ailleurs, surtout à cause
du grand squelette vert qui salue depuis le mur de
la cuisine. Tout comme cette étagère dans l'entrée,
avec son lot d'objets étranges et cette photo du
jeune blanc-bec assis sur son chameau, dont il n'a

pas échappé à la gamine que sa tante le regardait avec des yeux pleins de nostalgie.

— Ça va ? demande la gamine, dans l'intention d'aborder sans plus attendre le sujet du chat.

Mais sa tante, en hochant la tête, ne semble pas vraiment convaincue, et d'ailleurs elle le dit :

— Je ne sais pas ce que j'ai, je ne me sens pas très en forme aujourd'hui, puis elle monte à l'étage pour se reposer.

Marie, restée seule dans la cuisine, ouvre son cahier pour commencer à relire son devoir de calcul : un exercice dans lequel il est question de tonnes de blé et de maïs qu'il faut moudre et diviser en tas : d'un côté en farine pour le boulanger, de l'autre en semoule pour l'épicier. Exercice pernicieux pour cette enfant qui, depuis quelques semaines déjà, ne se nourrit plus que de rutabagas laissés par le docteur Serraval. Ce bon docteur qui a toujours, quand il vient faire une halte, un mot gentil à l'intention de la gamine, lui demande comment elle se porte, si l'école lui plaît, si elle y fait des progrès, surtout. Elle essaie de se concentrer, éprouve une vraie difficulté à transformer ces mille kilos de blé en farine sans imaginer les effluves d'une demi-tonne de baguettes de pain sorties du four. Quel est le poids de l'odeur du pain lorsqu'on n'en a pas mangé depuis des semaines ? Quel est le facteur de multiplication des jours *sans* ? Ça obsède la gamine.

Mais plus encore, elle s'inquiète de savoir son chat resté seul au bord de la rivière et qu'avec la tombée du jour il pourrait bien finir, lui, dans l'estomac des ragondins qui en colonisent les talus.

Elle monte à l'étage.

Sa tante est assise sur le lit et change son pansement. C'est devenu une habitude pour la gamine que de la voir en train de contempler son poignet, en appuyant dessus précautionneusement, pour finalement refaire prestement son bandage quand l'enfant entre dans la pièce. Marie a eu l'occasion de voir furtivement cette plaie, pas plus tard qu'avant-hier, lorsque Anne-Angèle, devenant chaque jour plus maladroite, a accidentellement accroché sa manche à une poignée de porte. La gamine a aperçu un étrange motif sur sa main, une succession de cercles bruns purulents. Elle se persuade elle aussi que ça n'est pas grave, que sa tante ne lui ment pas en affirmant qu'il s'agit d'un *eczéma résultant de l'inquiétude*, comme de nombreuses affections épidermiques.

De toute façon, Marie n'est pas venue lui parler de ça.

— Pardon, ma tante, je voudrais te demander quelque chose.

— Oui ?

— Voilà, j'ai une amie à l'école qui s'appelle Solange et qui m'a proposé de me donner un chat.

— Non, Marie, pas de chat ici. Ça ne sert à rien, ça pue, ça pisse partout, et ça porte malheur !

— Pas celui-ci, ma tante, pas celui-ci. Il nous portera chance au contraire, parce qu'il a été sauvé de la noyade, c'est un miraculé.

— Alors dans ce cas, ne t'inquiète pas pour lui, il s'en sortira toujours !

— Mais… ma tante, ce serait quand même bien d'avoir un chat, ça nous protégerait des souris.

— Il n'y en a pas ici ! C'est bien la seule chance d'habiter dans une baraque aussi humide, d'ailleurs. Même les souris rechignent à y faire leur nid !

Marie est déçue, elle regarde ses pieds, a envie de pleurer. D'ailleurs, voilà les larmes qui tombent et se matérialisent en petites taches sombres à la surface du plancher. La gamine n'y peut rien, elle voudrait se retenir, ne pas laisser échapper toute la peine qui lui brûle les yeux.

Anne-Angèle s'approche d'elle.

— Ne sois pas triste, Marie, ça ne mène à rien. Dans des périodes comme celles que nous traversons, il faut apprendre à garder le sourire, au contraire.

— Pourquoi ? répond la gamine en écartant les mains du visage.

— Mais... parce que le sourire est magique, il transforme tout. Si tu souris au monde, le monde te sourira en retour.

— Je ne vois vraiment pas quelle raison j'aurais de sourire.

— Justement, ça n'a rien à voir avec la raison, Marie. Sourire, c'est... c'est comme un exercice de gymnastique, un exercice musculaire !

Et la tante de commencer à lui énumérer les muscles monopolisés par l'entreprise de la bonne humeur en désignant de l'index des parties de son propre visage :

— Tu vois, là, il y a le releveur de la lèvre supérieure... les zygomatiques... le muscle buccinateur... l'abaisseur de la lèvre inférieure... le...

La gamine regarde sa tante, d'autant plus désolée que, de la théorie, la vieille est passée à la pratique et qu'elle commence à lui démontrer, en tirant sur ses joues, comment élaborer un sourire *équilibré* en dévoilant à cette occasion un râtelier de dents jaunes comme la mort.

Marie, horrifiée par cette grimace, affirme qu'elle a compris et s'enfuit vers la cuisine.

Elle se rassied à la table devant son cahier, tente de résoudre le problème des deux tonnes de blé et de maïs, en vain.

Pour finir, elle retourne à la rivière pour vérifier que son chat est toujours en vie, et glisser dans son minuscule abri une limace trouvée en chemin dont elle imagine qu'il en fera son festin.

Oui, ça va. Sous l'écorce, le petit édifice de pierres autour de la cloche est intact, personne n'y a touché. En approchant l'oreille, Marie entend l'animal miauler. C'est un son étouffé, mais vivace. La gamine soulève la lourde pièce de métal, y engage du bout des doigts la limace. Elle voudrait rassurer son chat, mais elle s'abstient car elle sait mieux que quiconque qu'il ne faut rien promettre à un être abandonné.

L'animal devra passer cette première nuit dehors, voilà tout. Et à elle, il lui faudra, avant demain, trouver les moyens de convaincre Anne-Angèle de la nécessité d'accueillir ce félin à l'infirmerie.

Sur ces sages pensées, la gamine reprend le chemin de la maison. Et c'est là, à une dizaine de mètres du cabinet d'infirmerie, qu'elle aperçoit un énorme derrière s'engouffrer dans la fenêtre de la cuisine. Deux jambes battent dans le vide au point qu'on aperçoit la raie des fesses du bonhomme qui fait tous les efforts du monde pour parvenir à ses fins. Elle est vraiment très étroite, cette fenêtre, mais l'individu ne manque pas de vigueur.

Marie se met à courir, elle hurle :

— Ma tante ! Ma tante ! Il y a un horrible bonhomme qui essaie de rentrer dans la maison !

Anne-Angèle dévale les escaliers, son pique-feu à la main.

Raoul est déjà dans la cuisine. Il tombe, se relève, remonte d'une main son pantalon dont une bretelle a sauté, tandis que de l'autre il s'empare du précieux flacon d'alcool à 90 degrés qu'il débouche d'un coup de dents et porte à ses lèvres.

— Sale individu ! Charogne !

Anne-Angèle avance, brandissant le tisonnier. Elle envoie un coup dans les tibias de l'intrus qui s'en trouve immédiatement déséquilibré, mais ne faiblit pas pour autant. Ses joues gonflées débordent et dégoulinent sur la gouttière de son menton pour former une flaque sombre sur son torse, un plastron d'alcool et de sueur mêlés. Ses yeux braqués vers le plafond semblent y reconnaître on ne sait quel Dieu des miracles spiritueux. Une divinité qui, si elle existe, est sûrement pourvue d'un milliard de seins. Oui, cet homme tout juste revenu de l'enfer du manque tète goulûment, atrocement. Sa jouissance le fait grimacer en grognant et c'est une chose terrible à voir.

Anne-Angèle attrape l'individu par une bretelle et le fait valser, puis lui assène plusieurs coups de barre sur les coudes cette fois. L'ours geint, son pantalon dégringole sur ses chevilles, il s'en débarrasse en le piétinant, se retrouvant en caleçon, mais ne lâche toujours pas le flacon. À chaque coup porté, l'alcool lui gicle de part et d'autre du visage.

Marie, affolée, saisit une chaise, la fracasse sur la tête de l'ignoble type qui s'affale sur le poêle, et s'enflamme aussitôt.

À présent, il n'est plus qu'une tornade de flammes bleues. Il a lâché la bouteille et il hurle.

Marie et Anne-Angèle hurlent elles aussi.

— Marie, attrape la couverture ! tonne l'infirmière à la gamine tout en s'emparant d'un seau d'eau pour en asperger la silhouette ardente qui se cogne aux murs et finit par se précipiter au-dehors.

La comète affolée file dans les ruelles.

— Arrêtez-le ! Arrêtez-le ! braillent Marie et Anne-Angèle qui poursuivent la torche vivante avec leur couverture.

Leurs voix résonnent dans tout le village, mêlées à celle de l'ivrogne qui ne laisse plus rien échapper d'autre que des jappements suraigus. Ameutés par le raffut, des villageois apparaissent sur le seuil de leur maison. On ne les a jamais vus aussi nombreux. Certains sortent avec un seau d'eau de vaisselle qu'ils jettent vers le malheureux qui finit par s'effondrer, rouler sur lui-même vers le caniveau qui stoppe sa course incandescente.

Une incroyable odeur de carne brûlée envahit l'espace de la place, redevenue silencieuse. Des clients du bistrot sont sortis pour assister à cette infernale et pathétique fin de corrida.

3

Les nuages de Magellan

À partir de cet événement, quelque chose a basculé concrètement, un peu comme si un voile d'obscurité était tombé sur la bonne infirmière. Au sens propre comme au figuré, puisque sa vue s'est mise à baisser. Avec l'arrivée d'octobre, les jours ont paru raccourcir dès le milieu de la journée. Une cécité inexplicable. Ça a débuté peu après les funérailles du vieux Raoul, cette sinistre messe à laquelle Marie et Anne-Angèle se sont fait un devoir d'assister. L'hostilité des villageois a été palpable, ce jour-là : les regards, les murmures, la haine surtout, omniprésente dans l'espace de cette chapelle telle la poussière, diffuse et virevoltante, dans la lumière des vitraux. Un désir de vengeance archaïque, immodéré. Le curé, venu tout spécialement de Reims pour donner du Notre Père, n'a pas manqué, en agitant son encensoir, de jeter des coups d'œil réprobateurs aux deux femmes qui avaient opté pour la discrétion en s'installant sur les bancs du fond, ceux réservés normalement aux gueux et aux irresponsables. Là où Dieu lui-même ne se donne pas la peine de regarder et encore moins de juger.

Le docteur Serraval, qui faisait partie de l'assistance lui aussi, semblait faire des efforts pour éviter de croiser le regard d'Anne-Angèle. Personne n'aurait imaginé que, de son vivant, ce vieux Raoul ait eu tant d'amis et de liens familiaux dans la région. Une vraie meute réunie par le devoir de se souvenir, de regretter. Même le patron du bistrot – qui pourtant ne lui permettait plus l'accès à son établissement depuis des années, le chassant parfois à coups de pied dès qu'il n'avait plus les moyens de payer ses consommations – était là, dans les tout premiers rangs, à essayer de se tirer une larme du corps. Précieuse et socialisante, comme la dernière goutte tombée d'un alambic municipal. Et, pour ajouter au malaise général, cette idiote de Marie s'était efforcée de sourire pendant la cérémonie, comme Anne-Angèle le lui avait appris quelques jours plus tôt. L'art de sourire comme un exercice de gymnastique, pour se faire accepter des autres, etc. Idiote ! Pauvre sotte ! La pression des murmures a été si forte qu'il leur a fallu quitter la messe avant la fin, fuir par une porte latérale, celle qui mène directement au tas de compost du presbytère, une petite porte voûtée comme la honte.

Et à ce sentiment d'obscurité, à cette soudaine cécité, s'ajoute un autre phénomène, acoustique celui-ci. Des bruits que l'infirmière perçoit depuis peu : frottements, chuintements qu'elle a envisagés dans un premier temps comme résultant de l'humidité et des contrastes de chaleur qui font bouger le bois des charpentes dans les vieilles demeures. Mais il y a d'autres sons, plus nets et bien plus effrayants, comme des cailloux jetés contre les volets. Un, deux, parfois quelques

brassées de graviers et, avec ça, des insultes proférées mais de façon lointaine, en écho. Un peu
comme si tout cela, cailloux et insanités, était
projeté depuis les habitations situées de l'autre
côté de la Bellesme. Ces maisons, il y a un mois
encore, on ne les apercevait pas avec l'épaisseur
des feuillages, mais maintenant, si. Quatre ou cinq
toits anguleux comme des casques à pointe, recouverts d'ardoises écailleuses sombres et luisantes,
et où semblent cohabiter, telles des couleuvres,
quelques familles consanguines et louvoyantes.
Parfois, le vent porte l'odeur de ce qu'ils brûlent,
mélange de chiffons et de bouses séchées. Une
senteur âpre, invasive, irrespirable. Les cailloux
doivent partir de ces bâtisses, à coup sûr.

La bonne infirmière tâche de guetter, de
comprendre, mais sa vue ne lui en laisse plus
les moyens. Passé la rivière, le reste du monde
devient chaque jour de plus en plus flou, brumeux.
Crépusculaire.

Elle aimerait mettre ces hallucinations audi-
tives et ce problème de cécité sur le compte de
l'anxiété. De même pour cette horrible cicatrice
qui progresse sur son bras et dont la succession
de formes courbes fait penser à une chaîne, ou
une suite d'anneaux reptiliens.

Un tatouage très étrange dont elle s'évertue à
se persuader qu'il s'agit d'un eczéma.

Plus personne ne s'arrête à la Verrerie, pas
même le docteur Serraval, qui a cessé de faire
un détour pour leur apporter des légumes. On
croit entendre sa voiture emprunter la ruelle qui
longe les ruines de l'usine, mais ce bruit ne fait
que passer, telle une énième hallucination. La
bonne infirmière vérifie chaque matin la boîte à

messages clouée sur la porte, qui demeure désespérément vide. Personne ne passe, personne.

Un matin tout de même, cachée derrière la fenêtre à guetter, elle croit observer une corneille en train de frapper au volet. Un oiseau pourvu d'un bec long d'au moins dix centimètres, robuste et courbe comme un épissoir, surmonté d'un regard noir, brillant et espiègle. Au Maroc, on raconte toutes sortes d'histoires sur ces volatiles farceurs qui ne sont pas forcément des corneilles, mais aussi des mouettes ou des goélands, dont le cri n'est d'ailleurs pas si éloigné de celui des corneilles. Des animaux qui semblent continuellement se moquer. Les Méditerranéens, les pêcheurs surtout, sont habitués à être tirés du lit par ces bestioles qui ne les lâcheront pas de la journée, poursuivant les bateaux dans le but de bénéficier des rebuts des filets. Mais lorsque l'un de ces oiseaux frappe à votre fenêtre, c'est l'esprit de quelqu'un qui vous rend visite. Pas moins que ça. Dès lors, il n'est plus question de chasser l'animal, on commence à faire des prières ou on convie le marabout pour négocier avec l'intrus. Négociations qui peuvent s'avérer longues et coûteuses, puisque les esprits mécontents ont souvent une bonne raison de l'être et qu'ils ont l'éternité devant eux pour vous pourrir la vie.

Foutaises, foutaises ! Anne-Angèle se défend d'y croire bien sûr, tout ceci est tellement stupide. Mais si elle se laissait aller à la superstition, elle verrait bien en ce messager croassant et moqueur la réincarnation de l'un de ses malades, plus particulièrement celui qu'elle a soigné le jour de son départ de Casablanca. Ce type qui l'a mordu après qu'elle lui a inoculé la fièvre. A-t-il survécu ?

Anne-Angèle n'en a pas la moindre idée, lorsque la syphilis atteint les cervicales, on peut craindre à coup sûr une méningite, et la méningite ne laisse que très rarement indemne. Cet homme est certainement mort. Oui, si elle se laissait aller à la superstition, en observant cet oiseau vengeur avec son drôle de regard, c'est à cet homme-là qu'elle songerait en premier. Mais justement, la bonne infirmière n'y croit pas et elle se le martèle plusieurs fois : « Je n'y crois pas, je n'y crois pas », parvenant presque aussitôt à interrompre le flux de ses pensées.

Les journées deviennent terriblement éprouvantes pour Marie, elle aussi, qui se fait un devoir de continuer à se rendre à l'école de Vrimont, à jeun. Le plus difficile, c'est ce moment de la mi-journée où la cloche sonne, et où la plupart des écoliers rentrent chez eux pour déjeuner. Elle se retrouve à attendre sur les marches de l'école. Les quelques rares enfants à faire le trajet depuis Tourcy, comme Célestin par exemple, apportent avec eux leur casse-croûte qu'il ne leur viendrait pas à l'idée de partager. Et puis, elle ne leur demande rien. Le plus insoutenable pour elle, c'est lorsque les cours reprennent à treize heures trente et qu'il faut, pour célébrer ce deuxième mouvement de la journée, se remettre à entonner l'hymne du Maréchal, avec le sourire. La gravure du Maréchal est encadrée de deux beaux épis de blé, secs, éternellement dorés, qu'elle rêverait de croquer. Et puis il y a, tout autour de la tête du bonhomme, des gravures représentant les plus beaux métiers de France, dont le très enviable métier de boulanger. Sur cette image, deux types en maillot de corps retirent des miches de pain d'un four. Ils ont l'air si forts, si sûrs d'eux. Leurs visages sont irisés par la lumière du feu. Marie se laisse hypnotiser.

Pour le reste, apprendre le calcul, l'orthographe et le vocabulaire lui semble rapidement n'être plus d'aucune utilité. Les lectures à voix haute particulièrement, lorsqu'il faut se lever et mettre de l'énergie à conter des fables de Ronsard ou de La Fontaine, à cause de la fatigue, de la tête qui tourne, ou de l'odeur de nourriture que l'on sent traîner sur les vêtements ou dans l'haleine des écoliers, lui sont insupportables. Il lui arrive de commettre des fautes de français, d'inverser les mots, et elle ne supporte plus de devoir s'en excuser, effectuer des pages d'écriture, ou pire, se retrouver de corvée de nettoyage du tableau.

Sa décision est prise, elle y a bien réfléchi, elle ne se rendra plus à l'école de Vrimont. Le trajet depuis Tourcy est de toute façon beaucoup trop long, la communauté des enfants, bien trop folle, et elle a beaucoup trop faim. En fait de dernier devoir, elle rédige un mot, imitant avec beaucoup d'application l'écriture tremblante de sa tante. Un mot d'une demi-page dans lequel elle explique qu'elles vont devoir déménager et qu'elle sera inscrite prochainement dans une école de Reims. Une fois l'enveloppe cachetée, l'enfant hésite et ne se donne finalement pas la peine de la remettre en main propre à la maîtresse. Elle la glisse dans l'une des boîtes aux lettres de l'école. La plus vermoulue, dont elle sait que personne ne l'ouvre jamais.

Ce même jour, Marie prend une autre décision, celle de mettre à profit ce temps gagné pour aller mendier dans les fermes. Il y en a quelques-unes entre Vrimont et Tourcy. Elle sait que les femmes sont généralement seules l'après-midi, et se persuade que ces paysannes qui s'activent aux tâches domestiques seront généreuses et qu'elles se laisseront plus facilement émouvoir par une petite mendiante. Mais il n'en est rien. Toutes ont une bonne raison de ne rien donner, de n'avoir rien en réserve. Lorsque Marie, ayant trouvé le courage de pousser les lourds portails, bredouille des litanies d'excuses avant de tendre la main et de demander gentiment s'il reste des épluchures de légumes, les matrones prennent un air gêné.

— Non, rien, hélas, ma pauvre petite… La guerre est une terrible affaire qui nous saigne tous, tu sais. On a tellement de soucis avec les Allemands qui nous prennent pour des bêtes à traire.

Marie se permet d'insister :

— Même des choses que vous ne mangez plus ?

— Non, tout sert, ici. Ce qu'on ne mange pas, on le donne aux lapins… Il faut bien les nourrir eux aussi.

Marie sent bien qu'il lui faudrait, pour être tout à fait convaincante, avoir l'accent local. Et plus encore que l'accent, cette façon que les paysans ont de s'exprimer fort, comme l'on se parle d'un champ à l'autre, avec en fond de conversation le chien qui aboie, comme c'est toujours le cas dans ces fermes. Elle se dit que l'accent, cela s'imite, mais elle craint, en le forçant, de donner l'impression de se moquer. Alors elle reste elle-même, gentille, polie, et ça ne lui rapporte *rien*.

En général, à la fin, et pour ne pas lui refermer directement la porte au nez, on lui demande d'où elle vient, comme ça, toute seule. Lorsque Marie leur répond poliment qu'elle vient de Tourcy, et qu'elle est la nièce de l'infirmière, les visages

178

deviennent dubitatifs. *Une infirmière à Tourcy ?* Non, ils ne voient pas. Ou alors – et c'est plus ennuyeux – *si*, ils *voient* justement, et évoquent encore le funeste épisode du vieux Raoul.

Pour finir, ils lui conseillent d'aller demander plus loin.

— Où ça ?

— Par là, en suivant le chemin, tu trouveras une autre ferme.

— Où ça ?

— Là-bas, plus loin.

Toujours plus loin.

Il arrive, une fois, en passant d'une ferme à l'autre, que Marie entende la voiture de Serraval ralentir à sa hauteur. Le docteur ouvre sa portière, il lui demande où elle va de ce pas et s'il peut la rapprocher. Marie hésite, il a l'air de faire chaud dans l'automobile, elle aimerait en profiter pour lui demander pourquoi il ne s'arrête plus à la Verrerie et ce qu'il en fait, des rutabagas dont il leur faisait cadeau il y a encore peu. Ces merveilleux rutabagas qu'elle avait appris à cuisiner avec de l'ail sauvage, relevant ainsi leur bon goût d'artichaut. L'homme insiste, il lui parle chaleureusement, peut-être comme un père parle à sa fille.

— Monte, je te dis… je te rapproche.

Marie ne sait pas, elle n'est sûre de rien. Il est probable, puisque Serraval est un homme intelligent, qu'il fasse la différence entre elle et sa tante. Qu'il ait peut-être même des choses à lui confier à son sujet. Qui sait ? Peut-être a-t-il des informations quant aux raisons pour lesquelles elle se trouve là, avec Anne-Angèle. Si elle acceptait de monter dans cette automobile, sa vie s'en trouverait certainement transformée. Elle quitterait le sentier boueux de cette existence pour emprunter celui, spacieux et solaire, d'une nouvelle famille. Le médecin l'emmènerait chez lui, la nourrirait. Un jour, un autre jour, il lui proposerait de rester, aménagerait une chambre dans son grenier, en attendant mieux. Marie deviendrait la *petite adoptée du toubib*. Celle que tout le monde envierait, que l'on verrait passer en coup de vent dans sa belle voiture. Marie hésite à prendre place dans l'automobile.

Et puis non, finalement, elle préfère décliner l'invitation, car il lui vient à l'esprit que s'il l'emmenait pour lui rendre service jusqu'à l'école de Vrimont, cela ferait des histoires à n'en plus finir. Il faudrait inventer un mensonge énorme pour la maîtresse, refaire le trajet en sens inverse. Ce serait une perte de temps, juste une perte de temps.

Il tombe des tonnes et des tonnes de pluie, c'est à peu près tout ce qui vient du ciel depuis quelques semaines. De la pluie. La nuit, surtout. Au tambourinement sur le toit s'ajoute le grondement de la rivière dont le niveau monte toujours plus.

Marie a récupéré dans les ruines de l'usine un clou de charpente rouillé qu'elle a dissimulé sous son matelas. Elle n'a pas trouvé plus astucieux pour mettre fin au supplice de son chat. Plusieurs fois par jour, en revenant de ses expéditions de quémandage dans les fermes, la gamine fait un crochet par la rive de la Bellesme où elle s'arrête pour réconforter son animal.

Se penchant sur le petit édifice de pierre, à mots soufflés, en y déposant ce qu'elle trouve en retournant les mottes de terre : insectes, lombrics ou, dans le meilleur des cas, quelques taupes engourdies, elle encourage le félin à ne pas trop désespérer. Elle lui promet que s'il trouve la force de survivre elle lui donnera un joli nom. Il lui semble que l'animal comprend et qu'il répond même parfois à ses encouragements, mais avec la montée des eaux et le bruit du courant, elle l'entend de moins en moins miauler, et ce silence la désespère.

Ce qui serait vraiment dommage, pense l'enfant, ce serait que l'eau monte d'un seul coup et que le chat succombe à l'atroce noyade dont Solange l'a sauvé. Oui, ce serait vraiment dommage. Trop dommage. Marie sait qu'elle ne s'en remettrait pas.

Anne-Angèle somnole dans la pièce voisine. Marie l'entend chaque nuit bouger, se retourner, se gratter et parfois même parler, ce qui n'est pas mauvais signe puisque cela signifie qu'elle cauchemarde, et donc qu'elle parvient elle au moins à trouver le sommeil. Une sur les deux qui dort, sous ce même toit, c'est déjà ça. Mais cette nuit-là, Marie entend donc sa tante se retourner dans son lit et ce moment lui semble opportun pour mener à bien sa mission. Elle s'empare du clou, se lève en prenant garde de ne pas faire grincer le plancher, se dirige vers le placard mural qui fait la jonction entre les deux pièces. Un meuble en sapin large comme une contrebasse, que les affaires – quelques robes et manteaux se confondant de par leur usure avec les torchons – ne remplissent qu'a un dixième de sa capacité. Marie s'approche et, de la pointe de son clou, racle une étagère. Le grattement résonne dans la pièce et même dans toute la maison.

Depuis sa chambre, Anne-Angèle appelle.

— Marie ? Marie ? Tu entends ce bruit ?

Marie ne répond pas. Elle fait semblant de dormir, tout en continuant de gratter, comme elle imagine qu'un rongeur le ferait, avec des petites pauses digestives, puis en reprenant de plus belle.

Anne-Angèle crie de nouveau :

— Marie ? Tu l'entends, ce bruit ? On dirait un rat !

Marie s'approche de la chambre de sa tante en imitant de son mieux l'attitude d'une enfant tirée d'un profond sommeil.

— Qu'est-ce que tu disais, ma tante ?

— Tu as entendu ce bruit ? Tu l'as entendu ?

— Non, quoi ? répond la gamine en se frottant les yeux.

— Il y avait un rat, là, juste dans le placard !

Marie prend un air apeuré en regardant la sombre silhouette du meuble que sa tante désigne de son index tremblant.

— Mais comment c'est possible ? Tu m'as dit l'autre jour qu'il ne pouvait pas y avoir de souris dans cette baraque, parce que c'est trop moche et qu'il y fait trop humide !

— Justement, ce n'était pas un grattement de souris. C'était bien plus gros ! Un rat, je te dis ! Une saleté de rat qui a dû monter de la Bellesme !

— Un rat, ma tante ? Mais c'est horrible ! Qu'est-ce qu'on va devenir ?

— On va s'en sortir, on va s'en sortir ! Est-ce que tu penses que ta camarade de classe serait toujours prête à nous confier son chat ?

Cette boîte en fer-blanc qui a dû contenir des biscuits, Marie en a fait une niche confortable pour son petit animal baptisé Paillasson et qu'elle a installé sous l'escalier. Elle a hésité entre Pharaon et Paillasson, mais Paillasson lui a paru plus en relation avec la couleur de l'animal. Et puis, à cet énoncé, le chat lui-même semble se reconnaître.

Marie passe beaucoup de temps à lui parler.

— Mon petit Paillasson, pardon de t'avoir abandonné si longtemps. Je sais que tu as eu peur tout seul au bord de la rivière, mais maintenant, c'est fini, bien fini... Bienvenue dans notre maison. Il va falloir que tu nous portes chance et que tu prennes garde de ne pas trop déranger ma tante, qui n'est pas vraiment ma tante, qui est un peu folle, surtout depuis quelque temps, mais qui est gentille quand même... Et puis dès que tu auras repris des forces, il faudra que tu attrapes des souris pour prouver que tu sers bien à quelque chose ici, parce qu'un chat normalement ça attrape des souris. Tu comprends ?

Le chat regarde la gamine et a l'air de parfaitement comprendre.

184

Anne-Angèle, descendant l'escalier à grand-peine, puisque sa vue diminue de jour en jour et que cet exercice de franchissement des marches représente à lui seul une épreuve digne des Jeux olympiques, lui fait remarquer que « Paillasson » est inapproprié.

— Pourquoi ? demande Marie.

— Mais parce que « Paillasson » est un nom masculin et que ta bestiole est une femelle.

— Comment tu peux en être sûre ?

— Eh bien, quand le pelage d'un chat a trois couleurs, il s'agit obligatoirement d'une femelle. C'est comme ça... Tout le monde le sait !

Marie, troublée, écarte les pattes arrière de la bête, cherchant du bout de ses doigts sous le duvet un indice qui pourrait infirmer ou confirmer cette prédiction, mais en vain.

— Ta copine Solange s'est bien fichue de toi ! hurle Anne-Angèle en pénétrant dans la cuisine où elle passe désormais le plus clair de son temps à ruminer.

— Mais pourquoi, ma tante ?

— Parce qu'elle le savait certainement, elle, que cette foutue bestiole est une femelle. Une chatte, c'est pire encore qu'un mâle. Ça ne pense qu'à se reproduire. On sera bien avancées quand on retrouvera toute une portée dans nos placards ! Qui aura le courage d'aller les noyer, ses petits, dans la Bellesme, hein ? Toi, peut-être ?

Marie ne répond pas, elle regarde son animal, cherche dans la forme de sa tête, le contour de ses yeux, la répartition de ses taches, ce qui pourrait en faire une chatte plutôt qu'un chat. Il y a bien quelque chose, oui, dans sa façon de regarder, que Marie aime énormément. Elle voudrait elle aussi, un jour, avoir un regard comme celui-là, aussi doux, aussi rassurant. Alors, puisqu'il lui faut se faire à l'idée que son chat est une femelle, elle décide de la nommer Paillassonne.

— Paillassonne, Paillassonne, tu m'entends ?

Le chat miaule comme pour dire oui. Et dans sa manière de répondre, il y a effectivement quelque chose de pharaonique.

Paillassonne est un rayon de soleil dans la vie de l'enfant. La nuit surtout, lorsque Marie veille, parce que les nuits sont de plus en plus courtes à cause de ses drôles de rêves où il est question de trouver de la nourriture, ainsi qu'à d'autres moments où l'on entend vrombir dans le ciel les avions alliés. Ces moteurs anglais qui, d'après *tout le monde*, annoncent la libération, mais dont on sait bien, hélas, qu'ils ne la rendront possible qu'en larguant leurs bombes sur les points stratégiques de l'occupant, dont cette région fait partie, avec son terrain d'aviation et sa satanée réserve de carburant.

Dans l'obscurité, Paillassonne guette Marie de ses deux yeux verts allumés, reflétant comme un double miroir l'astre nocturne. Son ronronnement se mêlant à celui des moteurs qui se traînent, hauts derrière les nuages, jusqu'à s'y confondre et les faire disparaître tout à fait.

Marie supplie ce regard de leur porter bonheur à elle et sa tante, et à ce ronronnement de ne jamais s'interrompre.

— Paillassonne, dis-moi, est-ce que tu sens venir la chance ?

Et Paillassonne miaule, l'air approbateur.

Et un soir, un petit miracle se produit. Les Allemands ont effectué leur ronde de couvre-feu dans les rues du village depuis deux heures déjà. On ne les voit jamais, ces soldats, on entend seulement le bruit des sabots de leurs chevaux, plus rarement leurs voix, qui hurlent aux retardataires de rentrer chez eux, de fermer leurs volets, d'éteindre les lumières ou d'occulter les fenêtres. Les gens obtempèrent comme des enfants, en s'excusant et parfois même en remerciant. C'est un soir comme un autre, de ceux de la toute fin d'octobre : les pluies ont cessé et cet automne promet un rude hiver, à sa manière de se répandre en courants d'air glacés. Un vent qui file droit depuis l'Alsace, paraît-il, pour s'engager sous les portes, dans les brèches des murs et par les interstices des planchers qu'il faut colmater avec des bouts de lainages mélangés à de l'argile qui, en séchant, constituent au final un enduit plutôt prometteur.

Par moments, la poussée du vent éjecte ces bouchons improvisés et il faut les réimbiber pour bourrer de nouveau les fissures avec le plat de la main ou à l'aide d'une spatule. Tout est affaire de patience. Ces activités de bricolage sont un dérivatif à l'ennui qui, de façon pernicieuse et comme le vent glacé, finit par vous envelopper au point de vous ôter toute volonté d'agir.

Ce soir-là, au cabinet d'infirmerie, on vient d'achever un repas constitué de feuilles de poireaux et de fanes de carottes parfumées d'un peu d'ail sauvage. C'est à peu près tout ce que Marie a trouvé au fil de la journée. Ces précieuses fanes, elle les a récupérées dans la mangeoire des lapins aux abords d'une ferme dont les propriétaires s'étaient absentés, ou faisaient mine d'être absents, puisque dans la région – Marie a de plus en plus souvent l'occasion de s'en apercevoir – les gens n'aiment pas beaucoup les mendiants. Et encore moins *les mendiantes dont on ne sait pas d'où elles viennent* puisque Marie, et elle n'y peut rien, n'a toujours pas l'accent d'ici.

En général, lorsque les paysans ne lui ouvrent pas leur porte, Marie se rabat sur les tas de fumier, les gamelles des chiens ou, comme ce jour-là, sur les clapiers. De beaux clapiers remplis de petites bêtes rousses aux longues oreilles si douces qui sentent bon le foin macéré dans l'urine. Marie aurait bien aimé emporter un lapin ou même juste quelques petits, mais les cages étaient cadenassées et, en passant la main sous une grille, elle a bien failli se faire mordre par une énorme femelle qui elle non plus n'appréciait visiblement pas son intrusion.

Elle n'est pas si mauvaise cette soupe, l'amertume lui confère un goût de repas, et puis, le secret, c'est de l'ingérer brûlante pour en accentuer le fumet. L'odeur de l'ail mélangée à celle du bois brûlé rend l'atmosphère de la pièce plutôt chaleureuse. Ce bois sec, on en trouve beaucoup en remontant le chemin qui borde la rivière. Habituellement, Marie préfère les branches de résineux qui se cassent plus aisément, sont plus légères à transporter et nécessitent moins de papier journal à l'allumage. En outre, leur sève, en se consumant, couvre les odeurs de sueur et de déjections, surtout, puisque Anne-Angèle, persuadée que les villageois veulent sa peau, ne prend même plus le risque de se rendre dans la cabane au fond du jardin pour y faire ses besoins. Elle se soulage dans un seau posé dans un cagibi borgne attenant à la cuisine, devenu le water-closet et la salle de bains privative de la vieille infirmière. Marie, chargée d'aller vider le seau deux fois par jour dans la rivière, tâche d'engager sa tante à prendre l'air, un petit peu, juste quelques pas dehors ? En lui assurant que personne n'en a après elle, ni les humains, ni les fantômes, ni les corbeaux. Que ces bruits de cailloux qu'elle affirme entendre n'existent pas, qu'ils sont le fruit de son imagination. Mais ce soir-là, justement, tandis que Marie et Anne-Angèle lapent leur soupe brûlante et insipide, quelque chose frappe contre les volets de la cuisine.

Une fois, deux fois. Et encore une autre.

— Tu as entendu, Marie ?
— Ah oui, ma tante, cette fois, j'ai entendu.
— Qu'est-ce que tu entends ?
— Quelque chose qui frappe !
— Où ?
— Contre le volet, là, à l'instant...

Un lourd silence envahit la pièce. Les deux femmes sont tétanisées. La gamine reprend son souffle pour demander la permission de monter se coucher, mais *ça* frappe à nouveau, contre la porte d'entrée, cette fois. Anne-Angèle s'empare du pique-feu et se réfugie sous l'escalier, entre la boîte du chat et la malle cabine à laquelle on retire chaque jour quelques lattes d'osier pour s'en servir d'allume-feu.

— Qu'est-ce que tu fais, ma tante ?

— Je me mets en embuscade, répond Anne-Angèle en se tassant sous les dernières marches. Va ouvrir la porte. Si c'est quelqu'un qui me veut du mal, je lui tomberai dessus par surprise !

— Et si c'est à moi que les gens en veulent ? insiste la gamine. Je n'ai rien pour me défendre !

— Non, Marie, les gens de ce village ne feraient pas de mal à une enfant. Ils sont trop lâches, ils ont trop de principes. C'est à moi qu'ils en veulent, juste à moi. Va ouvrir, je te dis…

L'infirmière roule des yeux et brandit son arme de fortune tel Charlemagne son sceptre.

Marie s'exécute, d'autant que ça frappe de nouveau et de plus en plus fort. À chaque coup porté, les résidus de papiers et de tissu insérés dans les interstices de la porte tombent au sol. Marie cherche autour d'elle un instrument pour se défendre, mais ne trouve rien d'autre que le clou de charpente qu'elle avait remisé dans un tiroir rempli de bric-à-brac. Comme les coups reprennent de plus belle, la gamine actionne doucement le verrou, pauvre verrou, que n'importe qui pourrait faire sauter d'un coup d'épaule. Et juste avant d'abaisser le loquet, dissimulant le clou sous sa manche, la gamine demande : « Qui c'est ? », mais d'une voix si peu convaincue qu'elle ne traverse même pas l'épaisseur du bois. Alors, comme personne ne répond et que la curiosité finit par supplanter la peur, Marie ouvre la porte d'un coup sec, comme pour se débarrasser d'un pansement.

Face à elle dans la nuit se tient une femme, le visage sombre. Une silhouette enveloppée dans un châle et qu'une excroissance au niveau de l'estomac rend tout de même un peu monstrueuse, la faisant ressembler à ces statues de mère originelle que les hommes du Néolithique, animés par la peur, concevaient autrefois dans l'obscurité des cavernes.

— C'est, c'est... pourquoi ? interroge la gamine, tâchant de masquer son effroi.

— L'infirmière est là ? demande l'ombre dont Marie remarque à cet instant qu'elle porte dans ses bras un bébé, dissimulé sous son châle – un petit garçon dont la pâleur et les cheveux flamboyants contrastent avec le visage et les mains sombres de sa mère.

Marie, éberluée, reste sans réagir. La femme reprend la parole :

— Excuse-moi, je t'ai fait peur... je suis désolée. Je m'appelle Toinette, j'habite de l'autre côté de la forêt. Je me suis appliqué du charbon sur le visage pour que l'on ne me voie pas dans l'obscurité. Je voudrais juste parler à l'infirmière, elle est là ?

Marie continue de dévisager cette apparition. Si on lui avait demandé de décrire un fantôme, elle l'aurait peut-être imaginé en tous points ainsi, aussi étrangement belle, parce qu'elle l'est plutôt, cette femme. Elle n'a pas plus de trente ans et, en se débarrassant de son châle, elle libère une imposante chevelure brune qui lui tombe sur les épaules.

Marie invite Toinette à patienter. Elle referme la porte, pas entièrement pour ne pas être impolie avec la visiteuse, puis, avec des manières d'assistante médicale, se dirige vers le fond du couloir où, toujours cachée sous l'escalier, sa tante attend, yeux écarquillés, cheveux couverts de toiles d'araignée, mains refermées sur son tisonnier.

— Ma tante, c'est quelqu'un qui veut te parler !

— De quoi ? demande Anne-Angèle à voix basse, et dont l'expression semble entièrement rigidifiée par la méfiance.

— Je sais pas, répond Marie... Elle demande s'il y a une infirmière.

— Tu es sûre que ça n'est pas un piège ? Elle est seule ?

— Non...

— Elle est accompagnée ?

— Oui et non.

— C'est-à-dire ?

— C'est-à-dire qu'elle est avec un bébé.

— Bon, fais-la entrer.

Marie retourne à la porte et fait entrer la visiteuse. Toinette s'essuie les pieds puis, se défaisant d'abord de son lourd manteau et d'une seconde couche de vêtements, elle tend le bébé à Marie.

— Tiens, dit-elle, tu peux me le garder pendant la consultation ? Il s'appelle Gaston.

Marie prend le garçonnet dans les bras et fait signe à Toinette d'avancer vers la cuisine.

L'étrange visiteuse installée face à Anne-Angèle possède une voix agréablement basse. Et c'est à peu près tout ce que perçoit la vieille infirmière de sa patiente en plus de son odeur, mélange de saumure et de parfum bon marché qui a envahi la pièce dès son entrée, association aussi improbable que la proximité de deux commerces sur un même étal. Hareng et violette. Une pestilence dotée d'une belle voix tranquille, voilà exactement ce que pense la bonne Anne-Angèle de cette jeune femme. Celle-ci s'excuse d'avoir dû charbonner son visage afin de se déplacer sans attirer l'attention après le couvre-feu, sans imaginer bien sûr que son interlocutrice ne distingue d'elle rien d'autre qu'une ombre aux contours flous.

— Qu'est-ce qui vous amène à cette heure tardive ? demande Anne-Angèle d'une voix qu'elle espère la moins hésitante possible, redoutant un nouveau rebondissement dans l'affaire du vieux Raoul : cette visiteuse est-elle de la famille du vieil ivrogne ? Une de ses filles ? Une nièce ? Est-elle la femme de l'individu qui frappe chaque jour au volet, ou de celui qui a dressé un corbeau pour le faire à sa place ?

L'infirmière s'attend de toute façon à une mauvaise nouvelle. Mais non, il s'agit d'autre chose, car Toinette s'excuse. Elle dit avoir parcouru plusieurs kilomètres à travers la forêt pour lui rendre visite.

— J'ai attendu la nuit pour venir vous voir parce que je ne fais pas confiance aux habitants de ce village, dit-elle en époussetant ses épaules de quelques épines de pin logées dans ce châle qu'elle a conservé sur un tricot de corps en grosses mailles, un solide sous-vêtement vert sombre comme les militaires ont parfois le privilège d'en porter.

— Bon, venons-en au fait, reprend Anne-Angèle, bien certaine cette fois d'avoir un ascendant sur sa visiteuse.

— Eh bien voilà, poursuit la voix parfumée de saumure, mon mari est garde forestier, il s'occupe de la forêt de Jacques Hubernot. Vous connaissez Hubernot ?

— Non, répond l'infirmière qui, depuis quelques semaines, outre sa cécité, a presque complètement perdu la mémoire des noms.

— Peu importe, continue Toinette. Le problème dont je viens vous parler ne concerne que nous. J'ai un retard de règles, trois mois, tout de même. Et le maigre salaire de mon mari ne me permet pas de nourrir cet enfant à venir... Je cherche quelqu'un qui accepterait de me le faire passer.

Un silence envahit la pièce que le murmure de Marie dissipe, car la gamine, restée dans le couloir pour s'occuper de Gaston, s'est mise à lui parler de son chat. Ainsi, Toinette et Anne-Angèle l'entendent dire : « Tu vois, Gaston, je te présente Paillassonne, une chatte un peu folle comme elles le sont toutes. Parce que les chattes sont toutes un peu des salopes et qu'elles cachent leurs petits n'importe où dans les placards... »

Anne-Angèle tape du poing contre la cloison pour signifier à la gamine de parler moins fort.

— Marie, baisse d'un ton, s'il te plaît ! Je suis en consultation !

Le silence est désormais total. En s'adressant ainsi à la gamine, Anne-Angèle a retrouvé de l'assurance et se sent un peu moins « vieille folle aveugle » qu'infirmière dans son cabinet. Elle a bien compris la requête de sa visiteuse, « un avortement, hum... ». Mais il lui vient à l'esprit qu'il s'agit peut-être d'un traquenard. Oui, évidemment, comment ne pas imaginer que les ahuris du village, ceux qui lui jettent des cailloux, par exemple, sont en train de lui tendre un piège en la sollicitant pour une intervention illicite ? Si elle acceptait, qui sait, une bande de miliciens ferait peut-être irruption dans la pièce et l'embarquerait à la Kommandantur de Reims. Pour autant, et si cette femme cherche vraiment à se faire avorter, il y a peut-être un peu d'argent à gagner.

— Euh, bon... Et pourquoi ne vous adressez-vous pas au docteur Serraval ? demande-t-elle d'une voix blanche pour tester son interlocutrice.

— Je n'y pense même pas. Serraval est une ordure visqueuse, il se vante de faire partie d'un réseau de résistants avec quelques types du coin dont mon mari, mais je pense que c'est un traître. Juste un traître... Et quitte à me faire tripoter le dedans, j'aime autant que ce soit par une femme.

Ces mots dissipent toute crainte de trahison dans l'esprit d'Anne-Angèle. Si cette femme était du côté de la Milice, elle ne parlerait pas aussi franchement de son mépris pour les résistants.

Au contraire. L'infirmière comprend que cette visiteuse est bel et bien venue la trouver dans le but de se faire avorter. Comment refuser ? Il lui serait facile d'arguer qu'il s'agit d'un acte prohibé par la loi Pétain et qu'elle encourt la peine de mort en acceptant de le faire. Mais le problème est ailleurs : elle n'y voit vraiment rien et à la cécité s'ajoutent des tremblements. Il lui faut désormais s'y prendre à plusieurs reprises pour parvenir à introduire une clé dans la serrure d'un placard, alors pour ce qui serait de pratiquer une telle intervention...

Toinette reprend la parole :

— Je sais que c'est interdit, ça, oui. Mais par contre, je suis quelqu'un de parole et je vous paierai avec de la nourriture...

Une plaine battue par le vent, dont les arbres courbes et pelés indiquent comme des mains crochues la direction opposée à l'est. Ils ont certainement porté des prunes jusqu'en octobre, mais de ces fruits, il ne reste rien ou alors, sur le sol couvert de feuilles pourries, quelques noyaux dans lesquels les rongeurs, musaraignes et mulots, ont taillé une ouverture pour en extraire la graine. Marie marche à grands pas le long de la barrière du camp d'aviation. Ce chemin de ronde est le plus rationnel pour rejoindre sans se perdre la commune de Vrimont où sa tante lui a demandé d'aller récupérer un flacon d'éther chez le docteur Serraval.

Un chien de garde, sorte de berger allemand efflanqué, pourvu d'un museau noiraud et poussiéreux, la suit en aboyant depuis l'autre côté des grillages. Marie s'arrête pour ramasser une motte de terre, qu'elle balance dans sa direction, mais le chien, loin de se calmer, aboie de plus belle et se jette si fort contre la clôture que Marie reçoit des projections de bave dont elle débarrasse son visage d'un geste agacé. Ces aboiements l'assomment et l'empêchent de réfléchir correctement ; elle a bien entendu hier soir sa tante parlementer avec cette drôle de Toinette. Après s'être fait rabrouer par sa tante, elle a collé son oreille à la porte pour écouter la conversation et a bien entendu la visiteuse dire qu'elle était *tombée en sainte* ou quelque chose du genre. Une chute, donc, cette femme s'est probablement cassé quelque chose, d'ailleurs l'idée que sa tante ait accepté de se livrer à une opération ne rassure pas du tout la gamine. Marie est bien placée pour savoir que la pauvre vieille doit s'y reprendre à plusieurs fois ne serait-ce que pour planter sa fourchette dans une épluchure de pomme de terre et qu'elle évite de se servir d'un couteau, dont il lui est arrivé de se saisir par la lame. La confusion est totale, il faut ajouter à tout ça des propos incohérents et des trous de mémoire abyssaux, lorsque Anne-Angèle, par exemple, peine à trouver le nom d'un objet aussi banal que « pot de chambre » en tendant une main tremblante vers le sol.

L'autre sujet d'inquiétude pour la gamine concerne cette aiguille à tricoter que sa tante lui a demandé de sortir du fatras de l'ancien propriétaire, une longue aiguille qu'elle a dû plonger dans l'eau bouillante pour la désinfecter. À quoi va-t-elle bien pouvoir lui servir ? Si elle envisage de recoudre une plaie avec un engin pareil, on peut s'attendre au pire.

Marie est inquiète, oui, très inquiète. Et il lui semble opportun de s'entretenir de tout cela avec Serraval.

Elle presse le pas pour se réchauffer et rejoindre Vrimont, dont elle aperçoit à présent les toits. Elle pourrait couper à travers champs, mais les profonds sillons bourbeux la fatigueraient inutilement. Marie marche, elle marche. Un peu plus loin, elle aperçoit une gamine qui pousse une charrette, courbée comme une petite vieille. C'est Solange.

Arrivée à sa hauteur, elle remarque que le chargement de sa carriole est recouvert d'un sac de toile.

— C'est quoi ? demande Marie, essoufflée, en désignant le sac.

— C'est rien, répond Solange.

— Si, c'est quoi ? insiste Marie en soulevant la toile, découvrant ainsi le cadavre d'un chien.

— Bon ben voilà, comme ça tu sais.

Marie regarde la dépouille, un animal comme on en emploie pour la chasse, marron, le corps curieusement raide, une patte en l'air, figé dans l'attitude imbécile de l'arrêt.

— C'est tes parents qui l'ont tué, lui aussi ?

— Non, répond Solange, il est mort d'une crise cardiaque, c'est un chien empaillé. Une ruse…

— Une ruse de quoi ?

Solange pousse le cadavre du chien, apparemment très léger, qui dissimule un autre sac rempli de patates, celui-ci. De belles, grosses, pommes de terre dont la peau boueuse laisse imaginer qu'elles viennent d'être récoltées.

— C'est une idée de mes parents pour que je ne sois pas contrôlée par la gendarmerie. Si on m'arrête, je fais semblant d'être triste en montrant ce chien empaillé, et en général on me laisse passer.

Solange s'empare de deux patates qu'elle tend à Marie. La gamine soupèse les deux magnifiques tubercules et cherche le meilleur endroit pour les dissimuler. Après hésitation, elle les glisse dans sa capuche et propose à Solange de l'aider à pousser son chargement.

— Je les emmène chez Trabel, ces patates, dit Solange. Ils achètent tout, là-bas... Je pourrais passer par la route nationale, mais par ici c'est plus calme. Et toi tu vas où ?

— Euh... moi je vais vers chez le docteur Serraval, répond Marie.

— Faire quoi ?

— Rien, en fait, j'ai pas le droit de le dire...

Solange continue de pousser sa charrette en regardant loin devant.

— Il paraît que Toinette la pute vous a rendu visite hier soir ?

— Toinette la quoi ?

— La pute... Tout le monde sait que c'en est une.

— Qui t'a dit ça ?

— On sait tout, par ici. Elle vit avec un type qui s'appelle Matesson, de l'autre côté de la forêt. Lui, il est garde forestier, mais il est tellement idiot que même leur gamin Gaston, il paraît qu'il est pas de lui.

— Comment tu sais tout ça ? demande Marie.

— Ben, t'as qu'à voir : Gaston, il est roux, alors que cette pute de Toinette et son Matesson de mari, ils sont bruns tous les deux...

Les deux gamines avancent. Marie est songeuse. La silhouette d'un cycliste apparaît au loin dans un nuage de poussière précédé d'un bruit de ferraille. Solange demande à Marie de presser le pas et de rester à côté d'elle.

— Si c'est un gendarme, il sera plus gêné si on est deux. On pleurera en même temps en montrant le cadavre du chien. Tiens, commence à te frotter les yeux avec ça ! ajoute-t-elle en lui passant un bout d'oignon.

Les deux gamines se frottent les yeux, et l'effet sulfureux de l'oignon conjugué à la fraîcheur de l'air est immédiat. Elles pleurent à chaudes larmes.

La silhouette en s'approchant se révèle finalement être celle de Célestin. Le gamin, qui se tient debout sur le pédalier, monte et descend à chaque avancée de sa bicyclette.

— C'est bon, c'est juste Célestin, il a dû emprunter le vélo de son frère pour récupérer les patates, dit Solange qui propose à Marie de s'arrêter pour souffler un peu.

Célestin s'approche des deux gamines. Il est surpris de trouver Marie et Solange en pleurs.

— Qu'est-ce qu'il y a, pourquoi vous pleurez ?

— Rien, répond Solange. C'est un truc de filles, t'aurais du mal à comprendre.

— Et toi, Marie, on ne te voit plus à l'école ?

— Non, répond Marie, pareil, ce serait trop long à t'expliquer.

Célestin ne pose pas d'autres questions. D'un geste pressé, il arrime la charrette au porte-bagages de son vélo. Solange grimpe sur la carriole en poussant le chien empaillé et enjoint à Marie de prendre place à côté d'elle.

Marie hésite.

— Non, en fait je vais couper à travers champs, dit-elle en tendant le bras vers la droite.

— T'es sûre que tu ne veux pas qu'on t'avance ? insiste Célestin.

— Non, merci, répond Marie qui a déjà enjambé le talus et s'engage dans le profond tracé des sillons.

De part et d'autre de la porte d'entrée, un rosier grimpant laisse pendre dans le vide d'opulentes têtes fanées dont les pétales couleur d'ivoire ont presque entièrement recouvert le seuil de leur velours épais. Un peu plus à droite, juste au-dessus, emmêlée dans les tiges épineuses, Marie remarque aussi la présence d'une vigne au tronc robuste et filandreux que l'on pourrait croire inculte si ce n'était ces quelques grappes ramollies par les givrées matinales. Un raisin bleu, parsemé de reflets pourpres et que – chose étonnante en cette saison tardive – quelques abeilles continuent de butiner inlassablement, comme enivrées par le sucre. À y regarder de plus près, il s'agit peut-être de bourdons, ça vibre, en tout cas. Leur nid doit se trouver quelque part dans le mur, puisque les insectes sitôt gavés disparaissent entre les briques. Ce raisin, Marie hésite à n'en prendre ne serait-ce qu'un grain. Elle encourrait le risque de se faire piquer par une de ces sales bestioles qui, en dépit de leur apparente confusion, semblent organisées comme une armée.

Elle a déjà actionné la cloche pour avertir le docteur de son arrivée, et pour ne pas succomber à la tentation, elle se remémore une leçon de morale entendue à l'école quelques semaines plus tôt : *qui vole un œuf vole un bœuf...* Marie se demande comment l'appliquer à un grain de raisin. Elle cherche la rime. *Qui vole un grain de raisin vole un train ?* Non, ça ne veut plus rien dire du tout. *Qui convoite ce raisin risque de perdre la raison* est sans doute plus juste, car l'enfant à force de le regarder en a la tête qui tourne. Elle baisse le menton, tâche de retrouver ses esprits.

Une femme finit par ouvrir la porte, un tablier noué autour du ventre qu'elle a généreux, des patins aux pieds, un ustensile de cuisine à la main. Marie n'est sûre de rien. Cette dame qui la scrute est probablement l'épouse du docteur Serraval ou sa gouvernante, car la voix du toubib retentit à l'étage et il la vouvoie.

— Amélie, faites entrer le patient suivant, je vous prie !

Mais la gouvernante reste de marbre face à cette gamine avec sa robe pouilleuse, ses yeux rougis et ses cheveux en bataille. Qui plus est, ses genoux sont crottés et les pommes de terre qu'elle a finalement fourrées dans la poche de sa robe en font plisser lamentablement le tissu en lui imprimant la forme obscène et monstrueuse d'une bourse de minotaure.

Pour se donner une contenance, Marie a bien essayé de faire disparaître la glaise de ses souliers en les frottant contre une borne au bord du chemin, mais la terre grasse s'est incrustée dans la laine de ses chaussettes distendues et trouées.

Le bon docteur arrive par le couloir, élégant comme à son habitude. Un veston sur une chemise impeccable et même, pour ce que Marie en observe, de beaux boutons de manchette avec ses initiales.

— Quelle bonne surprise ! Que pouvons-nous faire pour toi, Marie ? demande l'homme qui s'approche en souriant.

— Euh, eh bien voilà, ma tante m'envoie pour chercher un nouveau flacon d'éther.

La gouvernante se tourne d'un air gêné vers Serraval qui lui fait signe de laisser entrer la gamine.

Le cabinet du docteur se situe au premier étage, tout au fond d'un long couloir étroit dont les murs sont ornés de quelques têtes de cervidés : cerfs, chevreuils portant chacun une plaque de cuivre détaillant ce qui fut très certainement un joyeux moment de chasse. Ces animaux regardent depuis l'au-delà en paraissant avoir définitivement renoncé à toute forme de sauvagerie : l'air doux, contemplatif, honoré de vous recevoir dans l'antre du médecin.

Dans un coin du cabinet se trouve une vitrine contenant des instruments chirurgicaux alignés telles des pièces d'orfèvrerie : scalpels, ciseaux, pinces, en plus de quelques autres dont la gamine ignore l'utilité. L'ensemble est chromé, y compris cette table et son escabeau sur laquelle le toubib propose à Marie de patienter, et net comme ce drap posé à sa surface. L'enfant y laisse reposer ses mains pour en éprouver la douceur, en ramener un souvenir de propreté.

Avant de lui permettre d'accéder au cabinet, la gouvernante a demandé à l'enfant d'enfiler des patins en feutre qui, par-dessus ses souliers lui font des pieds énormes.

Le docteur, tout en remplissant une fiole d'éther, l'interroge, l'air de rien :

— Alors comme ça c'est ta tante qui t'envoie... Ça se passe bien à la Verrerie ? Vous avez des clients ?

Marie ne sait que répondre. Si elle se laissait aller à la sincérité, comme elle avait imaginé le faire, elle préviendrait Serraval du risque que sa tante s'apprête à faire courir à une drôle de bonne femme qui lui a rendu visite la veille au soir pendant le couvre-feu. Une folle qui se promène avec du charbon sur le visage, un bébé roux dans les bras et dont les gens du coin disent qu'elle est une *pute*, terme plutôt insolite dont Marie n'est d'ailleurs pas très sûre d'en avoir saisi le sens. Elle aurait pu demander à Solange de lui en dire plus, mais elle a craint de passer pour une idiote. Ses quelques jours de présence à l'école lui ont donné l'occasion de se valoriser dans le regard de cette camarade, tout du moins, et elle n'a pas voulu altérer ce crédit avec une question trop manifestement naïve. Peut-être s'agit-il d'un mot anglais ou même d'un diminutif : *pute*, comme l'on dirait *la femelle du putois*, puisque Marie a été frappée, elle aussi, par l'étrange odeur que dégageait Toinette en pénétrant dans leur maison. Oui, *pute* veut certainement dire *putoise*, la femelle de l'animal qui pue. Elle hésite à se confier au toubib. S'il veut vraiment savoir ce qui se trame en ce moment au cabinet de sa tante et connaître le véritable motif de sa commande d'éther, elle lui dira tout, enfin tout ce qu'elle sait. Et en premier lieu, elle lui parlera du projet de sa tante de procéder à une opération chirurgicale à l'aide d'une aiguille à tricoter, la seule qu'elle soit encore en mesure de manier à cause de sa vue, pense-t-elle. Marie crève d'envie de s'en ouvrir à Serraval. Mais le médecin ne semble pas si concerné par ce qui se passe à la Verrerie et n'attend pas vraiment de réponse à sa question, à vrai dire. Il achève de remplir le flacon en prenant garde de ne pas le faire déborder. Puis, l'ayant fermé avec un bouchon, il l'astique d'un coup de chiffon avec la dextérité d'un maître sommelier s'apprêtant à servir un grand cru à la table d'un palace. Une odeur d'éther flotte dans la pièce, brève et vivifiante, un effluve de lumière.

S'approchant de Marie, le toubib remarque une blessure sur son genou. Oui, ça saigne un peu.

— Ça n'est rien du tout, répond la gamine, l'air désolé. Je me suis fait ça en passant par-dessus un barbelé dans les champs qui bordent la route...

Serraval est interloqué.

— Quoi ? Un barbelé ? Tu sais ce que tu risques, Marie, en te blessant avec ça ? Elle ne t'explique donc rien, ta tante ?

Marie ne répond pas. Non, effectivement, sa tante ne dit rien de ces blessures pour la bonne et simple raison qu'elle ne les voit plus. De ça aussi, la gamine aimerait parler au docteur : comment se fait-il que sa tante devienne chaque jour un peu plus maladroite, que son regard lui-même ait changé ? Qu'il se fige progressivement ? Marie n'a pas la berlue, elle remarque bien que sa tante ne voit plus rien et qu'elle semble la première à s'en inquiéter. Pas plus tard qu'avant-hier soir d'ailleurs, l'infirmière a prié à Marie d'approcher la lampe à pétrole de ses yeux pour tester la mobilité de ses pupilles. Comme Marie lui faisait remarquer en approchant la lumière qu'elles ne variaient pas et que tout semblait normal, la tante l'a reprise d'une voix laconique, lui faisant remarquer qu'au contraire, si tout était *normal*, ses pupilles réagiraient à la lumière... Et elle a subitement paru très triste, vraiment très triste. À cet instant, Marie a bien cru voir une petite larme suivre le chemin des cernes et des rides qui creusent chaque jour davantage la surface de son visage fatigué.

Ainsi, Marie s'inquiète bien plus de l'état de santé physique et mental de sa tante que de ses propres égratignures dont, si elle était tout à fait sincère, elle avouerait au docteur qu'elle s'est fait un passe-temps d'en arracher les croûtes.

On se distrait comme on peut, le soir, au coin du feu.

Le docteur ouvre sa vitrine, s'empare d'un peu de gaze qu'il humidifie d'alcool, puis il s'approche de Marie et lui tamponne le genou. Ça pique un peu, ça brûle, même, mais Marie ne se plaint pas.

— Ça ne pique pas trop ?

Marie secoue la tête. Ce n'est rien ce picotement, trois fois rien. Le docteur fait la grimace en examinant les jambes de Marie.

— Dis donc, Marie, tu ne serais pas allée traîner dans les bois ?

Là non plus, Marie ne sait que répondre. Tout dépend de ce qu'il entend par *traîner*. Non, elle ne *traîne* pas vraiment, en général, elle ramasse du bois qui leur sert, à sa tante et elle, pour se chauffer. Le ramassage du bois n'est pas autorisé par la commune, ou alors il faut un passe-droit, ce qui ne lui laisse pas d'autre choix que de traverser ces forêts en courant, rampant même parfois entre les arbres pour se faire discrète. À cette occasion, il lui est arrivé de ramasser quelques précieux champignons, dont elle n'est pas toujours sûre, d'ailleurs, qu'ils soient parfaitement comestibles. Sa tante et elle ont été plus d'une fois en proie à de violentes diarrhées après avoir ingurgité des spécimens dont la couleur rouge laissait pourtant croire à une forte teneur en vitamines. Erreur de novice. Marie a même imaginé un temps que sa tante avait perdu la mémoire et la vue à cause de ces maudits champignons cramoisis, mais le raisonnement ne tient pas car elle-même voit très bien, ses pupilles réagissent à la lumière et elle n'entend pas de corbeau frapper aux volets. Donc non, Marie n'ignore pas qu'elle *traîne* un peu dans les forêts. Pour autant, elle fait mine de réfléchir à la question du toubib en espérant qu'il changera de sujet et la laissera rentrer chez elle avec le flacon d'éther et ses deux précieuses patates, surtout, restées dans l'entrée sur l'insistance de la gouvernante, en raison de leur état boueux. Ce qui serait dramatique, songe-t-elle, ce serait que ces pommes de terre aient disparu. Oui, ça, ce serait vraiment grave. Est-ce que la gouvernante ne va pas être tentée de les lui voler ? Marie s'interdit de laisser cette inquiétude l'envahir. Sa tante lui a demandé d'être polie avec le docteur, de ne pas paraître pressée. Alors, polie, Marie s'efforce de le rester, même si elle sent son ventre gargouiller et qu'elle regrette de ne pas avoir dévoré l'une de ces précieuses grappes de raisin quelques instants plus tôt. Oui, elle le regrette, car elle a bien compris que ces grappes n'étaient que décoratives et que si même les insectes avaient le droit de se servir, alors elle aurait dû, elle aussi, s'octroyer celui de s'empiffrer. Marie a faim. Une fois de retour à la Verrerie, dans moins d'une heure, puisqu'elle sait à présent que c'est le temps qu'il lui faudra pour parcourir le chemin en sens inverse, en évitant cette fois de se perdre dans les champs, elle se jettera sur la casserole, la remplira d'eau pour faire de ces deux magnifiques pommes de terre un festin brûlant en y ajoutant le morceau d'oignon que Solange lui a donné tout à l'heure et qu'elle a eu le bon sens de conserver dans la poche de sa veste.

Marie est pressée d'en finir et de rentrer, mais le docteur continue de l'interroger :

— Est-ce que tu ne traînes pas trop sous les sapins ? dit-il d'une voix grave, en se coiffant d'un curieux couvre-chef qui se résume à une lanière de cuir reliée à un petit miroir rond, le faisant subitement ressembler à une sorte d'incarnation du dieu Soleil.

— Si, un peu... finit par concéder Marie que cet apparat médical impressionne tout de même – car le bon docteur ainsi couronné semble être en mesure de lire dans ses pensées.

— Hum, hum... souffle-t-il en dévisageant la gamine.

— Pourquoi ? Qu'est-ce qu'il y a de particulier sous les sapins ?

— Eh bien parce que les épineux, c'est plein de tiques.

— Des quoi ?

— Des tiques, ces bestioles microscopiques qui te sucent le sang. Tu n'en as jamais entendu parler ?

Marie reste interdite. Si c'est microscopique, non, elle ne voit pas, elle n'a aucune raison de voir, d'ailleurs. Et puis de toute façon, là où le docteur est en train de regarder, elle n'aurait pas l'idée d'aller chercher. Puisqu'il a maintenant relevé sa robe crasseuse et qu'il observe son entrejambe grâce au faisceau de sa lampe frontale.

— C'est traître, ces bestioles-là, tu sais, ça se loge dans des coins humides ! dit-il de son timbre rassurant.

Marie se sent mal à l'aise, car oui, du sang, elle a effectivement remarqué qu'il en descendait parfois de cette partie-là de son anatomie. Une fois par mois. Du sang qu'il faut éponger avec des chiffons qu'elle glisse dans sa culotte, comme sa tante lui a conseillé de le faire sans pour autant lui en expliquer la raison. Si elle a pris l'habitude de nettoyer ces bouts de tissus maculés au lavoir, elle n'est pas tout à fait aussi assidue pour ce qui est de sa propre toilette. D'où son malaise à voir le docteur approcher sa tête de cet endroit qui ne sent pas très bon, elle le sait. Mais ce qui inquiéterait vraiment la gamine, ce serait qu'il lui annonce une grave maladie. Comme *un mal du sang*, par exemple, ou *une perforation dans le ventre*. L'origine de ce flux mensuel s'explique peut-être par une piqûre d'insecte. Une *tique*. Juste une tique. Une chose dont sa folle de tante ignore peut-être même l'existence, puisque dans la hiérarchie des connaissances scientifiques, il y a certainement une différence entre un docteur et *une simple infirmière*, aveugle et démente de surcroît. Fichtre. La gamine se tait.

Le docteur est silencieux lui aussi et Marie remarque alors que ses grosses mains, qu'il a d'ailleurs un peu velues et qu'il garde posées sur ses cuisses, tremblent légèrement. C'est ce tremblement surtout qui impressionne la gamine. S'il venait à diagnostiquer une perforation d'organe, ou pire encore, la découverte d'une tique logée entre ses fesses, puisque c'est à présent ce qui retient l'attention du toubib, elle s'en trouverait vraiment très embarrassée. En plus de tout cela, le bon docteur a changé de voix, il marmonne : « Ne bouge pas, ne bouge pas... » d'un ton suppliant, presque geignard.

— Il faut que je retourne à la Verrerie, parce que ma tante attend la bouteille d'éther, finit par murmurer Marie.

Mais le médecin semble être devenu sourd. Il se presse de tout son corps contre celui de la gamine qui – et c'est ce qui l'effraie au plus haut point – sent ce qui est sûrement la langue du bonhomme s'insinuer dans la raie de ses fesses, comme il est peut-être d'usage de le faire lorsque l'on s'est fait piquer par un insecte, en aspirant le venin. Marie a entendu les gamins du village évoquer ce procédé. Cela ressemble à un jeu, mais ça n'est pas si drôle car le bon docteur Serraval, dont la gamine ne voit plus que le haut du crâne remuer entre ses cuisses, pousse des grognements d'animaux qu'elle classerait volontiers dans la famille *terre à terre* de ceux émis par les marcassins et les sangliers.

Elle tente de se dépêtrer de son étreinte, mais les mains velues s'agrippent à ses cuisses, au point que l'enfant commence à avoir mal et même la nausée. Ce qui serait vraiment dommage, pense-t-elle, car tout est si propre ici, et puis, elle a déjà si peu de choses dans l'estomac. Rendre cette maigre soupe absorbée au lever du jour et qui constitue pour l'instant son seul repas depuis la veille serait un pur gâchis.

Lorsque l'animal grognant tente d'enfiler un doigt dans son entrejambe, la gamine pousse un cri et, profitant de l'effet de surprise, elle bascule sur le côté.

Le toubib se tient debout devant elle, le visage déformé par l'anxiété, comme un garnement qui aurait commis une faute et chercherait un bon alibi pour s'absoudre. Le contour de sa bouche est luisant de salive, qu'il essuie du revers de sa manche amidonnée.

— Quelque chose ne va pas, Marie ? Tu te fais des idées ?

Marie ne répond pas. Elle fixe la porte en ramenant vers elle une chaussure qui était tombée au sol. Le plancher grince dans le couloir sous le poids de la gouvernante alertée sans doute par le cri de la petite et qu'on entend demander :

— Ça va, docteur ? Pas de problème ?

Le docteur tend le flacon d'éther à Marie.

— Bon, allez, file maintenant !

Il règne ce soir une atmosphère de fête dans la petite maison de la Verrerie dont la cuisine a été nettoyée de fond en comble pour l'occasion. Le poêle vrombit de tout son chargement de branches en dégageant une confortable lumière orangée. Sur la table, on a disposé une belle nappe en lin gris clair qu'il a fallu faire bouillir et repriser, et on a arrangé deux torchons qui sont posés bien en évidence sur un tabouret, sur lesquels brille l'aiguille à tricoter, la fameuse, dont Marie continue de se demander quel usage en sera fait.

Anne-Angèle n'est pas d'humeur à se justifier car il est déjà tard et Toinette, leur invitée, avait promis d'être là avant vingt et une heures.

Pour mener à bien l'intervention, la vieille infirmière a demandé à Marie de préparer une seconde lampe à pétrole, que Marie est allée voler ce matin même sur la voie ferrée.

— Tu es sûre que tu vas y voir suffisamment, ma tante ?

— Oui, très bien, je te remercie, Marie.

— Tu es sûre ?

— Oui, je te dis, répond Anne-Angèle en se cognant contre la table, manquant de faire basculer la plus grosse des deux lampes posées justement à côté de la fiole d'éther.

Marie observe sa tante sans mot dire. Anne-Angèle le sent et ça l'irrite encore plus.

— Qu'est-ce que tu as à attendre comme ça ? Tu m'énerves et ça me rend maladroite !

— Euh… eh bien je ne voudrais pas que la fiole d'éther prenne feu.

— Tu me fatigues ! Tu m'entends ? Tu me fatigues à guetter comme ça, tu vas finir par provoquer le malheur !

Marie suggère timidement à Anne-Angèle de se calmer et de remettre au lendemain l'intervention, parce qu'elle a remarqué qu'en général, le matin, sa tante paraissait un peu moins tremblante et maladroite. Un peu moins aveugle surtout. Mais celle-ci ne veut rien savoir. Le genre d'opération à laquelle elle va se livrer sur Toinette s'effectue le soir. Et de toute façon, il n'est plus temps de discuter car voilà quelqu'un qui frappe à la porte.

— Va ouvrir, Marie !

— T'es sûre, ma tante ?

— Ouste !

Toinette pénètre dans l'entrée, son visage est toujours maculé de suie. Et la première chose dont Marie s'avise en refermant la porte derrière elle, c'est qu'elle n'a pas son bébé dans les bras, ni n'a apporté de sac avec elle. C'est surtout cela qui l'embête, car il avait été convenu que la nourriture monnaierait l'opération. Marie est dépitée. Et cette déception doit également se lire sur le visage d'Anne-Angèle, puisqu'en lui serrant la main Toinette s'excuse d'être venue les mains vides.

— Il y avait des contrôles sur le chemin, alors j'ai préféré ne pas attirer l'attention en trimballant

214

un sac plein de vivres. Marie n'aura qu'à venir chez moi, je lui donnerai ce qu'il faut...

Disant cela, Toinette remarque Paillassonne qui traverse le couloir.

— Il est joli ce petit chat, c'est le tien, Marie ?

— Ce n'est pas un chat, c'est une chatte... répond froidement la gamine.

— Ah bon, mais comment tu le sais ? Il est si petit !

— Trois couleurs de poils, c'est toujours une femelle. Tout le monde sait ça, répond Marie d'un ton sec, agacée par cette tentative un peu trop grossière de se rendre sympathique.

Marie n'est pas dupe et se demande si la visiteuse ne serait pas en train de vouloir les flouer, sa tante et elle. Son histoire de contrôle sur la route, elle n'y croit pas. En général, ce sont les gendarmes qui effectuent les contrôles et confisquent la nourriture ou le bois ramassé, qu'ils réquisitionnent pour leurs propres besoins. Mais après vingt heures, les gendarmes restent chez eux, tenus au couvre-feu comme tout le monde, et ce sont alors les Allemands qui effectuent ces rondes. Il arrive souvent à Marie de rentrer après le couvre-feu chargée d'un sac de bois ou d'épluchures ramassées dans les poubelles. Les rares fois où elle a croisé ces sentinelles allemandes, redoutant à coup sûr de se salir les mains, ils ne se sont pas donné la peine de descendre de leurs chevaux.

Quelque chose n'est pas très clair dans tout ça. Si l'opération, quelle qu'elle soit, venait à mal tourner, comme la gamine le redoute, Toinette n'aurait plus aucune raison de leur donner la nourriture promise. Marie aimerait s'entretenir de tout ça avec sa tante qui lui intime justement de débarrasser le plancher.

— Bon, Marie, monte dans ta chambre et laisse-nous tranquilles...

Jetant un dernier coup d'œil à Toinette, Marie s'exécute. Elle referme la porte et monte à l'étage.

Anne-Angèle, en se lavant les mains, invite Toinette à s'allonger sur la table de la cuisine. À cet instant, elle est de nouveau frappée par cette odeur de saumure, dont elle se persuade qu'il s'agit d'une hallucination, mais qui l'écœure réellement.

— Tenez, dit-elle à la jeune femme en lui tendant un chiffon imbibé d'éther, appliquez ça contre votre nez, ça va vous endormir un peu. Si vous en éprouvez le besoin ou si vous souffrez, je laisse le flacon à côté de vous, n'hésitez pas à vous resservir...

Toinette, allongée sur la table les jambes écartées, porte le chiffon humide à son nez et fait un geste de la main qui semble dire : « C'est bon, vous pouvez y aller. »

Anne-Angèle prend place sur le tabouret, s'empare de l'aiguille, dont elle s'assure en tâtonnant qu'elle l'a saisie du bon côté puisque sa main droite bandée, devenue insensible, limite fortement sa perception par le toucher. Puis elle avance la main gauche pour la poser sur le pubis de Toinette.

Ça y est, elle est au bon endroit. D'ailleurs, en appuyant un peu, son doigt s'enfonce dans la chaude humidité de son vagin.

Les pages de l'album photographique défilent. C'est devenu une habitude pour la gamine, lorsqu'elle s'ennuie, que de se perdre dans ces belles images sépia du Maroc. Celles qu'elle préfère, et de très loin, ce sont les portraits de paysannes berbères, ces drôles de bonnes femmes au visage buriné, souvent ingrat et dont les tatouages faciaux en accentuent la monstruosité. La plupart des motifs sont géométriques et abstraits, croix, losanges, chevrons, mais parfois Marie croit bien reconnaître une écriture ou même une forme d'insecte, scorpion ou scarabée. Et puis, il y a ces lourds bijoux en argent qui leur déforment le lobe des oreilles. Mais ce qui frappe avant tout l'enfant, c'est le regard noir de ces dames. Des pupilles qui vous fixent, telles deux billes de plomb engagées dans le barillet d'une arme de chair.

Lorsque Marie questionne sa tante au sujet de ces images, Anne-Angèle demeure évasive. Pour elle, ce ne sont que des souvenirs, elle répète comme pour s'en excuser que ces photos, ça n'est pas elle qui les a faites. Qu'elle ne sait pas grand-chose quant à la signification des tatouages, hormis que les paysans appellent ça *el-âyacha*, qu'il s'agit de protections contre la sorcellerie obéissant à une tradition de bien avant même la religion de l'islam. Elle répète que ces tatouages se pratiquent avec de la cendre collectée sur le bord des marmites, ou avec cette poudre que l'on nomme « henné » et dont il y a toujours un pot posé sous l'escalier.

En revanche, sa tante semble devenir plus diserte lorsque Marie évoque la photo du jeune type posée sur l'étagère dans l'entrée. Juché de travers sur son chameau, avec sa tête de jeune premier que ses énormes lunettes font ressembler à une capsule céphalique d'insecte. Le jeune « Jean-Edmond ». Dans ces moments-là, Anne-Angèle ne rechigne pas à lui raconter le jeune homme qu'il était, tellement original et doué d'une intelligence peu commune. Elle aime raconter à Marie les promenades dans le désert où il l'entraînait pour y chercher des fossiles, relever des empreintes de bubales, des traces qu'il fallait suivre sur des kilomètres. On ne les voyait jamais ces gazelles, mais bien souvent en cours de route, en passant sous les rochers, on découvrait d'autres trésors, des fresques représentant des espèces aquatiques : crocodiles, crabes, escargots, grenouilles, datant de cette époque où l'étendue désertique était battue par les vagues de l'océan. Anne-Angèle raconte encore comment, à la nuit tombée, le jeune homme installait une lunette sur un lourd trépied de chêne aussi encombrant à transporter qu'un socle de mitrailleuse, pour identifier dans le ciel les positions d'étoiles qui, selon lui, constituaient il y a des milliers d'années des repères pour les différentes populations nomades. Les fameux *nuages de Magellan*. Marie aime ce nom.

L'enfant referme l'album, elle essaie d'imaginer l'immensité lumineuse de ces nuages. Elle sent ses paupières s'alourdir. Une voix retentit au rez-de-chaussée.

— Marie ! Marie ! Descends vider le seau, s'il te plaît !

La fillette s'exécute. Dans la cuisine, l'odeur d'éther couvre presque entièrement celle de saumure de Toinette qui se trouve toujours en position allongée, la tête tournée vers le côté. Elle ne dort pas, ses yeux sont ouverts, mais vagues.

— L'opération s'est bien passée ? se permet Marie en entrant dans la pièce.

— Oui, je te remercie, répond Anne-Angèle. Tiens, tu peux aller vider le seau, s'il te plaît ?

Marie s'en empare, surprise qu'il ne pèse pas plus lourd, et se dirige vers la porte. Sa tante l'interpelle.

— Ferme la porte de la cuisine quand tu ouvres celle de l'entrée pour que l'on ne voie pas de lumière depuis l'extérieur !

Dehors, il fait froid et silencieux, c'est une nuit sans lune. Ce sentier broussailleux qui mène à la rivière, elle le connaît par cœur et pourrait le parcourir les yeux fermés. Mais par sécurité, elle a emporté une boîte d'allumettes qu'elle garde dans sa main droite. Lorsqu'elle entend un ragondin remuer près du talus, elle secoue la boîte et normalement ça les effraie, inutile de crier ou de frapper dans les mains. Le bruit des allumettes suffit. Marie se figure que ce son leur évoque celui d'un serpent à sonnette, personne n'en sait rien, de toute façon. Les animaux sont si étranges, parfois. L'enfant s'approche de la rive en prenant appui sur une grande roue d'acier qui émerge de la vase tel un astre mort et lui permet, en s'engageant sur ses pales, de ne pas se blesser sur les monticules de verre qu'il est difficile la nuit de distinguer des simples galets et autres graviers. Elle se penche au-dessus de l'eau et, au moment d'y verser le contenu du seau, se dit qu'il serait dommage qu'elle ne connaisse jamais la raison de la visite de Toinette. Alors elle craque une allumette pour éclairer l'intérieur du récipient. Les vapeurs d'éther s'enflamment brièvement, ce à quoi s'attendait l'enfant qui a effectué un pas de côté pour s'en protéger.

Elle inspecte le fond du seau, remue les tissus ensanglantés, les jette un à un dans la rivière.

La flamme bleutée du chloroforme file et meurt, engloutie par le courant de la Bellesme et puis c'est tout. Il n'y avait rien dans ce seau. Rien.

De la boue, cette fois, elle en a jusqu'aux genoux. Ce qui n'est pas surprenant car cette partie-là de la forêt, à l'ouest du camp d'aviation, a été dévastée par toutes sortes d'engins : jeeps, camions, chenillettes dont on peut lire les larges empreintes crantées dans le sol comme les traces de monstres issus de la nuit des temps. Le jour est levé depuis bientôt deux heures et Marie progresse en direction de ce qu'elle imagine être la clairière de Grandchamp, puisque c'est par ce nom entouré d'un cercle sur un morceau de papier que Toinette a indiqué à Anne-Angèle l'endroit où elle vit. La gamine a pour mission d'aller y récupérer les victuailles promises en guise de règlement. Elle a bien tenté de négocier avec sa tante en faisant valoir que cette partie de la forêt est fortement déconseillée aux promeneurs, sinon interdite. Mais Anne-Angèle est restée inflexible.

Le sol n'est pas seulement boueux, il est détrempé d'une eau malodorante dont la surface est irisée de toutes les tonalités de l'arc-en-ciel, comme la pourriture en produit, parfois. Marie a déjà observé d'identiques reflets sur l'eau des sources, là où la terre ressemble à de la rouille et où il est d'ailleurs assez fréquent de rencontrer des salamandres. Mais là, il s'agit de fuel. Une senteur lourde à vous en retourner l'estomac et qui imprègne les sinus. Marie essaie de s'en débarrasser en appuyant de l'index sur une narine et soufflant de l'autre, mais c'est pire encore. L'odeur n'en est que plus vivace, plus étourdissante.

Des panneaux suspendus aux branches arborent une flamme barrée d'une croix. Ces indications sont destinées aux Allemands puisque ce chemin, Marie ne l'ignore pas, est réservé aux sentinelles. Combien de temps va-t-elle devoir encore marcher ? Elle n'en sait rien. Il lui faut récupérer cette nourriture. Si elle n'arrive pas à trouver la clairière, elle devra rebrousser chemin et ne s'en sent absolument pas capable. Trop faim, trop fatiguée. Trop mal aux pieds. Le chemin a été long, la nuit difficile. À cause des poux, plus particulièrement, dont toute une colonie s'est établie dans sa chevelure. Marie se dit, sans en être absolument certaine, que ces poux datent de son passage à l'école de Vrimont. Ils ont dû éclore sur sa tête lorsqu'elle chantait l'hymne du Maréchal puisqu'en tout point ces insectes semblent obéir à la devise de faire toujours plus d'enfants, et toujours plus vite.

Marie avance. À un moment, dans la partie la plus sombre de la forêt, elle croit entendre les arbres chuchoter, elle a même l'impression que de la fumée s'échappe de certaines de leurs cavités. Des volutes grises qui sentent le tabac, comme si ces grands chênes étaient des personnages féeriques. Des fumeurs ! Les arbres fument et parlent ! Et puis, ces creux s'illuminent de façon succincte, comme des clignements d'yeux

222

orangés. Marie tente de se raisonner. Elle sait, pour l'avoir entendu dire par sa tante, que la faim provoque des hallucinations. Elle lui a souvent raconté l'histoire de ces Bédouins égarés dans le désert et qui ont cru voir émerger de luxuriantes forêts au pied des montagnes de sable, entendu des rochers leur parler ou même des chants religieux. « Les hallucinés. » Marie se ressaisit. Il faut faire en sorte de dompter les mirages, se battre, résister. Comme les chameaux le font, paraît-il, en traversant le désert. Ce sont les animaux les plus forts du monde, ils ne redoutent ni la faim ni la soif et ne prêteraient guère d'attention à ces arbres qui chuchotent et fument. Les chameaux marchent, ils marchent, se taisent et c'est tout. Marie se dit qu'elle est un chameau. Elle a emporté avec elle un bidon en fer-blanc qu'elle a récupéré il y a peu aux abords d'une ferme en se persuadant qu'il était abandonné, bien qu'il contienne encore un peu de lait qu'elle avait lapé. C'est ce bidon *trouvé* qui lui servira à ramener la nourriture promise par Toinette.

Le chemin aboutit à un grillage sur lequel un panneau montre une silhouette d'homme foudroyée par un éclair.

Marie hésite à rebrousser chemin, elle entend un air de musique au loin, puis de plus en plus proche. Le refrain venu d'entre les arbres est chanté par une voix qui grésille et semble émaner d'une machine, un gramophone comme celui du vieux Chanfrin-Bellossier. Lui n'écoutait que des airs militaires, des morceaux composés pour la marche, lourds, rythmés et trop volontairement scandés, tandis que cette chanson, qui file telle la brume dans l'entrelacs des branchages paraît suppliante et pleine d'amertume. Marie n'a jamais rien entendu d'aussi étrange, c'est un peu comme si la chanteuse s'adressait à Dieu.

Valse grise où se brise
Le premier livre des souvenirs,
Dans un rêve qui s'achève
Passent sans trêve tous mes désirs

Marie avance en direction de cette voix qui la mène vers une clairière d'où elle aperçoit une maison, une petite masure de sorcière sortie tout droit d'un conte : des murs tassés en silex sur lesquels repose un toit ramolli et courbe où quelques plants d'oxalis ont déjà pris racine. De la fumée sort de la cheminée et Marie, sans trop savoir pourquoi, est certaine qu'il s'agit de la maison de Toinette.

Le pourtour de la bicoque est un foutoir innommable et vivant : pneus écharpés, tonneaux rouillés, des piles de bois mal organisées et regroupant toutes sortes d'essences dépassent en hauteur la maisonnette, le sol est couvert de sciure. En retrait, dans une cage arrimée au cabanon, des feuilles de tabac sèchent, tels des palimpsestes immémoriaux.

Marie s'approche de la porte dont les planches disjointes laissent filtrer le son du gramophone avec cette même voix :

Valse grise qui se brise
Dans la douceur du bal qui meurt
Oui sans trêve, tu achèves
Le premier rêve de mon bonheur

Une cravate à pois est suspendue à la poignée. Un tissu noué à la façon d'une corde de pendu.

Marie tend l'oreille. Derrière le chant de la *Valse grise*, elle reconnaît la voix de Toinette qui converse avec un homme. Tous deux parlent en allemand. On pourrait les croire en train de jouer aux dés, ou à un jeu de société plus complexe dont Toinette déterminerait instant après instant les règles. L'homme demande quelque chose, Toinette répond. Et puis, tous deux se taisent. Et les mots font place à des souffles, comme si, subitement, la partie de dés s'était transformée en épreuve sportive.

Marie hésite, frappe, mais pas suffisamment fort pour rivaliser avec le volume de la musique. D'ailleurs, personne ne répond.

Finalement si, enfin. La porte s'ouvre, Toinette apparaît, vêtue d'une robe de chambre bleu turquoise et vert, ornée d'un paysage exotique dont certains motifs sont formés par des taches ou des trous de reprise. Marie ne sait pas trop. Il doit s'agir d'un déguisement chinois, pense-t-elle, car les cheveux de la femme sont réunis en chignon sur sa tête par un ruban bleu nuit qui contraste avec le rouge carmin de ses lèvres. Le contour de ses yeux cumule à lui seul tout le charbon qui recouvrait, l'avant-veille, son beau visage.

Émanant de l'intérieur de la maison, en plus de la musique, encore et toujours cette odeur de poisson.

Marie reste coite. Et Toinette, surprise par l'expression de la gamine, n'attend pas qu'elle prenne la parole pour s'excuser.

— Pardon, Marie, je t'ai confondue avec quelqu'un d'autre. Tu peux m'attendre cinq minutes, s'il te plaît ? dit-elle en désignant un banc posé un peu plus loin, contre un tas de bois.

Puis elle referme la porte.

On ne se sent pas si mal sur ce banc. Le soleil monte au-dessus de la clairière, il commence à faire chaud. Le bois fraîchement coupé dégage une odeur douce d'amande et de pomme, comme parfois l'eau-de-vie lorsqu'elle est éventée. Le sol couvert de sciure s'illumine à la façon d'une étendue de sable sur lequel Marie observe la trace de ses pieds, heureuse d'être parvenue jusqu'ici, fière d'avoir survécu au *désert*.

— Bravo Marie, bon petit chameau ! se félicite-t-elle en se tapotant le bras.

Elle regarde le ciel, se demande de quel bleu il est, outremer ou cobalt, avant d'en conclure qu'il est un bleu *à tout faire* ou *à laisser venir les pensées*, puisqu'en le regardant elle se sent devenir légère et se dit que l'esprit finalement est comme un lac, et qu'il dépend lui aussi de la lumière. Belle ou maussade. Et puis il y a toujours cette musique, le disque semble ne jamais s'arrêter de tourner.

Dans ses bras j'ai dansé
Dans mon cœur j'ai pleuré
Mon amoureux frivole
Dans une ronde folle
Loin de moi fuyait toujours

Un homme émerge du bois. Le menton en galoche, les cheveux mal peignés, il porte l'enfant Gaston assoupi dans ses bras. Et il ne fait aucun doute pour Marie qu'il s'agit de Matesson, le mari de Toinette dont Solange lui a décrit l'idiotie absolue.

226

Un idiot. Un vrai. D'ailleurs, sa plaque de cuivre de garde forestier, si elle lance des feux, n'en est pas moins à l'envers sur le col de sa veste. L'homme boite à tel point que l'on dirait qu'il danse. Et entre deux boitements, il grommelle en bégayant :

— Bon... bon... Dieu... que la terre est basse ! avec l'air de s'en plaindre.

Son chaos gesticulatoire prêterait à rire si le pauvre Gaston n'en subissait les remous. À chaque claudication de son père, sa petite tête endormie ballotte à gauche et à droite comme une baudruche.

Après avoir hésité, ayant observé la cravate nouée à la porte de la maisonnette, Matesson pousse un soupir et s'assied lourdement à côté de Marie, occupant ainsi presque tout l'espace du banc.

Il sort une blague à tabac de sa poche et tente de rouler une cigarette, mais ses tremblements rendent l'entreprise compliquée et les lambeaux de plantes séchées se répandent sur le sol.

— Bon... bon... bon... Dieu que la terre est basse ! répète l'homme, considérant la feuille de papier à rouler qui lui échappe des doigts, dans un mouvement tournoyant de papillon que l'infirme essaie en vain d'interrompre. Le minuscule rectangle vole autour de lui, monte et descend au fur et à mesure que Matesson fouette l'air du plat de sa main pour s'en saisir.

Gaston, gêné par l'agitation de son père, ouvre les yeux et, reconnaissant la gamine, tend les bras vers elle en geignant. Matesson, indisposé par les cris de son fils, le tend à Marie.

— Tu... tu ve... veux le prendre dans tes bras ? bégaie-t-il en le soulevant maladroitement, comme on le ferait avec un sac de farine troué.

Marie acquiesce et prend Gaston contre elle.

Il sent bon cet enfant, peut-être est-ce l'odeur du savon ou celle, naturelle, de ses cheveux dans lesquels Marie plonge son nez. Elle pourrait rester longtemps comme ça, à humer la tête du garçonnet. Gaston a collé son visage contre sa poitrine naissante et se rendort.

— Eh ben dis donc, tu l'as hy...hy...hypnotisé ! dit Matesson dont le corps massif, même en position assise, semble perpétuellement agité.

Il passe d'une fesse sur l'autre, se gratte le genou, la tempe, puis il repose une main sur sa jambe qui, presque aussitôt et comme par réaction, se remet à trembler. Ce n'est pas un corps qu'il a cet homme, c'est tout un troupeau d'organes indomptés. Marie, mal à l'aise, n'ose plus le regarder. Elle blottit son visage dans le creux du cou qu'offre Gaston. La peau du nouveau-né est moite, ses pores libèrent un musc innocent et propre, une senteur qui évoque celle du miel et dont seules les mères savent qu'elle peut vous donner envie de dévorer votre progéniture. Et là, dans le silence, puisque la musique a cessé, elle perçoit le bruit d'un moteur. Le même son que le vent porte parfois jusqu'à la Verrerie. Mais cet avion-là n'est pas en vol, il se trouve certainement quelque part sur l'une des pistes de la caserne avoisinante, juste de l'autre côté des grands chênes qui encerclent la clairière. À ce vrombissement se mêle le son lancinant d'une sirène qui annonce soit l'heure de la cantine, soit le décollage imminent de l'engin ou plus probablement l'appel de la relève pour les sentinelles de la forêt.

À cet instant, la porte de la maisonnette s'ouvre enfin et un homme en sort, grand et mal dans son corps. Il porte un pantalon militaire sur lequel dégringolent ses bretelles, une chemise et une veste sans grade qu'il époussette avant de l'enfiler. Il semble distrait, ou peut-être est-il juste pressé de retourner prendre ses fonctions dans la forêt.

Il croise le regard de Marie et de Matesson qu'il salue d'un hochement de tête comme il est d'usage de le faire entre promeneurs, auquel ils ne réagissent pas.

Toujours vêtue de son peignoir paysager, Toinette paraît à son tour sur le seuil de la maison, en tâchant de remettre en ordre son chignon. Elle ouvre la fenêtre d'un coup de paume puis, d'un geste tout aussi mécanique, elle décroche la cravate de la poignée, qui avait donc pour fonction d'avertir le visiteur.

Une cravate nouée comme pour signaler : *zone occupée !*

À première vue, l'intérieur de cette baraque ressemble à un décor de théâtre. Une maison tout en planches dont la pièce principale est composée d'une cuisine qu'un paravent chinois – aux tons aussi criards que ceux du peignoir de Toinette – sépare de la chambre à coucher et derrière lequel cette dernière s'est changée pour revêtir un caleçon et une chemise militaire en toile grège. Marie, en entrant, remarque le gramophone avec son imposant pavillon cuivré, béant telle la nasse d'une plante carnivore, et dont le bras s'est immobilisé au centre de la plaquette de cire. Elle se dit, sans en être certaine, que la fin de la valse a marqué l'heure du départ pour la sentinelle. Un morceau de musique qui, tel le sable filant dans le bulbe du sablier, définirait l'ordre du temps. Elle ne se trompe pas. Autre détail, sur le lit, Marie remarque une toile cirée nettement moins sophistiquée que le paravent et le peignoir. Une toile comme l'on en trouve dans les fermes, que Toinette enroule et fourre sous le lit avant de rabattre une couverture sur les draps douteux d'un geste mécanique.

Matesson est passé dans la pièce voisine. Il n'a pas échangé un mot avec Toinette qui s'est d'ailleurs immédiatement tournée vers Marie pour la remercier d'avoir bercé Gaston.

— Alors, Marie, qu'est-ce qui t'amène ? demande-t-elle en lui reprenant le bébé.

— Euh, eh bien, je viens pour le règlement de la... petite opération, répond à voix basse la gamine, très mal à l'aise.

Toinette reste un moment sans réagir.

— Ah, oui ! Pardon ! dit-elle d'une voix pleine de sincérité en se tapant le front. Pfou ! J'avais déjà oublié !

— C'est rien, répond Marie qui a tout de même bien cru avoir affaire à une femme sordide.

Toinette repousse la table de la cuisine, puis s'agenouille sur le sol dont elle soulève une planche, révélant une cachette. Pour ce que Marie peut voir, il s'agit d'une cache assez profonde, large comme une paire de cercueils, dont la jeune femme extrait en y engageant tout son bras un gros morceau de pain noir ainsi que deux boîtes en métal.

Marie tend fébrilement son bidon de lait.

— Tu n'as que ça pour porter ? demande Toinette.

— Oui, répond Marie, désolée.

Toinette se penche à nouveau sur son coffre et en retire un grand sac de toile qui a dû contenir du blé autrefois, car un grand épi noir y est dessiné. Tandis qu'elle le secoue, une épaisse poussière grise se répand dans la pièce.

— Ce sera plus commode avec ça, dit Toinette en y glissant le pain et les deux boîtes avant de le tendre à Marie.

— Dis donc, mais qu'est-ce que tu es maigre ! remarque-t-elle en tâtant le bras de la gamine à la manière des enfants pour se comparer les muscles. Elle te nourrit bien, ta tante ?

Marie ne sait que dire. Si cette femme n'a pas compris qu'Anne-Angèle et elle-même sont dans une misère noire et que la maison dans laquelle elles l'ont reçue deux jours plus tôt n'est qu'un taudis remis en ordre pour la seule occasion de sa visite, cela risque d'être trop long de le lui expliquer, songe la gamine qui, pour finir, lui fournit une réponse polie.

— Euh... En fait si, on mange très bien, ma tante et moi. En revanche, on prend garde à ne pas manger trop gras, parce que c'est mauvais pour le cœur...

— Ah bon ? renchérit Toinette, troublée. Et qu'est-ce qui est si mauvais dans le gras pour le cœur ?

— Eh bien, ça... comment dire... ça bouche les veines, quoi ! répond la gamine en brandissant ses avant-bras chétifs et pâles où filent quelques vaisseaux bleutés. Avec ma tante, on fait attention à ne pas trop se boucher les veines.

— Bon, eh bien, bravo !... Par quel chemin es-tu venue ? Tu as trouvé facilement ? Tu ne t'es pas perdue dans la forêt ?

— Si, un peu, concède Marie. J'ai suivi la piste militaire, mais ça n'a pas été facile.

Toinette n'est pas surprise.

— C'est normal, avec toutes ces barrières et ces chemins détournés, même les animaux s'y perdent, dans ces sous-bois... Je vais demander à Matesson qu'il te raccompagne.

Toinette appelle.

— Matesson ! Tu veux bien raccompagner la petite, s'il te plaît ?

Matesson réapparaît dans la pièce, l'air plus ahuri encore du fait qu'il a enlevé son pantalon et qu'il porte en guise de sous-vêtement un caleçon trop court. De la même couleur et d'une taille identique à celui de Toinette. Il tient ses bottes à bout de bras, deux grosses pipes molles qu'il s'apprêtait à bourrer de papier, pour les sécher au coin du feu.

— Hein, quoi ? L'a... l'a... l'accompagner par où ça ? demande-t-il.

— Eh bien par ton raccourci ! rétorque Toinette en se tapant sur les hanches, n'en revenant pas d'avoir un mari si peu réactif.

L'enfant marche en tenant le sac contre son ventre et le bidon vide sous son autre bras. Et devant elle, Matesson, tout agité de soubresauts, fouette les ronces avec un long bâton pour ouvrir le chemin, ou mettre en déroute on ne sait quel animal. Par moments, l'homme s'arrête pour se repérer et reprendre son souffle court, sifflant et entrecoupé de longues et désespérantes quintes de toux, comme les vieux moteurs au démarrage. Une toux rauque qui le déséquilibre au point de le faire basculer en avant. Il se racle la gorge en formulant : « Di... dieu que... que la terre est basse ! » avant de cracher bruyamment, sortir de sa poche un mouchoir pour s'en passer un coup sur les lèvres. Le repliant avec précaution, il le remise dans sa poche et reprend sa marche.

Marie reste prudemment en retrait, inquiète de se retrouver seul témoin du dernier souffle de l'individu. Comment fait-il pour tenir debout, ou pour ne pas perdre un bout de poumon à chaque accès de toux ? Pourquoi Toinette s'est-elle choisi un mari aussi mal en point et si peu dégourdi ? L'enfant n'en a pas la moindre idée. C'est un pauvre type, voilà tout. En quittant la maison, il a tenu à lui préciser qu'il connaissait cette forêt mieux que quiconque, de par sa fonction de garde forestier, titre qu'il prononce en insistant sur le *a* – comme on le ferait avec une particule –, tout en désignant sa plaque en cuivre sans même remarquer qu'elle est fixée à l'envers sur le col de sa veste. Marie a bien compris qu'il était aussi l'employé d'un grand propriétaire du coin qu'il nomme « M. Hubernot » en appuyant, là encore, sur le *u*, à la façon d'un hululement de chouette. « Je suis le gaaarde forestier de monsieur Huuu... uubernot ! » Il effectue pour son compte des coupes de bois, dont un grand nombre sont destinées à la caserne, puisque de toute façon les Allemands sont depuis quelques années déjà les véritables maîtres de la région. À l'occasion, Matesson exécute pour ce même Hubernot des tâches de métayer : l'entretien des machines, la supervision des récoltes, le ramassage des doryphores. Et comme s'il était encore nécessaire de prouver l'authenticité de son statut de gardien sylvestre, qu'il semble affectionner par-dessus tout, Matesson a tenu à identifier une crotte observée sur le bord du chemin, expliquant à la gamine qu'il s'agissait de celle d'une biche plutôt que d'un chevreuil. Une histoire de fibres, de matière, de malléabilité et d'autres termes plus savants auxquels Marie n'a rien compris. Elle a souri, poliment, mais non, vraiment, elle n'a absolument rien compris à son charabia. Et puis connaître l'origine d'une crotte, là, ce jour-là, dans cette forêt, c'est bien le cadet de ses soucis.

Ce lieu n'est délimité par aucun sentier. Dans l'air flotte encore l'odeur de fuel à laquelle se mêlent les effluves enivrants des clématites et des chèvrefeuilles fanés. On entend la sirène retentir par pulsions brèves comme un rappel à de mystérieuses consignes de sécurité et dont l'enfant remarque qu'elles sont relayées par des haut-parleurs arrimés à des arbres. Plus loin, Marie perçoit de nouveau des chuchotements à proximité d'un chêne, les mêmes qu'en venant, lorsqu'elle avait cru être en proie à des hallucinations. Mais cette fois, provenant du tronc, une voix retentit et s'adresse à Matesson en allemand :

— *Du hast hier nichts zu suchen, Matesson !*

Matesson obtempère, poursuivant son chemin sans répondre ni même regarder en direction du chêne.

— Ce sont des... de faux arbres, dit-il à voix basse à la gamine. Des... tours de guet... ca... ca... camouflées.

Marie n'en revient pas, en effet. Elle remarque à présent que le tronc n'est pas composé d'écorce, mais de ciment peint strié, fissuré. Que, dans certains orifices, on distingue les visages des sentinelles enduits d'une couche de peinture terreuse, dans des tons d'ocre et de bronze, qui les fait ressembler à des guetteurs cheyennes. Ce qu'elle avait pris tout à l'heure pour les yeux de l'arbre sont en fait des lanternes qui luisent dans d'autres cavités servant d'aération. On pénètre dans ces leurres grâce à un escabeau, lui aussi recouvert d'une écorce factice. Tout est faux. Jusqu'aux racines, courtes, posées sur le sol, arrondies comme de grotesques moignons. Et puis tout en haut, à l'endroit des branches, de grands filets sont tendus, imitant grossièrement la texture des feuillages qui dissimulent de façon tout aussi approximative des mitrailleuses dont les canons, bien authentiques ceux-ci, sont orientés vers le ciel.

— Tu... tu es d'où ? demande Matesson, comme pour trouver un sujet de conversation et se rendre agréable auprès de la gamine.

— Hein ? répond Marie, dont l'attention est toujours accaparée par l'arbre jacassant.

— Tu... tu viens d'où ? répète l'homme.

— Euh... Eh bien, de Paris. Mes parents m'ont envoyée ici au grand air avec ma tante.

— Ah ben ça ! Nous aussi... on est parisiens, grogne-t-il joyeusement... Elle ne te l'a pas dit, Toinette ?

— Non, répond simplement l'enfant en prenant garde de ne pas laisser la curiosité l'emporter, ce qui la forcerait à étayer son propre mensonge – et de ça, elle n'a plus envie.

Elle a bien observé, quelques semaines plus tôt, qu'en s'inventant des parents auprès des écoliers, il n'a pas été aisé par la suite de feindre l'attachement. La famille est une affaire principalement sentimentale et les sentiments sont de toute façon trop ardus à inventer.

Matesson marche en fredonnant un air que la gamine a déjà entendu quelque part, mais qui, interprété par ce drôle d'individu, évoque plutôt un hennissement. L'agitation folle de son corps semble accompagner le rythme de sa voix, quoique, lorsque Matesson arrête de chanter, son corps continue vainement de s'agiter.

Un instant, comme s'il venait subitement de se souvenir de sa présence, il se retourne vers Marie :

— T'es... t'es... t'es sûre que tu... tu ne veux pas que je... t'aide à... porter ton sac ou... ton bidon ?

Marie secoue la tête. Elle préfère garder ces vivres contre elle, tout contre son ventre. Elle a promis à sa tante de ne pas y toucher avant d'être arrivée à la Verrerie. Cette promesse de ne pas manger, ne serait-ce qu'une bouchée de pain noir lui demande un effort bien plus grand que de porter le bidon et le sac contenant plus particulièrement ces deux grosses boîtes de conserve en acier, dont elle ignore ce qu'elles renferment mais qui pèsent bien dans les deux kilos à elles toutes seules.

Quoi qu'il en soit, Matesson n'attend pas de réponse à sa proposition puisqu'il vient de s'avancer vers un bosquet de ronces en déboutonnant son pantalon pour uriner. L'affaire ne semble pas aisée, car, pour y parvenir, l'homme doit dégager une seconde épaisseur de sous-vêtements qui ne lui laisse pas d'autre choix, finalement, que de baisser son pantalon en écartant les genoux.

Le personnage est si grotesque. À chacune de ses convulsions, de l'urine gicle sur ses souliers, ce qui le fait jurer.

— Ah, mais sacrée saloperie ! dit-il en s'adressant à son sexe sur le ton que l'on emploie pour désigner un robinet grippé ou un animal récalcitrant.

Ayant fini d'uriner, il secoue sa verge, longtemps, pour ne pas mouiller davantage ses sous-vêtements qu'il remonte, peinant à en retrouver l'ordre de boutonnage. En retournant sur le chemin, il aperçoit dans l'ombre des rameaux épineux ce qui ressemble à un collet : un simple fil relié à une branche et dans le nœud coulant duquel un lièvre s'est fait prendre. Pauvre animal dont il ne subsiste d'ailleurs que la tête et une partie de la poitrine maculée de sang.

Un chant d'oiseau retentit au loin, long et vibrant comme le crissement d'une lame sur une pierre à aiguiser.

Matesson cherche autour de lui de son regard fou puis, l'air déçu, s'agenouille en tenant ce qu'il reste du lagomorphe.

— C'est... ce sont... les braconniers... dit-il, l'air solennel. Ils posent... des collets et les renards passent avant eux et bouffent... Bon... Dieu que la terre est basse. Sacrées saloperies de salopards... Ils auront affaire à moi un de ces jours... Parce que la loi, ici, c'est moi qui la fais !

Marie attend et elle a froid. Elle a accepté de suivre ce type qui devait lui montrer un raccourci, mais ça n'en finit plus d'être long. Elle aimerait lui signifier qu'elle est pressée, qu'elle crève de faim surtout, mais elle n'en fait rien car il est tout de même un peu inquiétant, ce Matesson. Les oreilles du lièvre dépassent de sa pogne, comme deux longs pétales pourpres qu'il caresse de son autre main, en parlant à présent d'une voix si sourde, si douce qu'on le croirait en train de prier.

— Je te vengerai... soliloque-t-il. Je les aurai, ces salauds.

Marie reste un instant à l'observer et il lui semble soudain percevoir l'intérêt que Toinette peut trouver à cet attardé. Elle doit l'aimer comme l'on aime un vieux chien docile, pense-t-elle. Un homme-chien. Un *homme-chien* doué de parole et de sentiments, car il lui semble bien que Matesson pleure.

Le ciel gronde, peut-être est-ce un orage ou de nouveau le moteur d'un avion, c'est confus. La gamine sent des gouttes lui tomber sur la tête. Mais en passant la main dans ses cheveux, elle réalise qu'il s'agit en fait de petites larves blanches dont le sol grouille déjà tout autour d'elle. Horrifiée, elle effectue un pas de côté et regarde en l'air : dans l'ombre des branchages, suspendu à six ou sept mètres, elle aperçoit ce qui semble être un cocon beige, informe, filandreux, de taille indéfinissable. C'est de ce sac de soie que dégringolent toutes ces larves.

Curieuse, Marie applique une main contre son front et plisse les yeux espérant ainsi apercevoir des papillons éclore dans les branchages. Mais il lui semble soudain évident que cette forme n'est pas celle d'un cocon, mais d'un corps humain, oui, un corps enveloppé d'un tissu.

Matesson, toujours agenouillé dans les ronces, regarde à son tour vers le ciel.

— Eh bien... mais... on dirait qu'il s'agit... d'un pa... parachutiste !

— Un quoi ? demande Marie.

— Un pa... pa... parachutiste an... anglais. Il... en tombe de plus en plus souvent dans les pa... pa... parages. Les pau... pau... pauvres. Ils... ils meurent d'une crise cardiaque avant... avant d'avoir touché le sol.

Matesson sort un canif de sa poche qu'il tend à la gamine, puis il réunit ses mains comme pour lui faire la courte échelle.

— Tiens... tu... vas m'aider... on va le décrocher !

— T'aider à faire quoi ? répond Marie, le couteau à la main, ne sachant qu'en faire.

— À le... le... décrocher, pardi !... Tu vas monter pour couper les harnais et moi je le rattrape au vol.

— Mais pourquoi moi ? répond l'enfant, peu sûre de pouvoir faire confiance à ce type au regard écarquillé et dont le pantalon est toujours maculé d'urine. Pourquoi tu n'y montes pas toi-même, dans l'arbre ?

— Tu... tu... me vois grimper là-haut ? répond Matesson qui, pour l'occasion, fournit une réponse plutôt pertinente à la fillette.

Marie pose précautionneusement son sac à l'abri d'une souche. Elle remonte ses chaussettes, replie la lame du canif qu'elle saisit entre ses dents pour garder les mains libres. Après un temps d'hésitation, elle pose un pied sur les mains réunies de l'homme qui la propulse d'un seul coup vers le haut. La force du bonhomme la surprend, mais sans doute n'est-elle plus très objective quant à son propre poids qui, de toute façon, n'a cessé de diminuer ces dernières semaines.

Elle tend ses bras filiformes vers le ciel, faisant corps avec l'arbre. Tandis qu'en bas, tel un piètre contremaître, Matesson lui prodigue d'inutiles conseils.

— Oui... voi... voilà... Euh... Tu... tu... t'accroches là... Euh... non... oui... là... enfin... là... si tu préfères... oui, c'est ça !

Marie s'engage à plat ventre et avec la pugnacité d'une liane vers l'extrémité d'une branche, d'où elle parvient à sectionner un à un les filins retenant le paquetage humain grouillant de vermine.

La masse de tissu et d'insectes tombe lourdement au sol, emportant quelques branches sur son passage. Marie, toujours perchée dans l'arbre, appelle d'une voix étouffée.

— C'est bon, Matesson. Je peux redescendre ?

Mais il ne répond pas, déjà trop occupé à fouiller les poches du cadavre.

Redescendue de l'arbre, la gamine s'approche en appliquant contre son nez le revers de sa veste pour se protéger de l'effroyable puanteur que dégage la dépouille. La tête du parachutiste est empaquetée dans la toile et les filins entremêlés, de même qu'une partie de ses jambes, désarticulées comme celles d'un contorsionniste virtuose.

— Qu'est-ce que tu fais ? demande Marie, craignant de défaillir à cause de l'odeur pestilentielle.

— Ben... je fouille, quoi... dit-il en poursuivant son inspection. Imagine qu'il... qu'il... ait des documents secrets sur lui. Ce serait ballot que les... les Allemands s'en emparent. Il... il faut savoir être un peu patriote de temps en temps !

Il retourne le cadavre pour accéder aux sacoches, en sectionne les boucles de cuivre, récupère une boussole, une boîte de pansements, un briquet, des cigarettes, puis il se lève et fourre ces trouvailles dans sa besace. Comme Marie le regarde d'un air soupçonneux, il lui tend le briquet et les cigarettes.

— Tiens, a... après tout c'est... toi qui l'as vu en premier, ce parachutiste. Tu donneras ça à ton père quand tu... tu le verras !

Marie, après une hésitation, les glisse dans sa capuche en attendant mieux.

— Ça reste entre nous, hein ?

— Quoi ? demande Marie.

— Ce qui s'est passé là... Tu... tu n'en parles à personne. Même pas à Toinette, d'accord ?

— D'accord.

— C'est bien, ajoute Matesson en traînant la dépouille jusqu'à un ruisseau, puis la recouvrant d'une brassée de feuilles mortes. Moi... les gens discrets, je... je vais te dire... c'est ce que je préfère dans la vie. Et donc, si t'as... besoin de quelque chose... t'as... t'as qu'à revenir me voir !

Marie poursuit seule son chemin. En longeant ce ruisseau qui la mènera à coup sûr à la Bellesme, rejoindre la Verrerie ne devrait pas lui prendre plus d'une demi-heure. Une dizaine de mètres plus loin, elle se retourne pour observer l'infirme qui semble se livrer à un étrange rituel face à la sépulture improvisée. L'homme s'est redressé, puis ayant frappé plusieurs fois le sol du talon, il scrute le ciel, porte sa main droite à sa tempe et entonne ce qui ressemble à une version syncopée du *Chant des partisans*.

— Ami... mi... mi... enten... tends-tu-tu-tu... le cri... cri... cri noir des corbeaux... beaux... dans la plaine ?

Il est succulent, ce pain noir. Un goût de graines et de levain vinaigré auquel la consistance humide de la pâte donne une relative onctuosité. On s'en est coupé une grosse tranche que l'on mâche et remâche encore pour lui donner valeur d'éternité. Anne-Angèle, installée à la table de la cuisine face à Marie, retourne entre ses mains l'une des deux boîtes de conserve aussi précautionneusement que s'il s'agissait d'une mine. La lumière de la bougie réfléchie par le couvercle métallique anime de quelques reflets son regard morne.

— Qu'est-ce qui est écrit dessus ? demande-t-elle à Marie, la bouche pleine.

La gamine s'empare du cylindre métallique.

— J'en sais rien, c'est de l'allemand...

— Ah ? Mais encore ?

— J'en sais rien, je te dis, je ne comprends pas ce qui est écrit.

— Tu es sûre que c'est de la nourriture ?

— Oui... qu'est-ce que tu veux que ce soit d'autre ? Le mari de Toinette m'a prévenue que ça serait pas facile à ouvrir.

— Il ressemble à quoi ?

— Qui ?

— Son bonhomme.

La gamine ne sait trop quoi répondre tant, à y réfléchir, cet individu avec qui elle a parcouru la forêt ne ressemble à rien. Elle pourrait décrire ses bégaiements, sa claudication, ses yeux déla-vés, son acharnement à remuer les ronces pour y trouver des restes d'animaux dans les collets, ou plus particulièrement son intérêt pour les para-chutistes morts. Mais elle ne voit pas en quoi tout cela peut intéresser sa tante. Et puis, si elle venait à lui avouer qu'elle a dissimulé sous son mate-las le briquet et le paquet de cigarettes offerts en échange de son silence, elle se ferait immédiate-ment tabasser par la vieille qui n'y voit plus rien, certes, mais dont la main gauche demeure leste. Celle dont elle se sert pour manier le pique-feu qui n'est jamais loin. Comme là, posé en travers de la table, pour le cas où quelqu'un viendrait lui faire la peau, enfin ce qu'il en reste, parce que la pauvre femme a vraiment beaucoup maigri, elle aussi. Dès qu'il lui semble entendre un bruit suspect, elle s'empare presque aussitôt de son arme de fortune. Prête à tuer. Non, Marie n'a pas vraiment envie de faire de confidences à sa tante. Elle a surtout faim. Ce pain noir était divin mais ça n'était que du pain. Et puis, pense-t-elle, ce qui importe, ça n'est pas ce qui est inscrit sur l'étiquette, mais ce que contient la boîte. D'ailleurs, bien décidée à l'ouvrir, Marie fouille dans le bric-à-brac d'un tiroir. Elle en extrait un poinçon puis ramasse une brique devant le poêle dont elle compte se servir comme d'un maillet pour l'enfoncer dans le couvercle de la conserve.

Mais Anne-Angèle a repris la boîte, qu'elle continue de faire tourner entre ses mains, l'air pensif, ne paraissant plus pressée du tout.

— Et donc ?

— Et donc quoi, ma tante ?

— Il ressemble à quoi ?

— Qui ?

— Le mari de Toinette.

— J'en sais rien, moi... Il a une plaque accrochée à l'envers sur sa veste et il bégaie. Il se pisse dessus... Et quand il marche, on dirait un singe.

— Et c'est tout ?

— Oui...

— Il est vraiment garde forestier ?

— Peut-être, je n'en sais rien, moi. Comment je pourrais savoir ?

— Ses mains, elles sont comment ?

— C'est-à-dire ?

— C'est des mains de travailleur ?

— Mais j'en sais rien, je te dis, répond l'enfant. Pourquoi tu me demandes ça ?

— Parce que, quand on veut savoir si un homme est honnête ou même juste digne de confiance, on regarde ses mains, répond Anne-Angèle, exaspérée par l'ignorance de la gamine. Ça ne te dérange pas, toi, de manger de la nourriture qui vient de chez les Allemands ? Hein ? Ça ne te dégoûte pas ?

Marie en reste coite. Qu'est-ce que ça veut dire, *honnête et digne de confiance* ? Qu'est-ce qui lui prend, d'employer ces mots-là ? Si être honnête implique de ne pas ouvrir cette conserve, alors non, elle ne comprend pas. Elle observe les mains tremblantes de sa tante, posées sur la boîte. Osseuses, avec des ongles sales pour celle de gauche, la droite étant toujours dissimulée par un bandage, telle une momie dans son linceul. L'enfant se dit que ces mains-là qui ont tant porté, lavé, soigné sont peut-être des mains honnêtes, mais elles sont laides et repoussantes.

Tellement vilaines et crasseuses que Marie ne supporte plus de les voir tripoter la boîte de conserve.

— Rends-moi ça ! hurle la gamine.

— Pardon ?

— Rends-moi cette boîte, je te dis, c'est moi qui me suis donné le mal d'aller la chercher et maintenant je veux l'ouvrir.

Anne-Angèle, troublée par le ton de l'enfant, amorce un geste vers son tisonnier, mais laisse retomber sa main. Après tout, Marie a peut-être raison : l'origine de ces vivres est une question qui lui paraît soudain absurde. Le patriotisme, c'est bon pour les nantis. Quand elle en sera rassasiée, de cette boustifaille germanique, elle pourra se remettre à raisonner et reprendre le chemin de la morale. Mais pour avoir les idées claires et se sentir coupable, il faut avoir le ventre plein.

Elle fait lentement rouler la boîte vers la gamine qui s'en empare, pose le poinçon à l'aplomb du couvercle et, munie de la brique, frappe d'un coup sec. En s'y reprenant à plusieurs fois, la pointe finit par transpercer le métal. À chaque coup, de la sauce leur gicle au visage et atteint même les murs de la cuisine en répandant une odeur poissonneuse.

Marie et Anne-Angèle plongent en même temps leurs doigts dans l'interstice pour en ressortir des lambeaux de hareng dont elles se remplissent la bouche en piaffant.

Paillassonne, alléchée par l'odeur, saute sur la table en miaulant. Anne-Angèle l'envoie valser d'un coup de poing en hurlant.

— Dégage, toi ! Retire tes sales pattes de là !

Il fait une chaleur à crever, dans ce rêve. La vieille infirmière dort à poings fermés, ça faisait longtemps qu'elle n'avait pas été emportée par un sommeil si profond. Sans doute la conséquence de ce festin : une boîte entière tout de même, en un seul soir et avec du pain noir, c'était trop. Les deux femmes ont bien tenté de se raisonner, Marie l'a même refermée plusieurs fois, cette boîte, en repliant la tôle du couvercle, comme l'on referme, à regret, un sachet de dragées. Mais la tentation était trop forte d'y revenir, de goûter encore ces gros morceaux de poisson à l'arrière-goût sucré. Pour finir, on a même bu l'huile restée au fond du récipient, un digestif ingurgité la tête en arrière, délicieux au point de vous en coller le tournis.

De cette première conserve de harengs, il ne reste rien.

Happée par ce puissant sommeil, Anne-Angèle rêve qu'elle est allongée dans sa chambre de service, à l'hôpital de Casablanca. Par l'ouverture des volets, elle reçoit un peu d'air frais de l'extérieur. Et avec l'air, des effluves d'huile d'argan, de friture aigre et celles, familières, de crottin. Elle perçoit

l'écho d'une ruelle marchande qui jouxtait le bâtiment des dortoirs et des chambres réservées au
personnel. Le marché de Habous. Un labyrinthe
de galeries, d'arcades et de cours qui menaient au
souk des artisans. C'est de là que viennent tous ces
bruits. Elle entend en premier celui des sculpteurs
sur bois. Les plus prospères d'entre eux employaient
parfois jusqu'à une quinzaine d'apprentis, des
enfants, souvent, accroupis dans la poussière et qui
taillaient à longueur de journée le bois de thuya
pour la confection des meubles ou polissaient des
articles de cuisine taillés dans des citronniers. Un
des seuls bois à ne pas avoir d'odeur. Anne-Angèle
se souvient de la douceur de ces couverts, de leur
patine jaune. Il fait si bon dans cette chambre.
Elle recherche d'un œil distrait un lézard qui a
pour habitude de demeurer au plafond, toujours
au même endroit, à guetter les moustiques. Il y
en a beaucoup, des moustiques, enfin, dans le
rêve d'Anne-Angèle précisément, cette nuit-là, ils
sont bruyants, une véritable fête. Il doit s'agir d'un
matin de juin ou de juillet. Anne-Angèle ne sait
pas, elle s'interroge. Quelqu'un frappe au volet,
elle se lève pour ouvrir, c'est le jeune ethnologue
Jean-Edmond Saligny. Il n'est pas plus âgé que
sur la photo de l'étagère, dans l'entrée. Il n'a pas
encore de barbe, ses cheveux sont soigneusement
peignés, il porte une belle chemise. Fraîchement
débarqué, il s'excuse, expliquant à l'infirmière qu'il
s'adresse à elle parce qu'il ne connaît personne
dans la ville. Il cherche quelqu'un sachant faire
des plâtres pour l'accompagner dans le désert où
il s'agira de mouler quelques fossiles.

— Pour quoi faire, dans le désert ? demande
Anne-Angèle.

— Je vous l'ai dit : pour y chercher des fossiles.

Anne-Angèle se réveille, prise de convulsion. Ça vient de sous la cage thoracique, quelque chose cogne à l'intérieur. Elle s'assied sur le lit, se plie en deux pour parer à la douleur, mais sous la pression d'un nouveau coup, elle vomit. Son festin de la veille se répand sur le plancher en une flaque. L'odeur du hareng envahit la pièce. Il fait sombre et froid, elle est bien certaine, cette fois, de ne plus rêver. Quelle température peut-il faire, dans cette chambre ? Sept, huit degrés tout au plus, les volets bougent et grincent, c'est le vent, juste le vent. Elle veut se lever pour nettoyer le sol, ou même appeler Marie, mais sa gorge est nouée. Alors elle se contente de retrouver son souffle car son cœur bat toujours trop fort, elle le sent. Ça n'est pas tant l'effet de la contraction stomacale que d'avoir été si brutalement traversée par ce souvenir. Tout semblait si réel. Il faisait si bon dans ce rêve. Elle se souvient de ce jour où Jean-Edmond lui avait effectivement proposé de l'accompagner, cherchant une personne apte à faire des plâtres afin de pouvoir transporter, sans les abîmer, des fossiles ou des squelettes trouvés dans le désert. Il avait fallu emprunter une voiture, celle d'un commerçant de Casa, une Cottin & Desgouttes que les publicités d'alors présentaient comme « l'avion de la route » et que le jeune homme conduisait si maladroitement, de ses belles mains fines. L'automobile était tombée en panne, il avait fallu attendre des heures au bord de la piste qu'un camion s'arrête, que son conducteur, étant parvenu à ouvrir le capot, constate qu'il s'agissait simplement d'une panne de carburant. Anne-Angèle se souvient de l'odeur du fuel, du bruit de moteur qui démarre, d'un fou rire, de cette excursion dans le sud, des dunes de l'erg Chebbi, la ville de Rissani. Sa palmeraie, son minaret en terre érigé tel un phallus monstrueux et psalmodiant. L'étal de l'épicier où l'on trouvait de la menthe fraîche. Ces feuilles d'un vert sombre dont l'eau brûlante des théières d'argent exhalait l'insolent parfum sur la place du marché, les soirs de ramadan surtout. Toute cette animation, cette fête, la joie de se nourrir, de ressentir, c'était si bon.

Ce même soir, Jean-Edmond avait voulu l'embrasser, et elle, surprise par tant de spontanéité, lui avait mordu la langue. Anne-Angèle se souvient de ce premier baiser, le seul qu'un homme ait jamais tenté de lui prodiguer. Les jours qui suivirent, le pauvre Jean-Edmond était demeuré muet. Anne-Angèle se dit qu'elle aurait dû lui rendre son baiser. Que cela aurait valu la peine d'en prendre le risque. Elle se dit qu'après tout ils auraient formé un beau couple. Un couple comme on en voit passer parfois, uni par le mal-être, deux béquilles associées. Lui, le bavard, et elle, l'introvertie. Et pourquoi pas ? On vieillit très bien ainsi. Anne-Angèle tâche de se souvenir de cet unique baiser.

Elle vomit une seconde fois.

Dans l'obscurité, elle perçoit le ronronnement de Paillassonne qui vient laper précautionneusement la surface du sol. Juste son souffle, car l'infâme bestiole pose ses pattes si délicatement dans le vomi qu'elle n'entend rien d'autre d'elle. Et puis, elle entrevoit les reflets de son pelage, roux, rouge même, telle une flamme vive, furtive, qui se meut dans la nuit. Une sinistre créature du diable.

Depuis quelques jours déjà, la vieille ne peut quasiment plus rien avaler de solide. Ça lui a pris en terminant la dernière boîte de harengs. La gorge nouée, d'un seul coup. Comme si une main invisible lui avait introduit un lacet avec un crochet dans la gorge, enfin, c'est ainsi qu'elle a décrit ses symptômes à Marie. *Une main. Un crochet.* L'enfant a d'abord imaginé qu'il s'agissait d'un incident causé par l'ingestion du poisson, mais les arêtes de harengs étaient fines et de surcroît considérablement ramollies par la macération dans le jus de ces boîtes à la date de péremption incertaine. Alors la gamine a demandé à sa tante de renverser sa tête pour regarder tout au fond de sa gorge, mais il y faisait trop sombre. Et puis pour y observer une anomalie, il aurait fallu qu'elle puisse effectuer une comparaison, même vague, avec une gorge « normale ». Sa gorge à elle, quand elle la regarde dans le miroir, est rose clair, lisse et propre, tandis que celle de sa tante est granuleuse, enflée, et d'une couleur indescriptible qu'il serait trop simple de résumer aux tonalités de mauve ou de fauve.

— Non, je ne vois rien, ma tante.

— Tout te paraît en ordre ? Pas de boursou-flures, pas de crevasses ?

— En fait, je veux dire que ta gorge est telle-ment enflée et serrée que je ne vois rien du tout...

Après avoir envisagé la possibilité d'une angine, et laisser passer deux ou trois jours, Anne-Angèle demande finalement à la gamine de l'accompa-gner chez le docteur.

— Quel docteur ?

— Eh bien, Serraval... qui tu veux que ce soit d'autre ? répond sa tante d'une voix presque inau-dible, en essayant de faire passer son bras trem-blant dans la manche de son manteau, s'agaçant de l'introduire dans le tissu déchiré de la doublure.

Marie, horrifiée à l'idée de croiser le regard de l'infâme toubib, ou pire encore, de devoir lui serrer la main, tente de l'en dissuader en faisant valoir qu'une longue marche risquerait de trans-former son angine en pneumonie dont elle ne se remettrait pas.

— Attendons encore un peu, ma tante, il fait si froid dehors.

Mais l'infirmière ne veut rien savoir.

— Obéis-moi, je te dis... aide-moi à m'habiller et puis tiens, prends ça, tant qu'on y est ! dit-elle en lui tendant un manche à balai dont elle se servira comme d'une béquille.

Le trajet est long pour se rendre au village de Vrimont, interminable, parce qu'Anne-Angèle, qui peine à respirer, fait de tout petits pas et qu'elle a tenu, l'orgueilleuse, à éviter la route principale par crainte d'être vue ainsi diminuée par les villageois. Convaincue, la pauvre, qu'ils s'intéressent toujours à elle. Si elle savait.

Une fois parvenue à destination, après avoir effectué un long détour par le chemin de bordage de la Bellesme, Marie décrète qu'elle préférerait attendre assise sur un mur, à quelques dizaines de mètres de la maison du toubib.

Anne-Angèle insiste :

— Tu es sûre que tu ne veux pas entrer avec moi, Marie ? Tu risques d'attraper froid, ici. Allez, viens, tu resteras dans la salle d'attente !

— Non, je préfère attendre ici, je te dis, mes chaussures sont vraiment trop sales, affirme-t-elle en désignant ses souliers crottés et rapiécés. Je ne voudrais pas salir le parquet.

La vieille infirmière n'a d'autre choix que d'accepter la parole de l'enfant. Et, d'une autre façon, celle du toubib qui, s'il semble un peu gêné ce jour-là en la voyant débarquer dans son cabinet, prend le temps d'examiner ses blessures, la fixité de ses pupilles et lui annonce sans surprise qu'elle est atteinte de la syphilis.

— Une infection qui date de quelques mois au moins, car, la maladie en est à son stade secondaire, hélas…

— Ah bon ? Vraiment ? fait semblant de s'étonner Anne-Angèle qui a elle-même diagnostiqué maintes fois cette infection chez toutes sortes d'individus.

— Oui… ces taches rosées autour de votre cou me semblent particulièrement inquiétantes, nous allons devoir vous injecter le paludisme pour faire monter la température et ainsi retarder la progression du tréponème. La syphilis, on en meurt à tous les coups, mais la malaria, on peut s'en sortir avec de la quinine. Vous n'avez pas le choix.

Anne-Angèle, profondément honteuse à l'idée que Serraval se fasse des idées sur la façon dont elle a pu contracter ce mal, se croit obligée d'évoquer ce temps passé aux colonies, la fréquentation de tous ces êtres victimes de leurs mœurs. Les colons, les Arabes, les Africains, le manque d'hygiène dans les hôpitaux surchauffés… La dangerosité de certains malades. À commencer par cet ouvrier des vignes qui l'a mordue tandis qu'elle était en train de lui prodiguer des soins. Elle lui décrit, puisque tout cela lui reste en mémoire, l'haleine fétide du syphilitique, son regard fou, sa mauvaise dentition. La morsure. La malédiction. Ce moment d'inattention. Tout ça parce qu'elle venait d'apprendre que sa sœur Mathilde avait été victime d'un accident à Paris. Cette sœur qui, bien plus qu'elle, et du fait de ses mœurs légères, aurait mérité de contracter cette maladie honteuse. Anne-Angèle parle, et parle encore. Elle raconte son court séjour chez Chanfrin-Bellossier, son bel appartement de la Muette. Les parquets cirés, la cuisine vaste comme un salon. La place de confiance qu'elle occupait auprès de ce haut gradé. La lettre de recommandation qu'il a rédigée tout spécialement pour la Croix-Rouge. Deux pages de compliments, pas moins, qui lui ont permis d'obtenir en priorité l'octroi de ce dispensaire de la Verrerie.

Il lui semble également nécessaire de lui en dire plus sur Marie. Imaginant que, si elle ne devait pas survivre à la fièvre ou qu'elle perde la raison, il faudrait que quelqu'un d'autre connaisse la vérité pour pouvoir devenir, le cas échéant, une sorte de tuteur pour la gamine.

— Il faut que je vous révèle une chose importante à propos de ma nièce, dit-elle d'une voix grave. Quelque chose qui risque de vous mettre mal à l'aise, docteur, mais il faut que je vous le dise…

Un silence envahit la pièce. À cet instant, le toubib semble se rétracter. Se montrant peu enclin à l'écouter, il ouvre un placard et se met à fouiller dans des tiroirs avec des airs de gamin préoccupé.

— Hum... hum... grommelle-t-il en guise de réponse.

Et Anne-Angèle voit dans cette indifférence aux secrets des uns et des autres une qualité professionnelle. Très généreux, comme à son habitude, il sort de son armoire deux ampoules de sérum paludéen et, comme il s'étonne de ne pas avoir de quinine sous la main, il propose à Anne-Angèle de lui en fournir plus tard.

— Voilà, ma chère collègue... Procédez aux injections. Une première piqûre ce soir, et une deuxième dans une semaine, si la malaria ne s'enclenche pas. Quand la fièvre atteindra un seuil critique, disons, le stade de la perte de connaissance, il faudra que Marie revienne me voir afin que je lui donne de la quinine... Je m'en serai procuré d'ici là.

Anne-Angèle ne sait comment remercier le toubib. En quittant le cabinet, elle lui dit « Que Dieu vous garde », et lui, tout en évitant de lui serrer la main, lui répond :

— Oui, voilà, ma chère collègue, faisons comme ça...

Quand elle ressort de chez Serraval, trois quarts d'heure plus tard, Anne-Angèle semble encore plus faible et tremblante qu'en arrivant. La pauvre tient dans sa main ces deux ampoules qu'elle ne semble pas pouvoir se résoudre à mettre dans sa poche. Comme si elles contenaient un concentré de honte, de misère et de mort.

Marie, en lui proposant de prendre appui sur son épaule, lui demande si ça va aller, mais à cette question la pauvre femme répond de façon vague.

— « Aller », tu dis ?... Oui, bien sûr que ça va aller, Marie, allons-y, rentrons... Et surtout, regarde bien où nous mettons les pieds, c'est incroyable comme il fait nuit tout d'un coup ! dit-elle en jetant un regard préoccupé vers le ciel, tandis que le jour baisse à peine.

De retour à la Verrerie, elle annonce à Marie qu'elle va devoir rester alitée et lui demande de l'aider à monter la table de la cuisine dans sa chambre. La table de chêne, trop lourde, reste bloquée en travers de l'escalier, les pieds encastrés dans la rambarde. Impossible de l'en dégager. Ce n'est rien, pense la gamine, on s'en accommodera, elle se sent suffisamment souple pour passer dessous.

Une fois couchée, sa tante la prie de bien vouloir lui monter quelques affaires : la boîte métallique qui contient les seringues, l'urinoir et divers objets personnels, dont le portrait du jeune homme qui chevauche pour toujours un chameau sur l'étagère dans l'entrée, la photo dissimulée derrière la bouteille d'eau des *sept vagues*. « Mon ami Jean-Edmond », comme l'appelle Anne-Angèle et dont Marie a bien compris qu'il a beaucoup compté dans la vie de sa tante. Peut-être même a-t-il été son seul amour. La femme conserve cette image comme une relique. À défaut de pouvoir en distinguer les détails, il lui arrive de la prendre dans sa main valide et de la caresser, l'air rêveur.

Les deux ampoules sont posées sur la table de nuit avec la seringue. Minuscules et mystérieuses fioles de verre remplies d'un liquide rougeâtre.

Quand Marie insiste pour savoir ce qu'elles contiennent exactement, Anne-Angèle lui répond : « La fièvre. »

— Ces deux ampoules contiennent de la fièvre.

Marie n'est pas certaine de bien comprendre. Elle regarde sa tante en masquant son inquiétude, puisque Anne-Angèle se veut rassurante.

— C'est un drôle de virus qui m'envahit, tu sais... Heureusement, cette montée de fièvre va opérer un miracle. Pour commencer, il va falloir que tu m'injectes la première ampoule... Pendant quelques jours, tout va aller à peu près bien. Et puis je risque de devenir un peu bizarre.

— Bizarre comment, ma tante ?

— Je risque de devenir susceptible, plus que susceptible même, acariâtre. Et je vais suer, beaucoup. Et peut-être même commencer à dérailler, tu vois ce que je veux dire ? Un peu folle quoi... Ça sera à toi d'estimer l'évolution de la fièvre, Marie. Ce sera ta responsabilité. Quand tu me trouveras un peu trop bizarre, tu iras chez Serraval, et tu lui demanderas de la quinine. Tu te souviendras de ce terme ? La quinine...

— Chez Serraval ?

— Oui, Marie, chez Serraval : la quinine...

Marie aspire le contenu de la première ampoule à l'aide de la seringue, qu'elle plante dans le fessier de sa tante. Elle s'exécute avec une extrême vigilance, car elle a bien compris le danger qu'elle encourait elle-même, si elle venait à être infectée par ce miraculeux « remède ».

— Tu m'en donnes combien, de ce briquet et des cigarettes ?

— J'en sais rien, moi, répond Célestin, que Marie a convoqué dans un coin discret en bordure de la Bellesme, là où un grand orme déraciné par les crues forme de ses branches dénudées un tipi romantique.

Le pauvre Célestin, en acceptant l'invitation de la gamine sous ce drapé végétal, a sans doute imaginé qu'elle allait lui proposer autre chose qu'une transaction commerciale et il est dépité.

— Non, je ne saurais vraiment pas combien t'en donner, répète-t-il.

— Eh bien il faut que tu saches, Célestin. Parce que si tu ne les prends pas tout de suite, moi ce briquet et ces cigarettes, je leur trouverai un autre acheteur ! insiste la gamine.

Célestin est mal à l'aise. Ce genre d'accessoires anglais, plus personne dans le village ne se risquerait à en faire le commerce. Il y a seulement quelques mois, un couple de vieillards ayant hébergé des parachutistes a bien tenté de négocier au marché noir des objets similaires et il faut voir les histoires que ça a fait. Jusqu'aux miliciens de Reims qui se sont déplacés à quatre pour leur remettre les idées en place à grands coups de gifles. Les pauvres vieux n'ont pas mis longtemps à révéler l'endroit où les parachutistes étaient cachés, en zozotant, tellement leurs bouches étaient tuméfiées.

— Euh... Oui... oui, dit-il. C'est peut-être mieux que tu les proposes à quelqu'un d'autre effectivement. Parce que moi, je ne saurais pas quoi te donner en échange, Marie.

— Mais de la viande, tiens ! C'est de la viande que je veux, répond la gamine. Tu crois que je t'ai fait venir ici pour tes beaux yeux ? Tout le monde sait que tes parents vendent des abats et qu'ils préfèrent le troc aux billets de banque. Alors pourquoi ils ne m'en donneraient rien à moi, de ce briquet et de ces cigarettes ?

— Les abats, c'est trop compliqué en ce moment, répond Célestin avec une expression observée chez ses parents justement, et qui semble relativiser l'ambition personnelle en la resituant dans un contexte de difficulté générale – un peu comme si, finalement, cette activité du marché noir et de trocs en tout genre que leur propose le quidam, ils en étaient les premiers indignés.

— Alors juste du sang de poule ! insiste Marie. Ça, je suis sûre qu'ils en ont, tes parents, ça se trouve facilement quand on est boucher !

— Le sang de poulet, tout le monde en veut pour faire des omelettes, et puis en ce moment les poulets ils ont jamais eu aussi peu de sang, répond le gamin, pragmatique. C'est le bruit des avions qui passent dans la nuit, à ce qu'il paraît, ça les épuise... De toute manière, mes parents préfèrent les allumettes aux briquets, ça coûte moins cher en essence.

— Tu n'as qu'à demander à ton frère Bernard, peut-être que lui ça l'intéressera, un beau briquet comme celui-là ?

— Il fume pas...

Marie s'agace.

— Ben ça sera l'occasion de commencer... Si ton frère ne fume toujours pas à seize ans, c'est un sacré cadeau à lui faire ! dit-elle en faisant claquer sous son nez le couvercle métallique d'un coup de pouce, comme l'on remonte le chien d'un pistolet.

— Bon, d'accord, je veux bien essayer, soupire le gamin en fourrant le briquet et les cigarettes sous sa chemise, avant de disparaître derrière le talus.

Elles sont dégueulasses ces cigarettes, vraiment, parfaitement dégueulasses. Marie se demande quel intérêt on peut trouver à se mettre un goût pareil dans la bouche. La première bouffée, à la rigueur, n'était pas mauvaise, mais pour être tout à fait objective, ça n'est pas tant le goût du tabac qui lui a plu que celui de l'essence du briquet qui lui a soulevé le cœur en l'allumant. Ça lui a fait du bien, ça l'a calmée. Parce que là, elle est déçue et passablement énervée, Marie. C'est d'avoir attendu tout un après-midi que cette crevure de Célestin revienne avec sa gueule enfarinée pour lui dire que, non, finalement, personne n'était intéressé autour de lui par son briquet ni ses cigarettes. Et, comme si la déconvenue n'était pas suffisante, au moment de les lui rendre, il a prétendu que c'était dangereux pour elle de vouloir faire le négoce de choses provenant de parachutistes anglais, parce que dans le village tout finit par se savoir et que si elle et sa tante s'aventurent à héberger des soldats anglais, la Milice viendra leur mettre la tête dans un seau d'eau à un moment ou à un autre, et que les problèmes respiratoires liés au tabac, elles les sentiront bien passer.

Marie a eu envie lui envoyer une gifle ou même un coup de bâton dans la mâchoire pour effacer le sale sourire qu'il avait en lui affirmant cela. Comme si cette petite enflure n'avait pas compris que ce sang de poulet qu'elle venait lui quémander était pour elle, et sa tante surtout, une question de vie ou de mort. Depuis quelques jours déjà, en fait de fatigue, sa tante est surtout agitée. Elle ne quitte plus son lit en attendant cette fièvre miraculeuse qui semble ne pas vouloir se déclencher. Sa douleur à la gorge a encore empiré, et elle ressent des brûlures dans l'estomac au point de ne plus du tout digérer les soupes d'épluchures et de racines que Marie lui confectionne avec les denrées récupérées sur les tas de compost.

Elle exige une nourriture plus saine, du pain, de la viande. Autant réclamer de l'or.

Marie a repris sa tournée des fermes en tentant une nouvelle tactique qui consiste à secouer devant elle une boîte de conserve, celle qui contenait les harengs justement, et sur laquelle elle a peint une grosse croix rouge accompagnée de l'inscription : *Donnez pour nos hommes partis au STO.* Une idée qui lui a paru astucieuse, parce que les gens, elle l'a bien compris, aiment donner en priorité pour ceux qui souffrent loin d'eux. Mais les villageois n'ont pas marché. Au jeu de la quête, elle a juste récolté quelques coups de pied aux fesses, qu'elle a d'ailleurs de plus en plus maigres.

Elle marche et elle fume, et comme la première cigarette se termine, Marie en rallume une seconde. « Ça fera fuir les mouches », pense-t-elle. Ces sales mouches jaunes qui lui passent devant les yeux et dont la gamine n'ignore pas qu'en plein hiver elles ne peuvent être que l'expression de la fatigue et de la faim. *La faim*. La gamine a les pieds qui traînent. Elle ne le fait pas exprès, c'est un peu comme si ses jambes ne lui obéissaient plus. Par moments, elle parvient à se ressaisir en se persuadant que ça ira bientôt mieux. Que cette guerre tire à sa fin. Mais ses jambes et ses bras en ont assez des promesses vaines. Ils réclament du concret. Quand Marie regarde ses mains, elle croit y reconnaître les traits fripés qui enlaidissent chaque jour un peu plus le visage de sa vieille tante malade. Elle les entend lui dire : « Bouge-toi, trouve-nous quelque chose à bouffer ! » Et ses pieds, pareil. Quand elle marche, ses souliers retournent presque systématiquement les feuilles pour dénicher quelques noix inespérées, puisqu'il paraît qu'il s'en trouve des comestibles, oubliées par les écureuils sous l'humus, mêlées aux racines, même en hiver. La semelle à force de gratter la terre se décolle, tout hérissée de clous, telle une bouche monstrueuse et sale, là encore, qui hurle : « J'ai faim ! J'ai faim ! J'ai faim ! »

Et c'est ainsi, portée par l'instinct de se nourrir, qu'elle retrouve l'endroit de la maison de Grandchamp. Au centre de la forêt. Lorsque la gamine arrive ce jour-là, Toinette est en train de décrocher du linge qui a séché dehors. Il a fait tellement froid la nuit précédente que les tissus sont figés dans la direction du vent de l'est, telle une armada de fantômes aplatis et rigidifiés dans une attitude de fuite. Lorsque Toinette essaie de plier les torchons et les draps, ils se cassent. Et puis elle est énervée aussi, très énervée, de découvrir que des oiseaux de nuit, chouettes ou hiboux, se sont posés sur la cordelette pour déféquer sur ses draps, maculant le lin de longues coulures grises.

Toinette, en décrochant ces sinistres drapeaux, pousse des jurons. « Mais bande de saloperies d'oiseaux ! Vous ne pouviez pas aller faire vos dégueulasseries ailleurs ? Non mais regardez-moi ce désastre ! » Gaston qui attendait sagement dans le panier à linge se met à pleurer, Marie le prend dans ses bras, et l'enfant se calme instantanément.

Toinette, qui n'avait pas vu Marie s'approcher, se retourne et s'en trouve surprise.

— Qu'est-ce que tu fais là, Marie ? Tu m'as fait peur !

— Rien, répond la gamine en berçant Gaston, je passais comme ça... Je cherche du travail.

— C'est ta tante qui t'envoie pour me réclamer encore de quoi manger ?

— Non, ma tante, elle reste au lit.

— Ah bon ? Et qu'est-ce qu'elle fiche dans son lit ?

— Elle attend que la fièvre vienne la prendre.

— C'est quoi cette histoire de fou ?

— J'en sais rien. De toute façon, ma tante, elle a toujours été bizarre.

— Pauvre Marie...

Toinette lui propose de l'aider à ramasser le linge et de refaire une lessive, qu'elles pratiquent le matin même dans une grande bassine en fer posée sur le plancher de la cuisine, utilisant un succédané de détergent à base de cendre, de lierre écrasé et de racine de saponaire.

Marie a un bon coup de main pour frapper le linge et l'essorer. L'eau tiède de la bassine lui semble bien agréable en comparaison de celle, glacée, de la Bellesme où il lui faut, avec beaucoup de détermination, nettoyer une fois par semaine les draps maculés de sa tante.

Toinette, impressionnée par la force de Marie et sa capacité à tranquilliser son nourrisson surtout lorsque ce dernier pousse des hurlements parce que le petit fait ses dents, lui propose de rester pour garder l'enfant lorsqu'elle reçoit un client.

Marie accepte volontiers cette proposition.

Lorsqu'une sentinelle allemande rend visite à Toinette, il est convenu que Marie sorte par une petite porte dérobée avec Gaston, et qu'elle se promène avec lui dans les alentours en attendant la fin de l'air de la *Valse grise*. Le disque terminé, elle doit attendre quelques minutes encore que le client quitte la maison, avant d'entrer. Il arrive que le disque s'enclenche une seconde fois, ce qui signifie pour Marie qu'elle ne doit pas revenir tout de suite.

Il n'est pas rare, au cours de ces promenades dans la clairière de Grandchamp, d'entendre Toinette crier, d'une voix presque aussi aiguë que celle de la chanteuse. Mais à contre-rythme. Un peu comme si Toinette était en train d'accoucher, ou qu'elle s'étonne infiniment de quelque chose, un mystère que Marie préfère ne pas élucider pour l'instant. Ce sont des cris parfois effrayants, et qui prêtent à sourire à d'autres moments. Marie serait tentée de jeter un coup d'œil par la fenêtre pour se faire une idée, mais elle s'abstient. La curiosité est un vilain défaut, se raisonne-t-elle. Très vilain. Elle ne sait pas où tout cela la mènera, ni pour combien de temps, ni ce que garder Gaston pendant que Toinette reçoit ses clients lui rapportera concrètement. Mais elle se sent en confiance auprès de cette femme qui a le regard franc et une belle voix. Aucune autre dans la région n'en a une aussi belle que Toinette. Et, pour tout dire, Marie n'a jamais vu une maison aussi agréablement décorée que la sienne. En plus de ce gramophone et de cet insolite paravent chinois qui trônent dans la chambre-cuisine telles les pièces maîtresses d'un musée, Toinette a gardé tout un tas d'objets de sa vie « d'avant », qui sont alignés sur sa table de nuit : des cartes postales de Paris, une petite tour Eiffel en laiton posée sur un napperon, et puis un très beau bibelot représentant trois chimpanzés en bronze. L'un se cache les yeux, l'autre les oreilles et le dernier la bouche. L'objet métallique est creux. Toinette montre à Marie comment y enfiler les doigts jusqu'aux phalanges, les trois petits singes formant ainsi une triple bague massive qu'elle désigne par son *poing américain*.

Quand Marie lui demande l'utilité de garder un tel bijou sur sa table de nuit, Toinette lui répond qu'il lui procure un sentiment de grande tranquillité.

— De tranquillité ?

— Oui, Marie, parce qu'avec ces trois petits singes philosophes je peux briser la mâchoire de n'importe quel bonhomme et obtenir instantanément la paix.

Sur la cheminée, il y a aussi quelques livres aux tranches jaunies et même caramélisées par la fumée. Parmi ceux-ci, un manuel de traduction franco-allemand datant de la guerre de 14, destiné à faciliter la communication avec les prisonniers. Sur la couverture, un soldat souriant serre la main d'un français, en s'exclamant : « *Verstanden ?* Avez-vous compris ? » L'ensemble est illustré à la façon comique et enlevée d'une bande dessinée.

À l'intérieur de cet ouvrage, un certain nombre de mots ont été consignés par Toinette au crayon de papier dans les marges jusqu'à constituer de courtes phrases, parmi lesquelles : *Bonjour, je suis content de te connaître... Veux-tu m'appeler par le nom de ta copine ?... Je vais te faire ta petite toilette... Tu as une belle queue... Mets-la-moi... Je te sens bien... Il faut d'abord payer...*

En allemand, cela donne un charabia dont l'enfant se dit qu'il doit en falloir de la mémoire pour s'en souvenir. Il y a aussi d'autres livres en français, de sciences naturelles ceux-ci, agrémentés d'illustrations décrivant pour certaines la vie des paramécies ou pour d'autres l'évolution des oursins. Ce sont des ouvrages étiquetés au nom du *professeur Charles Matesson*, avec l'adresse d'un lycée à Paris.

Marie se sent vraiment bien dans cette maison. Elle est surtout heureuse, ce jour-là, de partager le déjeuner de ses hôtes qui lui font l'effet d'un couple insolite et distrayant.

À midi, Toinette se met à la fenêtre, elle souffle trois coups dans un sifflet, comme les chasseurs le font pour rappeler leurs chiens. Matesson émerge du bois, boitillant et grimaçant comme un bon vieux chien justement, il pénètre dans la maison, s'essuie les pieds de façon mécanique, puis prend place à table. Toinette lui tend son assiette qu'il lape en égrenant d'une voix bégayante et presque inaudible quelques informations à propos de tel ou tel arbre de la forêt envahi par le lierre, qu'il va lui falloir couper, d'un collet dans lequel il a trouvé une martre, pauvre animal dont il pourra tout de même récupérer la fourrure. Le temps de ce déjeuner, Toinette et Matesson ont l'air de deux étrangers l'un pour l'autre. Par moments, le soliloque de Matesson est interrompu par les pleurs de Gaston, alors Marie se lève et va le bercer. Puis elle revient s'asseoir, pour observer de nouveau ses hôtes et tâcher de percer le mystère de leur association. Toinette semble bien mieux bâtie que son mari. Beaucoup plus forte des épaules, ou alors peut-être est-ce juste cette façon qu'elle a de se tenir bien droite sur sa chaise qui donne cette impression que rien ne peut lui arriver. Et que si son garde forestier de mari venait par exemple à la frapper, elle lui aplatirait la tête avec son *coup-de-poing américain*. Marie prête aussi beaucoup d'attention à leurs mains, tel qu'Anne-Angèle lui avait conseillé de le faire. Les mains de Toinette sont roses et joliment potelées, ses ongles conservent les traces d'un vernis marron écaillé, comme les cafetières en émail qui ont été neuves un jour, puis trop souvent utilisées par des mains gourdes, ou jetées sur les murs dans des moments de colère.

Celles de Matesson, en revanche, sont courtes, sales, tordues, et couvertes de cicatrices. Des traces de coupures anciennes luisent entre le pouce et l'index. Des plaies fines, qui rayonnent en direction du poignet.

Se sentant observé, l'homme s'arrête de laper sa soupe pour demander à Marie ce qu'elle regarde.

— Rien, répond-elle timidement.

— Si, tu re... regardes mes mains, c'est ça ? dit-il en présentant fièrement sa paume où s'étoilent encore d'autres plaies. Tu vois toutes ces cicatrices ? C'est mes ble... blessures de gue... guerre à moi ! Ju... juste à moi !

— Des coups de baïonnette ? demande naïvement Marie.

Cette réflexion provoque un fou rire chez Toinette et Matesson, le seul moment joyeux du déjeuner.

— Oui, poursuit-il, fier de lui, en se remettant à vider son assiette en versant directement le contenu dans sa bouche. Des... des coups de baïonnette comme s'il en pleu... pleuvait, ma pe... petite ! Et je peux te di... dire que ceux-là, je ne suis pas près de les ou... oublier !

Toinette jette un coup d'œil las en direction de Marie, avec une mine qui semble dire : « Oublie ça Marie, ce sont des paroles d'idiot » ; ou encore : « Les hommes ne forment qu'un seul et même troupeau d'abrutis. »

L'enfant ne pose pas d'autre question.

La journée terminée, Marie ramène quelques quignons de pain noir à sa tante, que la pauvre vieille mange miette par miette, les ayant préalablement trempés dans de l'eau tiède. Tout anxieuse à l'idée de ne pas sentir venir les premiers effets de la fièvre.

— Qu'as-tu fait de ta journée, Marie ?
— J'ai mendié...
— Où ça ?
— Dans des coins que tu ne connais pas, ma tante, bien après la plaine de Vrimont.
— Et ils ne t'ont donné que ça à bouffer ?
— Oui, que ça... Tu veux que je te fasse ta deuxième piqûre de fièvre ? demande-t-elle, pour changer de sujet de conversation.
— Non, il faut attendre encore.
— Combien de temps ?
— Quelques jours.

Marie acquiesce, elle n'a pas grand-chose d'autre à dire. Elle est surtout heureuse de retrouver Paillassonne, la pauvre, qui ne semble pas très épanouie, elle non plus, de devoir rester seule avec Anne-Angèle. L'animal, qui miaule de façon exubérante, tourne en rond dans la cuisine en regardant tour à tour les placards vides et le fourneau où, récemment encore, Marie préparait les soupes de racines.

— Patience, Paillassonne, patience ! Les choses vont s'arranger, tu verras.

Quelques jours passent ainsi, à faire le tour de Grandchamp en berçant Gaston sur l'air de la *Valse grise* ou à battre le linge de Toinette dans sa cuisine. Lorsque Marie l'aide à changer le bébé, moment qu'elle apprécie particulièrement, Toinette aime lui faire des confidences. Elle lui parle de sa vie passée, de Paris, de son attachement pour Matesson surtout, qui n'a pas toujours été l'idiot qu'il semble être.

— Tu sais ce qu'il faisait, Matesson, avant de partir pour Verdun ?

— Non, répond Marie.

— Il était professeur de sciences naturelles dans un lycée.

— Matesson ?

— Oui, ma petite. Une vraie lumière qui savait passionner ses élèves en leur expliquant la vie d'un coquillage ou d'une limace. Quand il a été réquisitionné en 14, il a été collé au cul d'un canon sous prétexte qu'il avait des « aptitudes techniques ». Trois ans tout de même... À son retour, il était idiot comme tu le vois maintenant. Tout secoué de nervosité. Il aurait pu reprendre son métier d'enseignant parce qu'il était encore plus calé en sciences naturelles, vu le temps qu'il avait passé à observer les rats dans la boue des tranchées, mais le problème c'est qu'on ne comprenait plus rien à ce qu'il racontait. Le seul boulot qu'il a trouvé finalement, c'était mareyeur dans un cabaret. C'est d'ailleurs là que je l'ai rencontré. On le surnommait « l'huître à ressorts » tant il était silencieux à trembler au point de se couper et se retrouver les mains en sang... Les plus grosses cicatrices de Matesson, elles sont dans sa tête. Celles qu'il t'a montrées sur ses mains, en vrai, il se les est faites en ouvrant ces satanés coquillages...

Marie ne sait plus quoi dire, elle remarque à cet instant que Toinette a les larmes aux yeux. De grosses larmes qui restent en équilibre sur le bord de ses paupières, parce qu'elle lève la tête vers le plafond pour les empêcher de couler. Et toute cette peine lui fait luire le regard, et la rend plus belle encore.

— Foutues sales guerres de tordus ! lâche-t-elle finalement en se passant le poignet sur le visage.

Un geste masculin qui, plus qu'éponger les larmes, semble vouloir effacer quelque chose de sa mémoire.

— Et le plus grave dans tout ça, tu sais, Marie, c'est que Matesson rêve toujours de devenir un héros et qu'il fricote avec quelques résistants du coin... C'est ça qui m'inquiète le plus, tu vois. Qu'il se laisse influencer par tous ces crétins.

— Il y en a beaucoup dans la région, des résistants ? demande Marie pour alimenter la conversation, parce qu'elle voit bien que parler fait du bien à Toinette, et qu'ainsi, en bavardant le plus naturellement du monde, elle donne l'impression de ne pas avoir remarqué qu'elle pleurait.

— Plein, Marie ! Plein, partout. Ça pullule ! Tu ne peux pas savoir la quantité d'abrutis qui se prennent pour des résistants dans le coin surtout là, avec cette guerre dont tout le monde dit qu'elle va bientôt se terminer. Les gens ont tant de choses à se faire pardonner. Même Hubernot, le rupin qui nous loue ce taudis et emploie Matesson comme métayer. Même lui, il en fait partie. C'est encore lui qui me fait le plus peur, d'ailleurs, parce qu'il lui fait faire ce qu'il veut, à Matesson...

— Ils se sont connus comment, Hubernot et Matesson ? demande Marie.

— Matesson était avec le fils d'Hubernot à Verdun, un copain de tranchée quoi. Quand le pauvre gosse est mort, éclaté par un obus, Matesson a écrit une lettre de condoléances à Hubernot, ça l'a touché. Plus tard, quand il en a eu marre de son boulot de mareyeur dans un cabaret, il lui a écrit une autre lettre pour le solliciter. Vivre dans la forêt, respirer le grand air, il ne rêvait plus que de ça, Matesson. Depuis, Hubernot le considère comme son propre fils. La guerre, c'est toujours une histoire de père, de toute façon. Un père qui leur promet la fessée et des médailles en échange, voilà ce qui fait courir les hommes...

Toinette se ressaisit, elle inspire un grand coup.

— Méfie-toi des hommes, Marie, surtout quand il leur prend des envies d'héroïsme. Dans ces moments-là, ils se regardent comme s'ils étaient des acteurs de cinéma. Et dans ces petits films sordides qu'ils se font dans leur tête, nous, les femmes, n'avons pas d'autre choix que de faire semblant de les trouver formidables et d'applaudir. Avant de les ramasser tout cassés à la fin...

La lessive est terminée.

Marie ne veut pas en savoir davantage. Elle trouve cette histoire vraiment très étrange, surtout le passage du cabaret parisien. Un nom qu'il lui semble avoir déjà entendu, à Paris justement, lors d'une conversation à voix basse entre Chanfrin-Bellossier et sa tante, peu de temps avant qu'elles ne quittent la capitale pour venir s'enterrer dans ce patelin. Marie, qui n'avait alors rien d'autre à faire que d'écouter aux portes, est bien certaine d'avoir entendu sa tante prononcer ce mot-là. « Cabaret. » Anne-Angèle disait alors s'être fait avoir par une femme qu'elle nommait Faustina ou « la danseuse ». Sa tante semblait réellement accablée, évoquant la possibilité de la remettre, elle, à l'orphelinat, tandis que Chanfrin-Bellossier lui intimait de ne rien en faire et de ne rien dire de tout cela à Marie.

La curiosité est un vilain défaut, se répète-t-elle. Un vilain défaut, surtout en temps de guerre. Moins on en sait et plus on se sent léger. Ce qui importe finalement, c'est de décider que certaines choses sont véritablement dignes d'intérêt et d'autres, non. À ce titre, Marie se sent bien plus tranquille depuis qu'elle a décidé de ne plus douter de sa filiation avec Anne-Angèle en s'efforçant d'imaginer que les premières années de sa vie, l'orphelinat, les religieuses et même les quelques visites d'une mystérieuse femme durant sa petite enfance, ne furent qu'un songe. La famille, pense-t-elle, c'est comme Dieu : en priant, on finit par être convaincu de son existence même si on ne l'a jamais vu. Si cette guerre se termine un jour et s'il lui arrive de devenir adulte, Marie ne doute pas qu'elle trouvera une famille elle aussi, d'autres oncles, d'autres tantes, des frères, des grands-parents, tout un tas de gens qui attendent déjà dans les méandres obscurs de sa destinée. Si elle pouvait se choisir un petit frère par avance, ce serait un bébé beau et roux comme Gaston, elle en est certaine. D'ailleurs, Marie voit bien que Gaston la considère elle aussi comme quelqu'un de sa famille. Lorsqu'il regarde ses parents, Gaston n'a jamais le sourire aussi vif ni le regard aussi beau que pour elle. Des yeux verts et limpides comme ceux de Paillassonne, qui elle aussi est un peu rousse, parce qu'il n'y a pas de hasard dans la vie.

Marie est heureuse de pouvoir se dire que sa famille compte déjà plusieurs membres importants : Toinette, Matesson, sa tante Anne-Angèle, le chat Paillassonne et Gaston le nourrisson qui rit pour un oui ou pour un non.

Il faut croire en l'avenir. Se persuader que la société des humains ne cessera jamais d'être meilleure. Et puis pour mériter sa place dans ce monde à venir, elle se dit qu'elle optera pour un métier comme celui qu'exerçait Matesson, autrefois. Oui, voilà, professeur de sciences naturelles, ça lui paraît bien. Ou, encore mieux : enseignante de ce qu'elle aura vécu, puisque à l'avenir, pense-t-elle, l'histoire, la géographie ou même la philosophie seront devenues des matières aussi troubles que l'eau d'un étang. Seule l'expérience humaine comptera. Il y aura ceux qui auront vécu, et les autres. Et les autres seront priés de faire silence. Dans ce monde d'après la guerre, tout sera à réinventer, de toute façon. Tout. En attendant, lorsqu'elle entend quelque chose d'intéressant dont elle se dit qu'elle peut en tirer un enseignement, Marie le note dans un carnet constitué de quelques feuilles de papier d'emballage réunies par un fil dont Toinette lui a fait cadeau. La gamine y consigne toutes sortes de choses, discrètement.

Ce jour-là, par exemple, elle écrit : *Dans la vie, on a la famille que l'on mérite.* Et puis elle y note aussi des choses pratiques que Matesson lui apprend certains soirs où il la raccompagne dans la forêt, comme par exemple de savoir se repérer sans boussole, en regardant simplement la mousse sur les troncs d'arbre qui est toujours au nord. Ainsi, la partie verte et velue des écorces vous indique la direction à suivre, vous évitant de tourner en rond. À l'ombre de ces mêmes arbres, il n'est pas rare de trouver d'énormes champignons des bois dont la chair brune, une fois sectionnée et réduite à l'état de fibres, constitue le magique et très inflammable amadou. Et puis tout un tas d'autres choses, comme : apprendre à construire un piège à planchettes pour attraper les renardeaux, faire du poison pour les chiens errants, fabriquer une trappe d'enclos, un cache-tombeau, une bourse à lapin, un trou à pieu. Mais aussi quelques noms d'oiseaux fabuleux, tels que : chouette hulotte, hibou moyen-duc, hibou brachyote, oie rieuse, faisan de Colchide, barge à queue noire, chevalier cul-blanc, bécasse des bois, qui donnent à la vie sauvage de la forêt des allures de poème.

Marie apprécie beaucoup ces moments passés dans la forêt avec Matesson.

Un soir, à l'occasion de l'une de ces promenades, l'homme propose à la gamine de s'asseoir sur une souche à côté de lui et il lui demande sur un ton solennel s'il peut lui parler comme à une « vraie femme ». Question à laquelle la gamine ne sait que répondre, et, pour cette raison, elle se contente de hausser les épaules.

Matesson, ayant repris son souffle pour s'exprimer de la façon la plus claire possible, lui demande si, par hasard, elle n'a pas remarqué quelque chose de bizarre entre lui et Toinette.

Marie reste muette tant l'association de cet homme et de cette femme lui paraît effectivement improbable. Il aurait été plus simple peut-être qu'il lui demande directement si quelque chose, même une seule chose, lui semblait normale dans leur vie. Marie, après y avoir réfléchi, secoue la tête :

— Non, rien de réellement bizarre, pourquoi ?

— Pa... pa... parce que sur certains sujets, Toinette et moi on ne pense pas vraiment p... pareil.

— Ha bon ? répond poliment Marie. Mais sur quel sujet ?

— Le su... sujet des valeurs patriotiques par exemple... Moi, je suis pa... pa... patriote... et elle, non. Tu as entendu parler de la Résistance, Marie ? C'est impo... important de savoir ré... résister dans la vie.

— Oui, répond Marie qui préférerait parler d'autre chose tant Toinette lui a expliqué en long et en large le fâcheux penchant de Matesson pour les valeurs héroïques. Mais où tu veux en venir exactement, Matesson ?

— Je veux... en venir au fait que... que je pense que tu as mieux à faire de... de ta vie que pr... prendre exemple sur Toinette.

— Et qu'est-ce que j'ai de mieux à faire de ma vie, d'après toi ?

— Eh bien... par exemple, si tu m'aidais à faire quelque chose pour les résistants, je pou... je pourrais te faire ren... rencontrer quelqu'un qui dirige un réseau et te do... donnerait un travail respectable.

— Quel genre ?

— Eh... bien... tu pourrais travailler dans les champs de la ferme Hu... Huuuu... Hubernot.

— Et qu'est-ce que je dois faire de dégueulasse pour avoir ce travail respectable Matesson ?

— M'ai... m'aider... à... à voler de l'essence dans le camp allemand.

Pour se rendre tout à fait convaincant, Matesson propose à Marie de monter sur sa charrette, un char à bois tiré par un percheron que Matesson appelle affectueusement Jupiter, une bête énorme, noyée dans une robe grise, triste comme le granit. Après avoir roulé une bonne demi-heure, Matesson ralentit, gare son chariot, montre à la gamine une canalisation qui passe sous la clôture de la caserne, et lui explique qu'il s'agit de la vidange des citernes.

— Tu... tu... tu vois, il suffit que tu passes par là et que tu ailles vo... voler le carburant qui... se trouve dans les ci... ci... citernes là-bas, de l'autre côté !

Comme Marie lui dit que cette canalisation est bien trop étroite, Matesson essaie de la rassurer en lui répondant que s'il était aussi maigre et adroit qu'elle, il serait passé, lui, par ce tuyau. Les... les... doigts dans le nez... et plutôt deux... deux... fois qu'une !

Marie lui fait encore remarquer qu'il y a tout de même un chien de garde qui veille de l'autre côté de la grille et qu'une sentinelle en armes est postée pas loin de là. Matesson lui répond que cette sentinelle rend visite au moins deux fois par semaine à Toinette, le ma... mardi et le jeudi, et qu'ils pourront profiter de ce mo... mo... moment de détente pour agir.

Marie réfléchit, la tentation est grande pour elle d'accepter le jeu de Matesson et de ses amis. Après tout, un travail stable dans une ferme lui rendrait bien service. Mais il lui vient à l'idée que si elle finissait brûlée ou asphyxiée dans cette canalisation, personne ne prendrait même la peine de prévenir sa tante, la pauvre, qui crèverait de faim avant même d'avoir connu la félicité de sa fièvre miraculeuse.

— Non merci, Matesson... c'est très gentil de ta part de me proposer ça, mais je ne m'en sens pas vraiment le courage.

— T'es... t'es sûre ?

Oui, répond Marie qui se dit qu'il est tout de même préférable de continuer à œuvrer pour Toinette en échange de quelques quignons de pain noir. N'imaginant pas le moins du monde, alors, que sa fonction de nourrice et de femme de ménage prendrait fin les jours suivants en raison d'un très improbable incident.

Ce jour-là qui est un jeudi ou un vendredi – encore que le jour importe peu –, tandis que Matesson est parti très tôt effectuer ses coupes de bois pour la caserne, Toinette propose à Marie, après une lessive effectuée avec un savon offert par un client, de profiter de l'eau tiède restée dans la bassine pour prendre un bain avec Gaston.

Marie, qui n'en a pas eu l'occasion depuis des mois, accepte avec enthousiasme.

C'est un moment magnifique parce que le nourrisson a la peau douce et parfumée comme de la pâte d'amande et que Marie n'a jamais senti contre son corps la nudité d'un enfant. Lorsqu'elle effleure les oreilles de Gaston, ou son nez, ou son sexe – appendice que Marie ne manque pas ce jour-là de saisir entre ses doigts –, ça le fait sourire.

Toinette qui semble d'une humeur merveilleuse, elle aussi, pose un disque sur le gramophone, une musique qui n'a rien à voir avec l'air habituel de la *Valse grise* et dont elle dit qu'il s'agit d'un « morceau de grande musique ». La voix d'un homme, belle, éplorée, qui chante en italien, emplit l'espace de la cuisine. La plaquette de cire est si usée que la musique d'accompagnement se résume à une brassée de crépitements. Exactement comme si l'interprète et son orchestre jouaient au beau milieu d'un incendie.

Toinette se met à chanter en imitant la grosse voix de l'artiste, Marie aussi. Gaston, quant à lui, se contente de frapper l'eau du plat de sa main en suivant de son mieux la cadence des craquements du disque.

Comme l'eau de la bassine refroidit vite, Toinette remet une grande casserole à bouillir sur le poêle. Et puis tant qu'on y est, quelques bûches dans le four, puisque au moins le bois de chauffe ne manque pas dans cette maison.

Puis elle reprend sa danse en chantant. Elle virevolte, tend ses bras dans le vide en paraissant étreindre le corps invisible d'un partenaire. Encouragée par les applaudissements de Marie et ses fous rires, parce que Toinette en rajoute dans la caricature en roulant des hanches et grimaçant, comme si ses propres mains étaient devenues celles d'un vieux cochon qui profitait de cette danse pour lui peloter les fesses et les seins. L'effet est magique, par instants, Marie croit réellement que ça n'est pas une, deux, mais trois ou quatre mains qui se promènent sur le corps de Toinette, passent dans l'encolure de son peignoir pour ressortir par la manche.

Quelqu'un frappe à la porte. Toinette interrompt son numéro, rajuste le col de son peignoir, se donne un coup de peigne, ouvre. C'est un ami de Matesson, la trentaine, coiffé d'un béret, avec un nez long et droit comme un poteau d'exécution. Sans autre forme de politesse, le visiteur dit qu'il souhaite parler « personnellement » à son mari.

Toinette, qui n'est pas habituée à ce qu'on lui donne des ordres, demande qu'il lui en dise un peu plus sur la motivation inopinée de cette entrevue. Le type se présente comme faisant partie de l'Organisation des Braves de l'ombre.

— Les braves de quoi ?

— De l'ombre ! répond l'homme d'un ton agacé. Nous œuvrons pour la libération de la France et ce que j'ai à dire à ton mari ne te regarde pas !

Toinette lui rétorque qu'au contraire tout ce qui se passe dans sa maison la regarde, et le somme de lui expliquer précisément ce qu'il veut demander à Matesson, sans quoi il s'expose à des ennuis.

L'homme s'énerve. Toinette aussi, le ton monte.

— Si je te revois demander quoi que ce soit à Matesson, t'auras de mes nouvelles, t'entends ? C'est quand même pas très courageux de profiter de la faiblesse d'un handicapé ! Si t'as des projets dégueulasses, fais-les toi-même, mon petit bonhomme...

— Non, c'est toi qui auras affaire à nous après la guerre, salope, réplique l'intrus d'un ton sec en repoussant son béret vers le sommet de son crâne. Personne ne se met en travers des actions des Braves de l'ombre ! T'entends ? Personne !

— Oui, c'est ça, allez dégage, petite pédale ! Et puis tiens, tant qu'à faire je te présente mon organisation de l'ombre personnelle ! dit-elle en soulevant son peignoir.

Ce qui a pour effet d'immédiatement clouer le bec au résistant et de le faire déguerpir, exactement comme s'il avait vu apparaître entre les cuisses de Toinette la figure barbue de Lucifer.

Toinette vérifie d'un coup d'œil qu'il n'est pas resté dans les parages. Elle claque la porte, revient dans la pièce, allume une cigarette. Marie remarque bien à cet instant que la femme semble déroutée et même apeurée. Qu'elle a trop parlé, trop vite. Que ses mots, finalement, ont dépassé sa pensée. Toinette change de disque, pose d'un geste mécanique sur le plateau du gramophone celui de la *Valse grise* et semble se sentir mieux. Elle se sert un petit verre d'alcool qu'elle tire d'une fiole cachée sous l'imposant tourne-disque, esquisse même encore quelques pas de danse, oubliant Marie et Gaston qui la regardent depuis leur bain, l'air abasourdi.

Quelqu'un frappe de nouveau à la porte. Toinette, agacée, pousse un hurlement bestial, prête à cogner.
— Oui ! quoi encore ?
Une voix répond, en allemand, sur un ton poli.
— *Toinette, lass mich rein !*
Toinette, prise de cours, troublée d'avoir inopportunément envoyé un signal explicite avec cet air, se passe les mains dans les cheveux, enfile une paire de souliers à hauts talons, puis redessine ses lèvres d'un coup de rouge, en s'excusant auprès de Marie.
— Désolée, Marie, je vais devoir recevoir un client. C'était pas prévu... Pendant ce temps-là, tu n'as qu'à rester dans le bain avec Gaston, mais en silence, s'il te plaît ! Pas un bruit, d'accord ?
Marie acquiesce.
Toinette déplace le lourd paravent chinois pour diviser la pièce.

Le client allemand pénètre dans la chambre. Pour ce que Marie entend, il pose quelque chose sur la table, et dont il lui semble bien reconnaître qu'il s'agit du son métallique d'une boîte de conserve, faisant en général office de règlement.

Toinette formule quelques politesses dont Marie, qui a eu quelquefois l'occasion de compulser le manuel de traduction, comprend vaguement qu'elle propose à l'homme de se détendre, et de lui faire sa « petite toilette ».

Des bruits de clapotis dans un seau. La femme parle à son client avec des intonations de maman à un nouveau-né. Ça dure un certain temps. Marie entend d'autres sons, comme des bruits de déglutition. La gamine, qui imagine Toinette et son client en train de déjeuner, ne résiste pas à approcher son œil d'une minuscule fissure dans le paravent, une anfractuosité entre deux montagnes chinoises, d'où elle peut apercevoir assez nettement Toinette assise devant la sentinelle, lui mangeant son sexe. Ce qui semble ravir l'individu qui grogne des mots incompréhensibles. Enfin, comme elle se détache de lui et ouvre son peignoir, l'homme s'allonge entre ses jambes et se met à remuer, lentement, maladroitement, puis avec la frénésie d'un électrocuté, en grognant de plus en plus fort. Toinette, pendant ce temps-là, regarde tranquillement le plafond avec l'air d'y chercher des toiles d'araignée, en donnant de petites tapes d'encouragement sur les fesses de son soldat, qu'il a d'ailleurs très blanches et couvertes de minuscules boutons.

Comme Gaston veut regarder lui aussi par l'interstice, Marie le repousse doucement et applique son doigt sur la bouche du bambin afin de lui faire comprendre qu'il ne doit pas babiller pendant que sa maman travaille. Gaston s'énerve, il veut voir, lui aussi. Marie lui plaque la main sur la bouche pour le faire taire, puis lui enfonce la tête sous l'eau. Mais il la mord si fort qu'elle ne peut s'empêcher de crier.

L'Allemand se redresse, s'empare de sa dague et fait basculer le paravent d'un geste brusque.

Ayant considéré Marie, nue dans la bassine, le soldat change de ton et commence à parlementer avec Toinette. À voix basse. Une longue discussion au cours de laquelle il semble lui proposer des tas de choses merveilleuses en échange d'un moment qu'il passerait seul avec la gamine.

Toinette écoute l'homme, l'air agacé, les bras croisés, elle allume une nouvelle cigarette et, à chacune des propositions de l'individu, elle répond *nein, nein, nein...* en recrachant nerveusement la fumée. Et pour finir, comme il insiste lourdement, elle le met à la porte.

Marie, restée avec Gaston dans l'eau refroidie du bain, se sent très embarrassée. Et Toinette bien plus encore, qui lui demande de sortir expressément de la bassine et de quitter les lieux.

— Il ne faut plus que tu traînes autour de la maison, Marie, ça risque de devenir dangereux...

Sans que Marie comprenne si ce danger la concerne, elle, ou s'il met en péril le petit commerce de Toinette.

Et c'est ainsi qu'elle prend la décision de collaborer avec Matesson.

La charrette file sur le chemin. Lentement, parce qu'elle est lourdement chargée et que le vieux Jupiter ne réagit plus depuis longtemps aux jurons proférés par son maître, qui bégaie en signant l'air avec sa badine.

— A... allez ! Tu... Tu vas avancer, vi... vieille charogne de ca... ca... canasson !

Par moments, au passage d'un ruisseau, le cheval s'ébroue et ralentit, pour reprendre finalement son rythme tout empreint d'une lasse habitude.

Marie a jeté une couverture sur ses épaules, elle grelotte, c'est d'avoir rampé deux heures durant dans cette canalisation pour accéder aux citernes. L'idée de Matesson consistant à accrocher des gourdes à sa ceinture était ingénieuse, c'était même la seule façon de pouvoir progresser à plat ventre dans ces tuyaux tout en gardant les mains libres. Mais tandis qu'elle revenait des réservoirs, gourdes remplies à la queue leu leu, l'un des récipients s'est ouvert sous la pression de son maigre poids. Ainsi, sur cette charrette, Marie n'est pas seulement transie de froid, elle empeste aussi le fuel.

Pour clore le tout, elle a bien failli se faire arracher une cuisse par l'un des chiens de garde de la caserne, un animal dont la gamine avait déjà eu plusieurs fois l'occasion de croiser le regard fou sur le chemin de Vrimont pour lui avoir envoyé des pierres ou des mottes de terre, depuis l'autre côté de la barrière. « On ne m'y reprendra pas, plus jamais ! » se répète-t-elle, mais c'est juste pour se donner du courage, se réchauffer un peu. Car pour refuser, elle ne l'ignore pas, il faut avoir le choix. Les moyens. Le ventre plein.

Elle aimerait aussi demander à Matesson où ils vont. Mais elle sait que Matesson lui répondrait qu'il vaut mieux qu'elle en sache le moins possible, car, à cet instant, il a son air solennel des grands jours en dépit de son horrible bonnet en laine qui le fait ressembler à l'un des sept nains de Blanche-Neige.

Comme elle se sent déstabilisée par le doute, Marie regarde les mains tailladées de coupures de Matesson et se dit qu'avec de nobles mains aussi abîmées que les siennes cet homme sait forcément où il va.

La charrette passe sous la voûte d'une ferme domaniale où se perdent en écho le son des sabots de Jupiter et même son premier hennissement de la journée, car l'animal reconnaît ici le lieu de son seau d'avoine. Pour ça, c'est simple la vie d'un cheval.

Marie découvre un lieu somptueux, composé de plusieurs dépendances qui encadrent une belle et solide demeure de briques, dépassant au moins d'un étage la plupart des fermes de la région. Le portail est couronné de merlons fantaisistes, des têtes de bœuf surtout, puisqu'il a été conçu à l'origine pour le passage des charrues, et dont les piliers sont couverts de profondes saignées laissées par les moyeux. La cour est déserte. Des vêtements sont suspendus à des crochets le long d'une palissade. Il s'agit sans doute de ceux des ouvriers agricoles, puisque l'on aperçoit par la porte entrouverte d'une grange des montagnes de pommes de terre, de betteraves, mais aussi des rangées d'outils : fourches, faux et sécateurs qui semblent se reposer de leurs fonctions printanières et estivales.

Matesson descend de sa carriole en faisant signe à l'enfant de patienter, puis, ayant récupéré les gourdes emplies de carburant et dissimulées sous sa cargaison de bois, il disparaît dans l'un des bâtiments.

Marie, restée seule, est assommée par le silence et les dimensions de cette cour. Il lui semble que si elle soulevait ne serait-ce qu'un doigt, elle en percevrait l'écho. Alors elle ne bouge pas. Elle demeure assise sur la charrette en respirant le plus doucement possible et elle attend.

Matesson réapparaît quelques instants plus tard, accompagné d'un homme d'une soixantaine d'années au visage émacié, dont la gamine n'a aucune difficulté à imaginer qu'il s'agit d'Hubernot, le maître des lieux, celui dont Toinette prétend qu'il n'est qu'« un salopard de notable qui se prend pour un résistant ». Ce jour-là, il est vêtu d'un gilet en peau de lapin et d'un beau pantalon gris-vert bouffant rentré dans des bottes en cuir, cirées et brillantes comme la gamine n'en a jamais vu, lacées par-devant et fermées par des boucles sur le côté. Des bottes qui ne sont visiblement pas conçues pour marcher dans la boue ou pelleter le fumier. Peut-être sont-ce des bottes d'intérieur, l'équivalent des patins qu'il faut enfiler pour pénétrer chez le docteur Serraval ? se demande la gamine. L'homme porte des moustaches épaisses auxquelles se mêlent, tels les affluents d'un fleuve, les poils de son nez. Et puis il a un étrange couvre-chef hirsute que l'enfant imagine tout d'abord être une toque en fourrure de mouton, et dont elle comprendra plus tard qu'il s'agit d'une perruque, mal mise, de travers, trop fournie, peu harmonieuse du fait qu'elle n'est pas du même gris que ses bacantes et les poils de ses tempes. Ainsi coiffé, Hubernot semble différent des autres hommes, comme habité par des pensées plus nobles. Même le chien qui l'accompagne ne ressemble pas à ceux de son espèce. Il est si haut sur pattes que l'on dirait un ours maigre et philosophe. Un animal dont on peine à imaginer la fonction. Peut-être est-il destiné à l'apparat ou à regarder son maître avec des yeux doux comme il le fait, là ? Marie n'en revient pas de voir un animal pareil, ses poils d'une couleur similaire à la perruque de son maître lui confèrent un air de sagesse et nimbent son regard d'une expression merveilleusement conciliante.

Hubernot, qui caresse la tête de cet étrange animal tout en discutant avec Matesson, sort une pipe de sa ceinture, dont le fût représente une tête, enfin, un genre de tête pour ce que Marie en voit. Rien ne semble vraiment important, ni urgent, pour cet homme-là, la vie passe devant lui telle la fumée qui s'échappe de son étrange pipe.

Il jette finalement un coup d'œil en direction de la gamine, puis il acquiesce d'un mouvement de tête avant de retourner vers sa demeure.

Matesson rejoint Marie, l'air satisfait.

— C'est... c'est... c'est bon, dit-il.

— C'est bon, quoi ? demande-t-elle.

— Il est d'accord pour t'employer à la récolte !

— Ça consiste en quoi, cette récolte ? demande Anne-Angèle qui est allongée sur le lit, le visage amaigri à faire peur, la voix enrouée, un sac enroulé sous le ventre, les fesses à l'air, tandis que Marie lui injecte la deuxième ampoule de sérum paludéen.

— À ramasser des choux.

— Qui donc t'a proposé ce travail ?

— Personne, ma tante, je suis allée de moi-même à la ferme Hubernot. La seule à donner encore du travail dans la région. En échange du ramassage des choux, on est payé avec des pommes de terre. De bonnes patates... Deux kilos par jour.

— Comme ça ? Ils ont accepté de t'engager sans rien te demander en échange ?

— Oui, juste comme ça, répond Marie, qui lui retire l'aiguille de la fesse et la repose dans sa boîte, en ayant pris garde de ne surtout pas en effleurer la pointe.

Anne-Angèle soupçonne Marie de lui cacher quelque chose, car, outre le lien qui les unit elle n'a pas oublié que cette gamine est la fille d'une pute. Ou d'une actrice de cabaret, mais actrice et pute, c'est pareil. Depuis quelques semaines, cécité oblige, sa perception du monde s'est considérablement transformée. Elle est tenue à plus d'intériorité et à se reposer entièrement sur cette petite. Et il lui faut lutter, par exemple, avec l'idée que Marie serait en relation avec Toinette, cette femme vulgaire venue se faire avorter en échange de deux boîtes de harengs fétides et d'une miche de pain noir. Ou pire encore, ce *Matesson* avec lequel Marie lui a dit avoir « emprunté un raccourci » à travers la forêt, un soir. Anne-Angèle a compris à demi-mot qu'il était brutal et décérébré, comme le sont parfois les proxénètes. Ce qui serait vraiment déplorable, ne peut-elle s'empêcher de penser, ce serait que l'adolescente se prostitue elle aussi. Elle n'est sûre de rien, mais tout de même, il y a des signaux : cette odeur que Marie trimballait sur elle un jour en rentrant de ses tournées, une odeur de savon, comme si elle avait pris un bain. Ou celle de l'essence sur ses vêtements, ce matin même tandis qu'elle lui annonçait avoir obtenu un emploi de ramasseuse de choux dans une ferme. Anne-Angèle lui a demandé des explications quant à cette odeur de fuel, mais Marie a rétorqué qu'il s'agissait certainement d'une hallucination de sa part, « comme celles des Bédouins égarés dans le désert, ma tante... »

Prise de cours, la vieille femme brandit une image de la Vierge, un chromo récupéré dans les gravats de l'ancienne usine :

— Marie, je te demande de jurer là-dessus que tu me dis la vérité.

Et la gamine de répondre :

— Oui, je le jure.

— Tu me jures, Marie, que tu n'as rien fait de répréhensible, en échange de cet emploi ?

— Oui, ma tante, je le jure ! répète la gamine en posant une seconde fois sa paume sur le chromo.

La vieille infirmière n'a d'autre choix que d'accepter la parole de l'enfant.

Elle remonte les couvertures sur son menton. La fièvre ne tarde pas à se faire sentir, tout d'abord sous la forme d'un long courant d'air chaud qui l'emporte et la soulève, elle et sa lourde fatigue. Un vent comme autrefois il en arrivait du désert, langoureux et porteur de sable. Amenant dans sa traîne des senteurs d'oxyde. Elle sent ses pieds décoller du lit et même les couvertures se soulever de son corps moite, comme les voiles d'un frêle esquif. Toute la pièce bascule et tangue.

— Je suis partie pour un beau voyage, se répète-t-elle. Je navigue vers la guérison…

Elle tend une main hésitante vers la table de nuit pour vérifier que la photo du jeune Jean-Edmond est toujours là. Oui, Marie l'a même posée sur une assiette pour qu'elle soit facile à retrouver. Également sur la table de nuit se trouve la bouteille d'eau des *sept vagues* qu'elle identifie en effleurant l'étiquette. Le cadeau magique de la petite Taïa, dont il lui semble que là où elle va, vers les océans du délire, il pourra lui porter chance.

Des choux, il y en a à perte de vue. De grosses boules blanches qui, telles des têtes de macchabées oubliées sur un champ de bataille, sont soudées à la terre gelée.

Ce périmètre de quelques hectares, s'il appartient à Hubernot, comme presque toutes les terres à l'ouest de Tourcy, est surveillé par des sentinelles allemandes armées, car ces choux sont cultivés pour leur seule consommation. Le champ est gardé jour et nuit, plus par crainte d'un empoisonnement de la part des résistants que par celle des voleurs. Ce jour-là, l'équipe de ramassage est principalement composée de vieillards, des pauvres bougres qui n'ont jamais rien possédé ou dont les jardins ont été réquisitionnés par l'envahisseur. Ce qui, du fait de leur âge, revient strictement au même. Hubernot, dans sa grandeur d'âme, leur a confié en priorité le privilège de cet emploi. Les ouvriers, hommes et femmes, n'ont pas moins de soixante ans, et c'est pour cette raison que Matesson, habituellement chargé de surveiller les opérations de ramassage depuis sa charrette, a conseillé à Marie de se grimer.

— Plus... plus tu feras vieille et moins on te posera de questions. Et puis, si... si... possible, évite de parler, car les gens se demanderaient ce qui... qui... t'a valu le... le privilège de cet emploi... Tu m'entends, Marie ?

Oui, Marie a bien entendu, elle n'est pas sourde. Pour se fondre dans le troupeau des ouvriers, elle a enfilé plusieurs couches de tout ce qu'elle a pu trouver dans les placards : une chemise de nuit et une blouse de sa tante, et par-dessus tout ça, un burnous de grosse laine sanglé autour de son ventre par une cordelette et dont la capuche lui dissimule le visage. L'avantage de cet accoutrement, en plus de lui donner une silhouette d'adulte, pense-t-elle, c'est qu'elle n'aura pas froid.

En posant le pied sur ce champ, vêtue comme une improbable Gitane, Marie ce matin-là a l'heureuse sensation de pénétrer dans une gravure comme elle en a vu aux murs de l'école et dans la vitrine de la mairie. Un paysage de labour dont le soleil, en déteignant sur le gris bleuté de la brume matinale, semble célébrer indéfiniment la gloire du Maréchal en arborant les trois couleurs du drapeau français. Oui, cette aurore est celle du travail victorieux, de la domination du mal par l'effort. La brume se dissipe pour laisser venir sur son visage la tiède douceur d'un rayon de soleil et elle y voit un signe. Dieu et son collègue l'apôtre Pétain lui pardonnent de ne pas avoir toujours dit la vérité à sa tante et même d'avoir commis des larcins pour le compte de Matesson et de ses amis résistants. Au besoin, si la guerre se termine et qu'il subsiste ne serait-ce qu'une église, Marie se promet d'en franchir le seuil pour aller s'y confesser.

Les ouvriers, alignés tout en bas du champ, puisqu'il est en légère pente, sont munis d'un large sac en toile de jute ainsi que d'une serpette. Ils attendent le coup de sifflet d'Hubernot, debout droit dans ses bottes, en retrait du fossé au-dessus duquel Matesson patiente sur sa charrette.

Le maître des lieux tient à la main un papier qu'il déplie en s'excusant par avance de ne pas avoir de mémoire. Ce qu'il a à à dire, dit-il, est bref, mais il tient à l'exprimer.

— Chers membres de la communauté, chers tous, je sais la difficulté morale que vous devez éprouver à ramasser des choux pour « qui vous savez » et croyez bien que je la partage. La guerre, parfois, ne nous laisse pas d'autre choix que d'agir en serviteurs. Mais un jour, la récolte s'achèvera et nous aurons quelques raisons d'être fiers de nous ! Voilà... Bon travail à tous !

Hubernot replie son papier d'un air entendu. Matesson se redresse sur sa charrette en mimant quelques applaudissements étouffés par l'épaisseur de ses mitaines. C'était un beau discours un peu porteur de message, en sous-texte. Il lui en a fallu du courage, à Hubernot, pour le prononcer en présence de sentinelles allemandes, bien que la plupart ne parlent pas français et aient autre chose à faire que de se préoccuper d'ouvriers du troisième âge.

Le sifflet d'Hubernot retentit dans la brume, la file des ouvriers se met en branle comme un seul corps voûté dans un flux de vapeur bleue.

Un vent brûlant tournoie en déplaçant des rafales de sable et de sel. Dans ce désert de fièvre, Anne-Angèle croit reconnaître par instants le chant du muezzin, puis, au-devant, dans la poussière, elle distingue la silhouette de Jean-Edmond. Encore lui. C'est une image diffuse, jaunasse, mangée par la lumière et les particules virevoltantes, tel un fragment de pellicule qui se consumerait dans le faisceau brûlant d'un projecteur. L'apparition vibre et oscille à la surface du sable. Anne-Angèle se souvient très bien de ce jour, le dernier où elle entendit le son de sa voix. Jean-Edmond, qui avait conçu un anémomètre artisanal à partir d'une hélice, s'était élancé à la rencontre d'une tempête de sable. Heureux comme un gosse à l'idée de pouvoir en mesurer la vitesse. Il avait crié : « Je reviens de suite », et n'était jamais réapparu.

Mais dans ce rêve, il est là, de nouveau. Il avance vers la tempête. Anne-Angèle tente de lui parler, le supplie d'interrompre sa marche, mais le jeune homme ne l'entend pas. Anne-Angèle est désorientée, elle a chaud, se demande où est Marie, se rendort, se retrouve de nouveau perdue dans la tornade. Jean-Edmond se trouve toujours devant, quelque part, dans ce tourbillon ardent où se confondent la lumière et le chant des minarets. Elle le voit. Il réapparaît. Elle regrette de l'avoir suivi, c'était idiot de sa part, songe-t-elle.

La pauvre femme entend de loin en loin le chant du muezzin, se réveille et réalise qu'il s'agit du son des haut-parleurs du camp d'aviation voisin, porté par un courant d'air glacé qui file sous la fenêtre et traverse la Verrerie.

Combien de temps a-t-elle dormi ? Ce cauchemar était réel au point qu'elle en a encore le goût du sable dans la bouche. En regardant vers la fenêtre, elle aperçoit confusément un rectangle de lumière grise. Le jour semble décliner.

Elle se demande où est Marie. Se souvient qu'elle est partie le matin même pour ramasser des choux dans une ferme du coin. Il lui faut rassembler ses esprits, ne plus se laisser glisser vers le sommeil. *Être là, rester là.*

La malade entend de nouveau quelque part, derrière l'écho des haut-parleurs de la caserne, un bourdonnement qui ressemble à celui d'un avion, ouvre grands ses yeux que la sueur embue. Ce bourdonnement n'est autre que le ronronnement de Paillassonne qui lui lèche le visage de sa langue râpeuse. Le félin remonte sur ses joues, patiemment, laborieusement, il lape, s'approche de ses arcades sourcilières. Le ronflement rauque, incessant, soutenu par le rythme identiquement court de l'expiration et de l'inspiration, semble plus sourd dans les expirations. Comme si Paillassonne ressentait un immense plaisir, comme si elle souriait, se préparait à un festin. Et ce son jubilatoire horrifie Anne-Angèle qui sait, pour l'avoir entendu dire autrefois dans les hôpitaux, que des comateux ont eu les paupières dévorées par leurs animaux domestiques.

La vieille femme cherche de sa main hésitante la barre de fer que, par habitude, elle conserve sous son matelas.

Le soleil descend, irisant de sa lumière hivernale orangée la ferme Hubernot dont les ombres projettent au centre de la cour le motif polygonal des toits.

Elle a été très longue, cette journée, longue et harassante. Marie n'aurait jamais imaginé que ses bras et ses jambes, si maigres, puissent générer une douleur aussi vive et prégnante. Aux articulations, surtout. Les couches successives des vêtements composant son déguisement lui ont semblé peser le poids d'une armure, rendant chaque mouvement plus difficile encore. Ce burnous en laine épaisse et rigide comme du carton, elle a éprouvé plus d'une fois le besoin de s'en débarrasser, de réclamer quelques minutes de pause pour reprendre son souffle, ne pas mourir étouffée. Mais elle n'a pas voulu faire d'histoires, parce que les vieux ouvriers, eux, ne semblaient souffrir d'aucune limite, ni ne réclamaient quoi que ce soit. Ni repos, ni eau, ni encouragements, ni rien. Marie a été particulièrement frappée par la vue d'une vieille paysanne aux épaules affaissées et aux mains tordues, dont le visage semblait comprimé par le renoncement et les prières, et qui

301

urinait tout en continuant de couper les choux, comme ça, les jambes écartées, à la manière d'un animal.

Cette première journée, l'enfant se promet de s'en souvenir et d'en tirer quelques leçons. Demain, elle restera à proximité de la charrette pour devoir moins marcher. Et surtout, elle complétera sa panoplie d'ouvrière agricole avec un tablier qu'elle taillera dans une épaisse toile cirée, car ses vêtements sont couverts de boue et la peau de son ventre est irritée à force d'avoir tenu les choux, dont certains étaient lourds comme des boulets.

Au centre de la cour, Matesson a installé une balance sur une estrade improvisée constituée d'une planche et de deux tréteaux. C'est lui qui s'occupe de peser les pommes de terre. Il a conseillé à Marie de se placer en bout de file afin que, son tour venu, il puisse discrètement ajouter une ou deux patates aux deux kilos promis en guise de salaire. Marie a hésité, parce que les combines de Matesson, par principe, elle s'en méfie, et surtout par peur qu'il ne reste rien pour elle le moment venu. Mais à la réflexion, la pyramide de tubercules disposée sur une bâche à côté de son établi est si haute qu'il lui a paru certain qu'il y en aurait pour tout le monde.

Accompagné de son drôle de chien, en retrait, Hubernot est présent lui aussi. Tout en fumant sa pipe, il s'absorbe dans l'examen de ce qui semble être le répertoire de ses récoltes.

Dans un autre recoin de la cour, plus à droite, vers le bâtiment des écuries, là où le sol est couvert de pavés de bois qui amortissent le son des sabots, une dizaine de soldats allemands s'affairent à charger la benne d'un camion avec des choux qu'ils se passent en les lançant, dans une gestuelle quasi olympique. Par instants, un chou roule au sol, alors un soldat rompt la chaîne pour le rattraper et le renvoyer à l'un de ses collègues. Un autre soldat, vraisemblablement le chef de file, donne un coup de sifflet pour interrompre le mouvement, monte dans la benne pour y répartir les choux de façon homogène, en redescend et, d'un nouveau signal, relance le processus de la chaîne.

La plupart de ces hommes n'ont pas plus de vingt ans. Ils ont encore les mimiques facétieuses de l'enfance. En les regardant, on peine à imaginer qu'ils ont déjà combattu et même vu des gens mourir. Ce pays qu'ils occupent et d'où proviennent les légumes dont ils vont se nourrir, ils en sont déjà les héritiers. À les voir s'activer ainsi, on pourrait imaginer qu'ils jouent. Marie sait, pour l'avoir entendu dire par Matesson, qu'ils forment la relève, les tout derniers soldats arrivés d'Allemagne. Pour la plupart, ils ont eu la chance de ne pas être envoyés en Russie, encore qu'à ce stade de l'histoire, tout reste envisageable.

Matesson fait de son mieux et mobilise toute son intelligence pour établir la juste quantité de patates destinée à chaque ouvrier qui se présente à lui. Bien sûr, le poids en fonte de deux kilos sur le plateau de gauche ne correspond jamais au nombre de fécules sur celui de droite, alors il retire une patate, en choisit une autre plus petite ou plus grosse, qu'il remet sur la balance avec l'expression figée d'un horloger protestant. Les vieux ouvriers attendent en silence, aussi patiemment qu'ils se sont cassé les reins à ramasser les choux. À cela aussi, ils sont habitués.

C'est alors que de l'autre côté de la cour, un nouveau coup de sifflet retentit. Le chargement des choux est terminé, mais il reste encore de la place dans la benne de l'engin. Le chef de file fait signe au conducteur d'effectuer une marche arrière jusqu'au tas de pommes de terre, derrière le tréteau du pauvre Matesson qui, ne sachant trop à quoi s'attendre, s'empare de sa lourde balance pour la protéger du véhicule. Les jeunes soldats s'activent à remplir les seaux de patates qu'ils se passent comme les choux un peu plus tôt, avec la même adresse.

Le chef de file remonte à l'arrière du camion pour répartir ces racines, plus petites, dans les creux de la cargaison. Il y a encore de la place, alors *triiiiiit !* encore un coup de sifflet. Et les seaux pleins passent d'un soldat à l'autre.

Tenant sa balance à bout de bras, visage grimaçant tel celui d'un haltérophile amateur, Matesson, piteux représentant d'une justice dérisoire, tente d'échanger un regard avec Hubernot. Mais ce dernier, mal à l'aise, continue de scruter son répertoire en y consignant, entre deux bouffées, cet imprévu dans la répartition de ses récoltes.

Il ne reste plus une seule pomme de terre.

Les soldats bâchent l'arrière du camion qui enclenche la marche avant. Les quelques vieillards restants qui n'ont pas encore reçu leur salaire râlent un peu, mais d'une voix si ténue que l'écho de la cour n'en restitue rien.

L'engin effectue une dernière manœuvre en faisant craquer une vitesse pour se positionner face au portail étroit de la propriété.

Marie, prise de panique, quitte la file et se précipite vers le camion. Elle montre son bidon aux soldats. Puis, comme les soldats l'ignorent, elle frappe à la portière du conducteur.

— Des patates ! Donnez-moi des patates !

Elle prononce quelques formules de politesse glanées dans le livre de Toinette, dont elle ignore, la pauvre, qu'elles ne sont qu'une suite d'obscénités. En guise de réponse, le conducteur fait signe à la gamine de se pousser si elle ne veut pas se retrouver coincée entre la roue et les colonnes du porche.

Le camion accélère, disparaît dans un nuage de poussière qui se dissipe peu à peu.

Marie se retourne et croise le regard d'Hubernot, puis celui des vieux ouvriers qui semblent s'étonner de découvrir qu'une enfant faisait partie de leur équipe, car, dans la confusion, la capuche de Marie est retombée, dévoilant son jeune visage.

Hubernot fait signe à Matesson de s'approcher, et lui parle à voix basse.

— Qui est cette gamine ?

— C'est.. c'est... c'est celle qui m'a... m'a aidé à voler de l'essence l'autre jour. Vous... vous avez accepté de lui... donner un travail en échange.

— J'ai dit ça moi ?

— Oui.

— Dis-lui qu'elle dégage d'ici tout de suite.

— Mais... mais...

— Tout de suite, t'entends, Matesson ! Cette gamine est une honte. Personne n'a jamais mendié à un Allemand dans ma ferme ! Personne !

Marie s'approche de Matesson, penaude, son bidon à la main. Prête à s'excuser de son comportement, mais Hubernot, en la dévisageant, ne lui en laisse pas le temps. Il prend la parole, haut et fort, comme le matin même lors de son discours. Pour être bien entendu par ses ouvriers.

— Je viens de subir un des moments les plus humiliants de ma vie ! Personne n'a jamais demandé la charité à un Allemand dans ma ferme, tu entends, ma petite demoiselle ? Personne ! Alors, je te demande de quitter cette cour, et tout de suite ! Et de ne jamais t'y représenter. Les gens comme toi, sans fierté, représentent la honte de notre nation ! Dehors ! Allez dehors !

Le paysage défile, il fait maintenant presque nuit. De chaque côté du chemin, les arbres se dressent vers le ciel telles les colonnes d'un sanctuaire antique. Un hibou, quelque part dans ce théâtre obscur, donne la réplique à un congénère pour – qui sait ? – s'entendre sur le partage d'un territoire de chasse, d'une femelle. On ne sait finalement pas grand-chose du langage des oiseaux.

— Di... Dieu que la terre est basse... Ma... ma pauvre Marie, tu... tu n'es vraiment qu'une... idiote ! Je... ne sais pas si tu te rends compte de... la honte que tu as provoquée ! Et... moi qui pensais pouvoir com... compter sur toi !

Matesson est anéanti par la colère. Tenant les rênes de sa charrette entre ses mains tremblotantes, on le dirait en proie à une crise de démence. La gamine assise à côté de lui, son bidon vide sur les genoux, ne dit rien. Elle a bien compris qu'elle s'était mal comportée. De Matesson, elle ne voit plus que l'ombre. Sa tête bouge au rythme des secousses de sa charrette paraissant lui répéter indéfiniment : *Non, mais non, mais ça n'est pas possible d'être aussi sotte !*

— Que voulais-tu que je fasse ? demande la gamine.

— Rien, répond Matesson, rien. Tu... tu devais juste rester dans la file d'attente et fer... fer... fermer ta petite gueule.

— Et mes patates ? Mon salaire pour la journée de travail ?

— Il... su... suffisait que tu... attendes demain... on aurait été en chercher dans un autre hangar !

— Mais comment je pouvais le savoir ? hurle Marie. Moi, quand j'ai vu les Allemands qui prenaient les pommes de terre, j'ai cru qu'on n'aurait plus rien.

— Eh... eh bien... tu es bien avancée maintenant que... tu t'es comportée comme une... lâche !

— Quoi ? Et Hubernot, il se comporte pas comme un lâche ? Ça le gêne pas, lui, de donner ses légumes et le bois de ses forêts aux Allemands ! C'est pas lui, le plus lâche d'entre nous tous ?

— Dis... dis jamais ça, Marie. Hu... Huuuu... Hubernot, lui, il n'a pas le choix. Toi... tu as le choix parce que tu ne possèdes rien... Lui, si.

Marie est sidérée. Si elle s'écoutait, elle lui arracherait le fouet des mains pour lui en mettre un coup sur la figure. Elle n'a jamais rien entendu d'aussi absurde, et d'ailleurs elle le dit :

— Tu racontes n'importe quoi, Matesson, c'est toi le lâche, en fait !

— Qu... qu... quoi ?

— Oui, Toinette a raison, tout le monde a raison, t'es un lâche et en plus t'es con. Si tu n'étais pas le larbin d'Hubernot tu serais clochard à Paris ou encore en train d'ouvrir des huîtres dans un cabaret ! Tu serais toujours l'« huître à ressorts » !

Matesson, visage gonflé par la colère, immobilise la charrette sur le bord du chemin.

— C'est... c'est... Toinette qui t'a raconté ça ?

— Oui, Matesson ! Tout le monde sait que tu es con. Et même que Gaston, il est plus intelligent que toi, parce que, justement, il n'est pas de toi !

— Des... descends de ma charrette ! Allez... des... descends, ouste ! rouspète l'homme, affligé d'avoir déjà mille fois subi ces vexations.

Marie ne se fait pas prier. Elle a déjà posé un pied à terre et elle hésite à ramasser une branche pour frapper l'arrière-train de Jupiter et envoyer ainsi Matesson sur sa charrette vers le fossé.

— Tu sais quoi, Matesson ? Je te maudis et je te souhaite d'être enterré vivant, toi, ton canasson et tous tes amis qui se prennent pour des résistants et te prennent tous pour un pauvre type !

— Eh bien... je... je ne suis pas sûr que... que... Dieu marchera dans ta combine, Marie ! hurle l'infirme, fouettant la croupe de Jupiter qui bondit en avant dans un hennissement.

Chienne de vie. Marie n'en revient pas d'une journée aussi inutile et ratée. Et il lui faut à présent marcher deux kilomètres à travers la forêt pour rejoindre la Verrerie où sa tante va encore lui demander ce qu'elle a fait de sa journée et pourquoi elle rentre les mains vides. Et la gamine de devoir encore lui inventer un mensonge en évitant de mentionner Matesson et Toinette, car elle a bien compris que sa tante la soupçonne de trafiquer avec l'un ou l'autre.

En progressant dans les ronces, elle agite son bâton devant elle, comme elle a vu Matesson le faire tant et tant de fois, avec l'assurance d'un aveugle sa canne, espérant ainsi trouver du gibier pris dans ses collets. Et d'ailleurs, voici quelque chose qui bouge et fait bruisser les feuilles, un petit animal qui n'a pas la chance d'être gris pour se confondre avec le sol et dont Marie reconnaît qu'il s'agit d'un furet. Son maigre corps retenu par le filin, il tressaute en tous sens, resserrant ainsi sur lui le nœud coulant au point que son arrière-train s'en trouve paralysé.

Tandis que la gamine s'approche, il montre des dents, petites et pointues qui le différencient de la plupart des rongeurs qui constituent, avec les oiseaux et leurs oisillons, quelques-unes de ses prises occasionnelles. « De cette pauvre bestiole, on ne fera pas un repas, tout juste de quoi nourrir Paillassonne », se dit la gamine en frappant d'un coup de branche l'animal qui continue de bondir d'un bout à l'autre du petit périmètre défini par l'astreinte du piège.

La bestiole ne bouge plus. Marie s'en empare pour la libérer du nœud coulant, mais ça n'était qu'une feinte et le furet la mord en se débattant.

Alors Marie hurle et, folle de rage, lui fracasse le crâne contre l'écorce d'un chêne.

Lorsqu'elle pousse la porte de la Verrerie, sans surprise, tout est éteint. Comme à l'ordinaire, l'air est empuanti par des relents d'humidité et d'urine, avec en fond toujours cette horrible odeur de hareng que les murs tachés de jus refoulent depuis des semaines.

La voix de la vieille retentit à l'étage :

— C'est... c'est toi, Marie ?

La gamine ne répond pas, ce soir elle en a plein le dos d'être *Marie la Boniche*. L'idée même que sa tante la confonde avec un courant d'air, une hallucination ou un fantôme ne lui déplairait pas. De toute façon, pour ce qu'elle a à raconter, le mieux c'est encore de faire silence. Dans cinq minutes elle parlera, dans cinq minutes elle lui dira : « Oui, c'est moi ! Comment vas-tu ma tante ? » En remettant son oreiller en place, elle s'enquerra de sa température. Il lui faudra alors se justifier, expliquer que la journée s'est mal passée, que ce travail aux champs ne lui a finalement rien rapporté. En évitant d'évoquer la séquence déplorable dans la cour de la ferme Hubernot, car Marie est certaine que sa tante lui reprochera elle aussi d'avoir mendié auprès des Allemands. Marie le sait, elle a mal agi. Elle aurait dû attendre, remercier, sourire et même s'excuser auprès d'Hubernot.

En attendant, elle cherche Paillassonne pour lui donner la dépouille du furet.

— Paillassonne, oh Paillassonne !

L'enfant se déplace dans l'obscurité en appelant à voix basse. Elle entend de nouveau Anne-Angèle la héler depuis l'étage, mais elle n'en fait aucun cas. Son chat avant tout.

— Paillassonne, Paillassonne ! C'est moi, Marie, regarde ce que je t'ai ramené ! dit-elle en secouant le petit animal pour le rendre attractif et vivant, à la façon des leurres suspendus au-dessus de la tête des enfants dans les manèges.

Il arrive souvent que Paillassonne ne réagisse pas tout de suite à l'appel de la gamine, c'est comme un jeu. En général, l'animal se réfugie en haut d'un placard ou dans un recoin avant d'apparaître au dernier moment pour venir se frotter contre ses chevilles. Mais là, pas de chat, pas de ronronnement. Marie appelle encore une fois.

— Paillassonne, sors de ta cachette, je t'ai ramené un furet !

— Marie ! C'est toi, Marie ?

À l'étage, sa tante s'impatiente. Elle n'a pas sa voix ordinaire, c'est ce qui frappe la gamine : le ton est inhabituellement geignard. Elle semble vouloir se faire pardonner quelque chose. Marie monte à l'étage pour en avoir le cœur net.

La vieille est allongée dans son lit, luisante de sueur, le regard perdu quelque part dans la semi-pénombre de la chambre.

— Qu'est-ce que tu fais, Marie ? Pourquoi ne me réponds-tu pas ? Tu nous as ramené quelque chose à manger ?

— Non, rien, juste pour le chat ! répond la gamine qui continue d'appeler dans l'obscurité en agitant le furet devant elle.

— Paillassonne, hé, Paillassonne !

— Elle a disparu ! finit par lâcher la tante. Quand je me suis réveillée, elle n'était plus là...

— Hein ?

— Oui, disparue... De toute façon, je t'avais prévenue, les chats sont tous des traîtres !

— Comment tu peux être sûre qu'elle est partie ?

— Je te l'ai dit, en me réveillant je ne l'ai plus entendue ! Elle aura trouvé un foyer plus généreux.

Marie, prise de tremblements, a le sentiment que sa tante lui cache quelque chose. Son chat ne peut pas l'avoir quittée, c'est impossible. Et puis, elle a vu trop souvent la vieille insulter l'animal, le repousser ou même lui jeter son pot de chambre en menaçant de lui tordre le cou ou de le brûler vif.

— Tu mens ! C'est toi qui l'as jetée dehors ou qui l'as tuée !

— Quoi, moi ? Mais tu es tombée sur la tête, Marie ! Tu ne vois pas que je suis malade ? J'ai fait des tas de cauchemars, j'étais inquiète de ne pas te voir revenir.

Incrédule, Marie se met à quatre pattes pour vérifier que le cadavre de son chat ne se trouve pas sous le lit. Mais Anne-Angèle essaie de l'attraper par les cheveux.

— Pourquoi tu fouilles ? Qu'est-ce que tu cherches ?

Marie ne répond rien, elle pousse la table de nuit, soulève les couvertures. La photo de Jean-Edmond tombe sur le sol, la gamine la ramasse, la glisse dans sa poche. Le chat n'est pas là. Enfin, il y est peut-être, mais pour en être sûre il faudrait pousser le lit et donc demander à la tante de se lever. Parce qu'il est venu à l'esprit de la gamine que sa tante ne s'est pas contentée de tuer son chat, elle l'a peut-être mangé et, si c'est le cas, ce qu'il en reste doit se trouver là, sous son lit.

Marie se sent comme folle.

Elle dévale l'escalier, manque de basculer en passant sous la table qui y est encastrée. La dépouille du chat doit se trouver quelque part autour de la maison, ou dans les décombres de l'usine. Sa tante l'aura certainement jetée par la fenêtre.

La gamine fait le tour de la masure, tâtonne dans l'obscurité, plonge ses mains dans les interstices d'un tas de bois et puis ailleurs, là où sont entassés quelques inutiles bouts de ferraille et cagettes glanés lors de ses tournées de mendicité. Mais non, rien, rien.

Marie s'engage dans les ruelles du village, elle appelle :

— Paillassonne ! Paillassonne !

Par les fenêtres borgnes recouvertes de papiers journaux, elle entend des murmures :

— Retourne chez toi, pouilleuse ! Qu'on ne vous voie plus, toi et ta tante, espèces de verrues !

Avec en fond l'aboiement de leurs chiens, bien moins discrets, ceux-là. De ces aboiements, il en provient de toutes les cours et même, en écho, des villages voisins.

Un trait de lumière sous une porte, là-bas, tout au bout dans la brume. Marie reconnaît l'arrière-boutique de la boucherie Trabel.

Elle frappe, personne ne répond, la lumière s'éteint. La gamine frappe de nouveau, de plus en plus fort.

— Oh, Célestin, tu m'ouvres ? Sinon je gueule à tout le monde ce que vous fabriquez la nuit dans votre arrière-boutique !

La porte finit par s'entrouvrir, Célestin porte un tablier noué autour du ventre, rouge de sang. L'air plus hypocrite que jamais, il cache ses mains dans son dos.

— Quoi, Marie, qu'est-ce que tu veux encore ? Je t'ai dit que j'en avais rien à faire, de ton briquet et de tes cigarettes...

— Paillassonne ! Où est Paillassonne ?

— Quoi ?

Célestin reste immobile dans l'entrebâillement de la porte qu'il bloque avec son épaule.

— C'est quoi, tout ce sang que tu as sur toi ? demande Marie. Qu'est-ce que tu étais en train de tuer ? Qu'est-ce que tu caches ?

La gamine tente de pousser la porte, mais Célestin s'énerve et résiste. Ses mains sont effectivement pleines de sang, noir et épais comme du cambouis, il en a jusque sous ses ongles.

— Oh Marie, t'es folle ou quoi ? Si tu cherches des histoires, tu vas en avoir !

La porte s'ouvre et laisse apparaître Bernard derrière son frère. Grand, baraqué, le cheveu ras, les manches retroussées, il tient à la main un couteau dont la lame maintes et maintes fois passée à la meule est réduite à la plus simple expression d'une pointe acérée.

— Qu'est-ce qu'elle a, cette petite truie ? grogne-t-il en dévisageant la gamine. Pourquoi elle gueule comme ça ?

— C'est Marie, répond Célestin, la nièce de la vieille folle qui a mis le feu à Raoul. Elle cherche son paillasson.

— Non, Paillassonne, c'est mon chat ! hurle Marie qui remarque, derrière la haute silhouette de Bernard, cinq ou six bêtes écorchées suspendues à des crochets, aux yeux exorbités, sombres

et luisants comme des boutons de nacre, leur fourrure rabattue jusqu'au bout des pattes.

Horrifiée, ne pouvant brider son imagination,
elle s'avance en tâchant d'identifier parmi ces
cadavres la fourrure bigarrée de son chat.

— Des lapins… Juste des lapins, répond calmement Bernard en retenant Marie par l'épaule. Il a
disparu quand, ton chat ?

— Depuis ce matin !

— Une journée dans la vie d'un chat c'est rien,
il va revenir, affirme Bernard.

— Non, impossible, il ne quitte jamais la maison !
Célestin réfléchit.

— Ça serait pas plutôt ton horrible tante qui
l'a tué ? Ou même qu'elle l'aurait bouffé ? Avec
les fous, tout est possible !

La gamine en reste muette. Elle veut bien
entendre n'importe quelle histoire, mais pas
celle-ci. Quelques instants plus tôt, tandis qu'elle
retournait chaque objet et cherchait sous des piles
de linge sale dans l'armoire de sa tante, espérant y
retrouver les restes de son animal, la vieille avait
bondi de son lit, folle de rage, fouettant l'air de
son pique-feu, manquant de peu de l'éborgner. À
cet instant, Marie avait vu poindre sur son vieux
visage une expression de sauvagerie inédite. Ses
lèvres crispées laissaient échapper un filet de bave,
elle éructait dans un langage incompréhensible
où se mêlaient des mots d'arabe et de français
d'une vulgarité inouïe. L'incarnation même du
diable, ou plutôt sa femelle, qui, en brassant l'air
de son tisonnier, avait perdu sa robe de chambre
révélant ainsi un corps décharné et curieusement
flasque, dont la moitié gauche était couverte de
plaies ressemblant à un lierre invasif et bleuté,

316

et donnant à son épiderme l'apparence d'un parchemin enluminé.

Et cette apparition monstrueuse, cette incarnation de la démence, Marie doit la chasser de son esprit pour conserver un peu d'espoir de retrouver son animal vivant.

— Faut te faire soigner, mon petit Célestin, tu dois pas être bien dans ta tête pour imaginer un truc aussi monstrueux ! lance Marie.

Bernard a l'air embarrassé.

— Elle a raison la gamine, dit-il à Célestin en lui tapant sur la tête. T'es vraiment dérangé, mon petit gars... Non, moi, ce que je dis, c'est que ton chat il a dû se faire prendre dans les collets de Matesson. Tout le monde sait qu'il en pose pour attraper des gibiers dont il revend la fourrure au marché noir. Et si c'est pas Matesson, ce sont les Allemands qui l'ont attrapé, et là, je ne donne pas cher de la peau de ta bestiole.

— Pour... Pourquoi ? demande Marie.

— Parce que eux, les chats, ils en ont rien à foutre de leurs belles fourrures, ils s'en servent pour entraîner leurs chiens. Ils les accrochent vivants à leurs motos et ils traversent le champ d'aviation à pleins gaz. Il faut voir dans quel état leurs saloperies de clébards mettent ces pauvres bêtes. Je peux te dire que ton chat, s'il revient de son petit tour de moto, il aura une bonne raison de s'appeler Paillassonne.

Marie reste plantée là, livide. Tellement horrifiée que les deux frères partent d'un grand fou rire.

— Je ne reçois pas à cette heure-ci. La maison n'est pas encore ouverte ! Pas avant huit heures ! Revenez tout à l'heure ! *Kommen Sie später noch mal, das Haus ist noch nicht offen !*

La voix de Toinette retentit depuis l'intérieur de la maison.

Marie frappe à nouveau, si fort que le volet finit par s'ouvrir. Toinette apparaît, mal réveillée. De sa chemise de nuit entrouverte dépasse un sein flasque auquel Gaston se cramponne et qu'il semble vouloir téter. Ses cheveux mal peignés et réunis en paquet sur le côté donnent l'impression que son oreiller est resté collé à son visage.

Enfin, c'est ce que se dit Marie en reprenant son souffle.

— Toinette, il faut que tu m'ouvres, je cherche Matesson !

— Non mais, qu'est-ce qu'il t'arrive, Marie ? Qu'est-ce que tu fous là, dans un tel état de saleté ? Je t'ai dit de ne plus venir traîner par ici ! Quelle heure il est ? demande-t-elle en dévisageant la gamine, dont les cheveux sont trempés, les mollets maculés de boue, et qui tient dans sa main fermée la dépouille ensanglantée de ce qui a dû être un furet.

D'avoir marché toute la nuit, la gamine en a presque oublié ce petit cadavre que l'on pourrait prendre pour une peluche informe.

— Je cherche Matesson, répète la gamine en agitant les bras. Je dois lui demander quelque chose, c'est urgent !

— Il est dans la forêt à cette heure-ci.

Toinette, émue par l'expression dépitée de la gamine, ouvre en grand le volet et la hisse par les épaules pour la faire entrer.

— Allez, passe par là, va. Quitte à l'attendre, autant que ce soit au chaud !

Matesson est assis face à Toinette et Marie, les coudes sur les genoux avec l'air penaud d'un repris de justice qui attendrait l'énoncé des faits qui lui sont reprochés pour commencer à s'en justifier. En rentrant de sa tournée matinale d'inspection des collets, quelques instants plus tôt, il n'a pas eu le temps de délacer ses souliers crottés que les deux femmes lui sont tombées dessus, lui faisant redouter un acte de trahison de Marie dont Matesson a quelques raisons de redouter qu'elle ait cafeté à Toinette ses combines pour le compte des résistants locaux. Il n'est pas très fier de l'épisode de la veille, puisque, après s'être fait copieusement insulter par Marie, il a eu droit aux remontrances d'Hubernot, lui reprochant d'avoir recruté des individus indignes de confiance pour ce qu'il nomme son Organisation des Braves de l'ombre. Il parlait de Marie, bien évidemment. Le pauvre Matesson a bien tenté de faire valoir les risques que cette petite avait pris pour leur compte en allant subtiliser du carburant au camp ennemi. Ce précieux fuel dont il est entendu qu'ils s'en serviront pour faire des bombes incendiaires destinées à couper la route aux fuyards allemands quand le temps de la libération sera venu. Mais Hubernot était dans un tel état de colère qu'il n'entendait plus rien. Affreusement vexé. Le pauvre Matesson a même cru qu'il allait lui-même être exclu de l'organisation et, plus grave encore, qu'on lui retirerait ses fonctions de métayer et garde forestier qu'il affectionne par-dessus tout.

Toinette engage l'interrogatoire sur un ton plutôt âpre.

— Bon, Matesson, si tu sais quelque chose, mieux vaut que tu le dises tout de suite...

Le pauvre homme en a le visage qui se ramollit. L'espace de quelques secondes, il en oublie même ses tics. Il regarde les deux femmes avec l'expression d'un bœuf voyant s'ouvrir devant lui les portes de l'abattoir. Si Marie a effectivement fait part à Toinette des relations particulières qu'il entretient avec les résistants, pas seulement avec Hubernot, mais aussi Serraval et même le curé du village et dont il n'ignore pas à quel point Toinette les exècre, il y a fort à craindre que sa femme se laisse emporter par une de ces colères qu'il redoute tant. Bien plus redoutables encore que celles d'Hubernot. Il n'y a pas si longtemps, par exemple, il avait eu la mauvaise idée de vouloir installer pour le compte de quelques-uns de ses amis un poste radiophonique dans la maison, merveilleux instrument à ampoules qui lui aurait permis de recevoir des messages de Radio Londres. Toinette était entrée dans une colère noire, lui rappelant que ses « amis déserteurs anglais » ne seraient jamais bienvenus chez elle. Ne serait-ce que par l'intermédiaire de cette radio, rappelant à l'occasion que *de Gaulle* avait bon dos de donner des ordres et s'écouter bavasser dans un micro, confortablement installé dans un salon londonien à se bâfrer de pudding. Et que ça ne leur coûtait pas cher, à ces gens-là, d'envoyer depuis là-bas leurs avions se vider les intestins de munitions sans trop se poser la question du nombre de morts que cela faisait parmi la population française. Toinette en était devenue comme folle, impossible à raisonner. Les insultes fusaient dans le désordre, au point de tourner en un langage presque aussi surréaliste que les messages de Radio Londres, justement.

Matesson aimerait tirer une leçon définitive de tout ça, cesser surtout d'être traité comme un gamin de douze ans par sa femme. Il hausse le ton.

— Si... si j'ai... fait quelque chose de mal... il... faudra encore... encore le prouver !

Mais cela énerve encore plus Toinette.

— Non mais dis donc, Matesson, tu te crois dans un film ? C'est quoi, ces manières ?

— Le ca... ca... le carburant que la petite a volé l'autre jour, c'était pas pour qui... tu crois, admet-il puisqu'il voit bien que Toinette, contrairement à la Milice, et du fait de sa profession, sait mieux que quiconque décrypter le regard d'un homme qui ment.

— Mais de quoi tu parles ? Tu as bu ou quoi ? Il s'agit de Paillassonne !

— Qui ?

— Paillassonne ! crie Marie à son tour. Fais pas semblant de ne pas savoir ! C'est marqué en gros sur ta gueule, que tu sais quelque chose, Matesson !

Toinette reprend la parole.

— Son chat... il a disparu ! Si c'est toi qui l'as pris dans tes collets, dis-le-nous tout de suite et qu'on n'en parle plus !

Matesson reste coi, tâchant de se remémorer le début de cette conversation pour être bien certain de ne pas avoir divulgué malgré lui des informations compromettantes. Son visage se met à trembler au rythme du sang qui irrigue à nouveau son cerveau.

— Ah, euh... Oui, maintenant que tu me le... dis... ton chat, je crois savoir où il est... Ce matin, j'ai vu... comme des traces inhabituelles dans la forêt.

— Où ça ? Quelles traces ? trépigne Marie.

Aucune trace dans la boue, absolument rien. Si, tout de même, en regardant bien, Marie croit reconnaître au fond d'une flaque l'empreinte en creux d'un chevreuil, encore qu'il puisse s'agir d'un marcassin, puisque les chevreuils brouillent leurs propres traces en marchant. Mais rien qui ressemble de près ou de loin à celles d'un chat.

Pour parvenir dans cette partie de la forêt, un endroit si sombre que la mousse se répand de façon homogène à la surface des écorces, faisant fi des règles d'exposition à la lumière, il a fallu marcher, beaucoup. Par endroits, des ruines de blockhaus datant de la Grande Guerre émergent du sol. Monstres de béton recouverts eux aussi de mousse et de lierre, qui les font ressembler aux vestiges d'Angkor. Cette partie de la forêt, Marie a entendu Célestin en parler, se vantant même de connaître des galeries souterraines y menant, mais jusqu'à présent elle n'y voyait que le fruit de son imagination.

— Voilà, c'est... ici..., dit Matesson.
— Ici où ? répond impatiemment la gamine, en cherchant autour d'elle.

Du bout de sa baguette, Matesson trace un rectangle sur le sol.

— Entre là… et… là.

— Je ne comprends pas.

— C'est là… que… je… t'enterrerai, si tu répètes un jour à Toinette ou à n'importe qui ce… ce qu'on a fait… tous les deux !

— Mais je n'ai rien dit sur tes activités secrètes, Matesson ! Absolument rien ! Et d'ailleurs tu peux être sûr que c'est le dernier de mes soucis !

— Je… je sais, mais je tenais à… à te prévenir, Marie. Et… et je veux te dire aussi que j'ai pas digéré tes… tes insultes d'hier ! Je… je suis peut-être idiot, mais… con… contrairement à Toinette, j'ai le sens des valeurs.

Sur ces paroles, Matesson tourne le dos à Marie et reprend le chemin en sens inverse.

— Et mon chat ? demande-t-elle naïvement alors que l'homme disparaît en boitillant dans l'ombre tissée par le treillis des branchages.

— Pas… pas… vu ! lâche-t-il, sans même se retourner.

4

Une auberge à Leipzig

À quelques dizaines de mètres, de l'autre côté des barbelés, les soldats vaquent à leurs occupations autour des baraquements. Marie, qui a marché plusieurs heures à la recherche de son animal, épuisée à force de répéter son nom en boucle, a décidé de s'arrêter pour reprendre son souffle. C'est le meilleur point de vue sur le camp d'aviation, le plus dégagé. En se concentrant un peu, on peut sentir sous les vapeurs d'essence les odeurs de choux cuit et de lard provenant du réfectoire, puisque la sirène annonçant l'heure du déjeuner vient de retentir et que les soldats s'asseyent dehors pour manger sur des caisses militaires ou restent debout, adossés contre le mur du bâtiment. De les voir s'empiffrer ainsi rend l'attente supportable, le supplice plus tolérable. Si son chat est toujours en vie quelque part, songe Marie, c'est certainement dans cette zone-là du camp. Enfin, si elle était un chat, elle, c'est ici qu'elle viendrait rôder.

Parmi les soldats, un grand gaillard que la gamine croit bien reconnaître comme étant l'un des clients de Toinette – encore qu'elle en ait vu défiler beaucoup depuis quelque temps et que ces types se ressemblent tous – est en train de raconter une histoire à ses amis. Il le fait entre deux bouchées, tenant du bout des doigts sa fourchette qu'il agite devant lui, comme un chef d'orchestre sa baguette, afin de renforcer entre deux silences un bon mot, un trait d'esprit. Ses camarades l'écoutent et rient, pas pressés le moins du monde de finir leur gamelle. Marie se demande ce que ce type peut leur dire de si passionnant qui vaille mieux que de se nourrir. Peut-être leur raconte-t-il sa dernière partie de jambes en l'air avec Toinette ? Ou comment il l'a surprise, elle, nue dans la bassine avec Gaston ? Marie aimerait bien rire elle aussi, comme eux, bêtement. Pouvoir se sortir de la tête cette sale matinée, car elle est certaine que cette brute de Matesson ne plaisantait pas et qu'elle a échappé de peu à la mort. Le rectangle qu'il a délimité sur le sol du bout de son bâton, d'un geste sûr, sans trembler, représentait vraiment la taille d'une tombe. De *sa* tombe. L'enfant se demande combien de personnes Matesson et ses amis de l'Organisation des Braves de l'ombre ont eu l'occasion d'assassiner et d'enterrer dans la forêt. Elle sait, pour l'avoir entendu dire par Solange que ceux qui se sont opposés à l'Organisation dans la région l'ont bien regretté. L'ancien occupant du cabinet d'infirmerie, entre autres, celui que tous ici appellent *le juif* et dont Célestin prétend que le cadavre a été retrouvé dans la rivière. Lui aussi aurait dit quelque chose qu'il ne fallait pas dire, ou refusé de faire quelque chose qu'il aurait dû faire. Ou soigné quelqu'un qu'il n'aurait pas dû soigner. La guerre est une affaire compliquée. Surtout lorsque fondamentalement on se fout d'être français ou allemand, comme c'est le cas de Marie qui, pour finir, se demande s'il ne serait pas préférable de mourir plutôt que de mener une existence comme la sienne, aussi vaine et dont l'essentiel se résume à prendre soin de cette folle aveugle qu'elle appelle sa tante et de se faire exploiter en échange de pas grand-chose par tout un tas d'autres gens dont elle se persuade qu'ils sont des amis ou les membres d'une hypothétique famille à venir. Cette Organisation des Braves de l'ombre est-elle au moins experte dans l'art de tuer un humain ? De façon expéditive, sans souffrance, comme les Trabel, paraît-il, savent le faire lorsqu'il s'agit d'envoyer un veau vers l'autre monde, comme ça, d'un unique coup de maillet asséné en plein front. Comment s'y prennent-ils pour supprimer un indésirable, les *hommes de l'ombre* ? L'étranglent-ils ? Lui tranchent-ils la gorge ? Le noient-ils en l'enfermant dans un sac comme un petit chat ? Et avant de le tuer, lui demandent-ils s'il a une dernière volonté, comme le font les bourreaux avant de faire tomber le couperet de la guillotine ? Marie songe à ce qu'elle demanderait en guise de dernière volonté : un énorme morceau de pain, sans aucun doute, avec du beurre et du fromage et aussi un morceau de lard. En dessert ? Quelque chose de sucré, n'importe quoi, mais vraiment très sucré ! Marie peine à imaginer la félicité de ce dernier instant. Qui sait, le bonheur ne s'arrête pas là, une fois mort, le trajet devient peut-être encore plus surprenant. En allant vers le ciel, peut-être existe-t-il des étapes où on vous pèse ? Votre poids permettant d'évaluer votre niveau de souffrance sur terre. Plus vous êtes maigre, mieux vous serez reçu dans l'au-delà. Au terme de cette longue ascension où les maigres s'élèvent le plus naturellement du monde, Dieu les attend peut-être à sa table. Une belle table bien mise comme celle du Christ le jour de la Cène. La Cène. Plus d'une fois, lorsqu'elle s'est rendue à l'église pour tenter d'y subtiliser des cierges ou une poignée d'insipides hosties, Marie s'est demandé en observant cette peinture ce que les apôtres avaient bien pu se mettre dans la panse avant que le Christ ne leur annonce la trahison de l'un d'entre eux. Que mangeait-on à cette époque en Palestine ? Des dattes ? Du fromage de chèvre ? Du raisin ? À observer ces mêmes peintures accrochées aux murs de l'église, les décors de château dans lesquels le Christ et ses amis déjeunaient ou se trahissaient, la vie devait y être luxueuse, confortable, très confortable. La mort, c'est peut-être ça : un château, une table de banquet, un luxe inouï. En y réfléchissant, Marie se demande si elle n'aurait pas dû provoquer Matesson encore plus pour le pousser à lui régler son compte. Ou même Hubernot, la veille. Oui, Marie regrette de ne pas l'avoir insulté dans la cour de la ferme devant ses ouvriers, de ne pas lui avoir dit qu'il n'était qu'une saleté de bourgeois donneur de leçons tout juste bon à humilier une enfant. Peut-être l'aurait-il alors exécutée sans autre forme de procès, contre une potence improvisée au centre de la cour ? Ou même sur un bûcher, un beau brasier comme on en allumait autrefois pour les sorcières ?

De l'autre côté des barbelés, dans le camp, en retrait du groupe des bavards, un soldat assis sur une marche est en train de finir sa gamelle. Il n'a pas plus de dix-huit ou dix-neuf ans. Contrairement à la plupart des hommes qui s'esclaffent à quelques mètres de lui, il n'est ni beau, ni musclé, ni irradié par la vigueur qui caractérise les jeunes hommes fraîchement débarqués d'Allemagne, ni même à l'idée que l'on s'en fait, puisque depuis quelque temps *le surhomme du IIIe Reich* est de plus en plus juvénile et pâlichon. Le crâne dégarni et vaguement rougi par un coup de soleil, une paire de lunettes en équilibre sur le nez, le corps empâté, petit de taille, encore que la façon dont il se tient – voûté et tête rentrée dans les épaules – le fasse plus petit qu'il n'est en réalité, il mange en compulsant une revue posée sur ses genoux. Par instants, l'un de ses congénères emprunte les marches sur lesquelles il est assis, alors il se décale d'une fesse, sans parler ni quitter sa revue des yeux. Tout en feuilletant les pages de sa main gauche, de son autre main, il fouille du bout des doigts le fond de la gamelle pour en ressortir un aliment qu'il porte distraitement à sa bouche et mâche longuement, mécaniquement, en le faisant passer d'une joue à l'autre, sans paraître en tirer le moindre plaisir. S'agit-il d'un morceau de porc bouilli comme les Allemands en consomment, un cartilage, un osselet, un bout d'oreille ? s'obsède la gamine. Le jeune lecteur, lassé de mastiquer, finit par recracher la bouchée négligemment à ses pieds, pour s'absorber de nouveau dans la lecture de sa revue.

Marie n'en revient pas d'un tel gâchis. Ce qu'elle aimerait à cet instant, ce serait être une souris pour s'emparer de ce déchet. Une souris, ou mieux encore : une taupe. Ainsi, elle passerait sous les chaussures du soldat, pointerait son museau, le temps d'attraper ce petit bout de viande, disparaîtrait sous terre pour se repaître tranquillement, et ne ressortirait plus de tout l'hiver.

Et c'est précisément à cet instant que Marie voit un chat surgir de sous le baraquement et happer le morceau tant convoité. Un animal qui n'est pas sans lui rappeler Paillassonne, quoique l'ombre des poteaux de la bâtisse sous laquelle il s'est réfugié ne permette pas à la gamine d'en être certaine. Le pelage lui semble plus long, plus foncé, tacheté différemment. Il y a bien un air de ressemblance, mais le félin paraît plus docile, moins joueur, mieux élevé. Tandis qu'il mange, le jeune soldat lui caresse le dos d'un air distrait, sans quitter son journal des yeux. Et le chat ne bronche pas.

Marie, déstabilisée par cette apparition, appelle en formant un porte-voix de ses mains réunies, ou plutôt un *porte-chuchotement*, car la gamine n'est pas assez sotte pour s'attirer l'attention des soldats en criant. Elle prononce plusieurs fois le nom de Paillassonne à voix basse en fixant l'animal avec la concentration requise pour la télépathie. Elle s'est livrée à cet exercice plusieurs fois déjà à la Verrerie, parfois même sans prononcer le nom de Paillassonne, se contentant de penser très fort à elle, et le chat ne manquait jamais de tourner la tête et de lui répondre par un miaulement. Littéralement magique. Mais la distance qui la sépare de l'animal ce jour-là et les fils électriques de la barrière parasitent la transmission, pense la gamine. Car tandis qu'elle répète à voix basse « Pailla-sonne, Pailla-sonne, Pailla-sonne », en détachant chaque syllabe, l'animal continue de mastiquer, impassible.

La sirène du camp retentit. Trois coups, fin de la pause, le spectacle du déjeuner s'achève.

Il ne reste plus que dix ou quinze mètres de canalisation à parcourir avant d'aboutir aux citernes qui ne sont pas situées sur la parcelle des baraques de cantine, mais Marie, en progressant à plat ventre dans l'obscurité du boyau, se dit qu'elle se fera son idée une fois de l'autre côté des barbelés. Dans le pire des cas, elle restera accroupie sous un réservoir et patientera jusqu'à la nuit tombée. Capturer Paillassonne sera sans doute chose plus aisée dans l'obscurité. Elle verra bien. Elle avisera. La dernière fois, en venant voler de l'essence pour Matesson, elle a bien observé qu'en passant sous les citernes on pouvait accéder à une zone entre deux baraquements dont le désordre laissait imaginer un atelier de mécanique. C'est d'ailleurs là qu'elle avait failli se faire mordre par le chien de garde qui arrivait d'on ne sait où, retenu au cou par une chaîne. Longue, la chaîne. Marie, ce jour-là, n'avait pas attendu de savoir si l'animal comptait la dévorer vivante. Les bras chargés de ses gourdes pleines de carburant, elle s'était engouffrée dans la canalisation sans demander son reste. Peut-être qu'entre-temps son larcin avait mis la puce à l'oreille des sentinelles, leur donnant l'idée, par sécurité, de rallonger la chaîne du molosse ? Qui sait ? Le chien la guette peut-être à la sortie du conduit. En silence, car les chiens de garde n'ont rien d'autre à faire qu'apprendre la patience. Marie, continuant de ramper dans la canalisation, se jure de ne pas flancher et, si elle devait se retrouver face à lui, de le fixer dans les yeux comme Matesson le lui avait d'ailleurs conseillé ce jour-là, car rien ne déstabilise plus un chien agressif que le calme, paraît-il. *Être calme*. Ne pas avoir peur. Croire aux miracles. Continuer de se persuader que ce chat qu'elle a vu un peu plus tôt aux abords de la cantine était bien le sien, qu'il n'était pas un mirage. Des chats, il y en a tellement dans la région et ils se ressemblent tous. Marie est saisie d'un doute, mais le doute n'est pas constructif. D'ailleurs, elle commence à avoir la tête qui tourne à cause des vapeurs d'essence. « Maintenant que tu y es, tu dois continuer », se dit-elle en se tortillant sur les coudes, tout en s'efforçant de respirer le moins souvent possible.

Émergeant de la canalisation, Marie est aveuglée par la brillance du soleil qui frappe fort ce jour-là et chauffe le métal des citernes, au point que le paysage de la caserne vibre dans les émanations de carburant. Il lui faut s'arrêter et s'accroupir pour reprendre son souffle. Elle se lève, éprouve une véritable difficulté à le faire. Tout le bas de son corps tremble, l'effet des vapeurs, se persuade-t-elle, encore, ou juste celui de la peur. Elle se rassoit, attend. Se demande ce qu'elle attend. En imaginant que, si une sentinelle qui veille depuis les nombreuses tours de guet de la forêt l'avait dans son viseur, elle ferait une cible trop facile.

Un lapin d'argile, songe-t-elle, et cette image la convainc de courir en direction du baraquement de la cantine.

La place est désertée, les employés et les soldats ont dû reprendre leur poste.

Le chat, lui, est toujours là, qui se prélasse sous l'escalier. Procédant à sa toilette, il se passe la langue sur l'arrière-train, longuement, consciencieusement, la patte tendue vers le ciel à la manière désinvolte d'une strip-teaseuse répétant son numéro.

La gamine, se frayant un passage parmi les hautes orties qui bordent un hangar, et dont elle ignore les piqûres, puis entre deux sections de carlingues, prenant garde à ne pas les faire tomber afin de ne pas mettre en alerte toutes les sentinelles du camp, l'appelle encore une fois, à voix très basse.

— Paillassonne ! Paillassonne !

L'animal ne réagit toujours pas et poursuit son entreprise de toilettage. Mais, tandis que la gamine qui s'est approchée s'apprête à poser la main sur son dos, il feule et déguerpit. Marie court elle aussi, pliée en deux pour ne pas se cogner la tête en passant sous un camion en stationnement, à la poursuite de cette maudite bestiole qui vient d'escalader une palissade avant de se faufiler dans l'entrebâillement d'une fenêtre.

— Saloperie de chat ! Sale pute de chat !

Marie contourne la bâtisse, emprunte l'escalier. Hésite avant de pousser la porte, et se retrouve face à un long couloir de plancher en bois brut. Aucun bruit, hormis le grincement de la porte qu'elle referme doucement derrière elle. Un panneau avec des fiches nominatives accrochées au mur, à droite. Une autre porte, devant, battante celle-ci, portant à hauteur de vue une inscription peinte en rouge sur blanc que Marie ne comprend pas, et qui indique certainement des consignes d'horaires. Marie la pousse délicatement par une pression de son épaule et se retrouve dans un immense dortoir : pas moins d'une cinquantaine de lits superposés, alignés, chacun pourvu d'un placard de rangement en métal recouvert d'une épaisse couche de peinture grise. Le silence qui règne ici est sépulcral et il flotte dans l'air une odeur de naphtaline mêlée de laine et de cire. L'enfant hésite à s'avancer, s'accroupit pour retirer ses souliers qu'elle gardera à la main. Ainsi, elle ne laissera pas de trace derrière elle et parviendra peut-être à surprendre le félin qui se cache forcément quelque part ici, dans l'un de ces hauts meubles rectangulaires dont les portes sont entrouvertes d'une façon identique, semblant obéir à une consigne obsessionnelle d'organisation ou d'hygiène.

La gamine s'agenouille, jette un coup d'œil circulaire au ras du sol, mais sa vue est gênée par les pots d'aisance alignés de façon tout aussi cartésienne.

Elle appelle encore, timidement cette fois :

— Paillassonne ! Paillassonne !

Pour mener à bien son inspection, il lui faudrait vérifier chaque placard, ça prendrait un temps fou. Marie hésite. Alors qu'elle s'apprête à quitter le dortoir, elle entend un bruit, quelque chose a bougé, trois fois rien, mais ce *rien* l'engage à réfléchir. Ce son semblait provenir d'un placard justement. La gamine appelle encore une fois. Et comme plus rien ne bouge, elle en conclut que c'est bien de son chat qu'il s'agit. Cette façon de ne pas répondre, de vouloir jouer, c'est forcément Paillassonne, se dit-elle en commençant à vider le premier meuble de la rangée, lentement, méticuleusement. Elle en sort une grosse couverture de laine rêche, des draps et puis tout en haut, en prenant appui sur le montant tubulaire d'un lit, une lourde paire de chaussures militaires qui sentent la graisse rance et la rouille, et dont les semelles cloutées expliquent leur poids d'au moins deux kilos chacune. Pas de chat dans ce placard-là. Alors, Marie se décide à agir avec moins de délicatesse afin de ne pas y passer la journée. Le plus simple finalement, c'est de répandre le contenu de chaque meuble sur le sol. En y mettant un peu d'énergie, ce sera l'affaire de quinze minutes. Lorsqu'un meuble lui résiste, elle se contente de le basculer vers l'avant afin d'en déverser ce qu'il renferme. Peu importe l'effroyable fracas métallique, ce qui compte à présent, c'est de ne pas traîner. Le dortoir semble avoir subi l'onde d'un tremblement de terre, l'air est saturé de particules de poussière. Marie, le visage en sueur, passe d'un placard à l'autre, enjambe ceux qui gisent sur le sol, anguleux et proéminents tels des icebergs de taule. Elle appelle sans cesse : « Paillassonne, Paillassonne ! » Elle va le trouver son chat, elle n'en doute pas. D'ailleurs le voilà, il s'est réfugié dans une chaussure, seule dépasse sa queue que Marie empoigne énergiquement pour l'en extraire. L'animal miaule, griffe et mord, et s'accroche à son soulier tel un bernard-l'hermite à sa coquille.

— Paillassonne ! Sors de là ! gueule la gamine en secouant la chaussure.

Le chat retombe sur le sol, s'aplatit, tente de s'échapper, Marie le saisit par la peau du cou et le soulève. Épuisée mais satisfaite.

C'est alors qu'une main l'attrape par les cheveux et la fait violemment basculer en arrière.

Marie, dont la tête a percuté le montant d'un lit, pousse un cri et, en se retournant, se retrouve face à une sentinelle dont l'imposante silhouette se détache à contre-jour dans l'encadrement d'une fenêtre, ne lui permettant que de distinguer le canon de son fusil braqué sur elle. L'ombre massive de l'homme éructe quelque chose en allemand que la gamine ne comprend pas. Elle sent l'extrémité glacée du fusil qui la heurte et l'engage à se redresser. L'odeur d'acier et de graisse qui émane de l'arme la pétrifie. Elle lève les mains sans pour autant lâcher son animal qui, toujours suspendu, pattes écartées et toutes griffes dehors, émet un feulement enragé.

— C'est... c'est mon chat ! Je ne suis pas une voleuse, je venais juste le chercher ! dit-elle, tremblante, en pointant du doigt Paillassonne comme le ferait un coupable cherchant à minimiser son rôle en désignant un complice.

En le voyant entrer dans la pièce, Marie ne met pas longtemps à reconnaître le jeune militaire qui lisait sa revue sur les marches de la cantine un peu plus tôt. Celui qui nourrissait le chat, c'est lui, justement. Il vient s'asseoir à côté d'elle en retirant son calot. À l'inverse de tout à l'heure, il est vêtu d'une blouse grise et sale, les manches retroussées jusqu'aux coudes. Il paraît terriblement gêné. Face à eux, le chef de camp, un homme sans âge aux allures de bureaucrate, lui demande en allemand de s'expliquer sur la présence de ce chat dans le camp.

Les mains de Hans, pâles et noueuses, tremblent légèrement. À le regarder de près, plus qu'un enfant nerveux, on dirait une jeune fille, tant sa peau est lisse, presque cireuse et imberbe. Sa voix est curieusement aiguë, mais ce timbre est probablement la conséquence de la peur, car il est évident qu'il est terrifié. Au moins autant que Marie et bien sûr Paillassonne, à laquelle l'officier a noué une ficelle autour du cou, reliée au pied de son bureau, en attendant d'en savoir plus sur l'origine de l'incident.

Marie, en désignant l'animal, répète qu'il a disparu de chez elle la veille et qu'elle est bien certaine de le reconnaître, même si pour l'instant il ne lui témoigne pas le moindre intérêt. L'officier, qui comprend le français, traduit les propos de Marie auxquels le jeune soldat acquiesce.

Il dit l'avoir trouvé, le croyant abandonné il lui a donné à manger et le chat est resté, voilà tout.

L'incident est clos. L'officier soupire, puis griffonne quelques mots dans un carnet avec l'air las d'un professeur notant pour la énième fois un mauvais élève. Après un long sermon en allemand auquel Marie ne comprend évidemment rien, il fait signe à la gamine et à Hans de quitter la pièce.

Hans ne connaît que très peu de mots français. Et quand il les prononce, c'est à voix si basse qu'ils sont inaudibles. Marie lui dit qu'elle s'appelle *Marie*, il lui dit qu'il s'appelle *Hans*, ce qu'elle avait entendu. Il s'excuse de lui avoir pris son chat. Enfin, c'est ce que Marie finit par comprendre, puisque, ne parvenant pas à traduire sa pensée, le jeune homme sort un papier de sa poche et y trace un dessin naïf. En quelques croquis, Marie a déchiffré que son chat s'était empêtré dans les barbelés en lisière de forêt et c'est ainsi qu'il l'a trouvé.

— C'est pas grave, ça peut arriver, tempère la gamine en prenant garde de ne pas lâcher son animal, lui ayant laissé la ficelle autour du cou parce qu'il est nerveux et semble guetter la première occasion pour déguerpir de nouveau.

Hans demande comment s'appelle le chat.

— Paillassonne, répond la gamine. C'est une chatte.

— Baillazonne ?

— Non, Paillassone, avec un *P*, reprend Marie en faisant mine de s'essuyer les pieds.

Hans, pensif, regarde le chat puis les pieds de la gamine. Apparemment il n'a rien compris mais ça n'est pas grave. La journée continue, il lui faut reprendre son travail.

Devant un baraquement, au moment de la saluer, il invite Marie à l'attendre, par un geste de la main qui semble dire *une seconde* ou *une minute*, de toute façon, elle est d'accord, elle n'a pas grand-chose de mieux à faire.

Le jeune homme frappe les semelles de ses godillots pour en décoller la poussière, enfile des bottes en caoutchouc, se coiffe d'une sorte de chapeau dont l'élastique lui plisse le front. Enfin, il passe des gants, noue autour de son ventre un tablier, et pousse une porte coulissante, qui laisse échapper une épaisse vapeur en même temps qu'une prégnante odeur de lard et d'huile brûlée. Ces effluves s'accompagnent du tintamarre spécifique des cuisines à l'heure de la plonge, un mélange de tintements de couverts et d'eau qui se déverse dans les éviers métalliques. Marie ne peut s'empêcher d'y jeter un coup d'œil fébrile, et ce qu'elle découvre lui semble être une hallucination : une pièce longue d'au moins dix mètres dans laquelle s'entassent par piles casseroles et gamelles, où s'activent quelques jeunes hommes vêtus de blouses, dirigés par un soldat plus âgé aux allures de rustre, auquel Hans est d'ailleurs en train de s'adresser. Ces jeunes militaires, qui portent tous cet étrange chapeau de protection qui les fait ressembler à des dames dans un salon de coiffure, ne sont rien d'autre que des préposés à la plonge dont les seules armes sont une balayette, ainsi qu'une éponge en limaille de fer. Mais le clou du spectacle, qui impressionne la gamine au point de lui en donner le tournis, se trouve au-dessus de leurs têtes : des dizaines de jambons et de saucissons sont suspendus au plafond, luisants de gras, cuirs tannés et marbrés par le sel et le salpêtre, boudinés dans leurs filets, pointant le sol comme autant de bombes savoureuses. Un peu plus au fond, dans l'air rendu vaporeux par les effluves de cuisson, ce sont des fromages entiers, de la taille d'une meule à aiguiser, qui reposent sur des claies, et dont les tranches indiquent en lettres rouges, avec la régularité d'une collection de grimoires, la provenance et le poids. Dix, quinze, vingt kilos pour les plus imposants. Marie se sent défaillir. L'image est trop forte, l'odeur trop prégnante, elle préfère refermer la porte et patienter dehors en regardant les pistes d'atterrissage où d'autres types en combinaison de meccano s'activent autour d'un moteur, les manches retroussées et les mains pleines de cambouis, à en extraire des organes métalliques avec la dextérité d'un groupe de chirurgiens autour d'une table d'opération. Plus loin, en retrait des ateliers, dans une zone de la caserne qui ressemble à un parc d'attractions, elle observe d'autres soldats qui s'entraînent au saut en parachute en se jetant dans le vide depuis un échafaudage, le dos relié à un filin métallique.

Les jeunes hommes grimpent par équipes de quatre à une échelle, attendent en rang sur un plongeoir, et s'élancent avec un hurlement. Ce qu'ils hurlent, Marie ne le comprend pas, sans doute invoquent-ils leur mère ou Dieu, ou peut-être même un mélange des deux agrémenté de blasphèmes. Une fois atterris dans ce qui ressemble à un bac à sable, ces futurs parachutistes arborent un visage déformé par l'angoisse et il ne fait à peu près aucun doute, à voir leurs joues blêmes, qu'ils se sont oubliés dans leur combinaison.

Hans réapparaît de la caverne miraculeuse des cuisines et tend un paquet à Marie. Au travers du papier d'emballage, Marie palpe quelque chose de chaud, mou et humide. Le jeune soldat désigne Paillassonne, puis mime le geste de manger en portant les doigts à sa bouche.

— Pour lui... Bassazonne... manger !
— Manger Paillassonne ?
— Nein... Nourrir Bassazone ! Pour lui !
— Ah ? Merci, dit-elle, l'air gêné, en passant la main sur la tête de son chat qui, traître animal, persiste à vouloir lui échapper en essayant sauvagement de se débarrasser du lacet.

— Qu'est-ce que tu me mets dans la bouche ? demande la vieille d'une voix endormie.

— De la viande de porc, ma tante.

— Où tu l'as trouvée ?

— Au ramassage des choux... Comme ils n'avaient plus de pommes de terre à la ferme Hubernot, ils ont payé les ouvriers avec de la viande. Ce sont des déchets cuits, mais c'est bon quand même !

Anne-Angèle, le regard absent, mâche, semblant ne pas en revenir.

— C'est un sacré bonhomme cet Hubernot, dis donc. Il est généreux !

— Oui, pour ça...

— Et ton chat ?

— Je l'ai retrouvé aussi, répond Marie. Tu avais raison...

— Raison de quoi ?

— On ne peut pas faire confiance à un animal. Il s'était caché dans le tas de bûches, en bas. Sûrement pour attraper des souris.

La vieille ne cache pas sa surprise.

— Ah bon, tu l'as retrouvé ? Vraiment ?... Au moins, si cette bestiole réussit à attraper ne serait-ce qu'une souris dans sa vie, on pourra se mettre à croire aux miracles ! répond-elle, l'air soucieux, engloutissant les morceaux de saucisse et de lard que la gamine a broyés pour mieux les faire passer dans son vieux gosier.

Marie acquiesce, la vieille a raison, il faut croire aux miracles. La vie en est un. Si son chat miraculé ne l'avait pas forcée, en disparaissant, à se rendre dans le camp, elles n'auraient rien eu à se mettre sous la dent, ce soir. Il aurait fallu se contenter d'un jus parfumé aux rhizomes et épaissi de quelques grains de seigle, en veillant à ne pas ingérer les grains avec des éperons noirs, qui sont porteurs du mal de l'ergot. En fait de soupe parfumée, le corps se paralyse, vous êtes comme saoul et vous pouvez en crever.

En revanche, la gamine est bien plus embarrassée lorsque sa tante lui demande si elle n'aurait pas trouvé, par hasard, la photo de Jean-Edmond. Puisque Marie, persuadée que sa tante a tué Paillassonne, l'a enfouie la veille dans un tas de fumier à proximité de la boucherie Trabel, afin de se venger. Un emplacement où les villageois qui font de l'élevage clandestin de moutons ou de lapins ont pris l'habitude de se débarrasser de leurs déchets. Une odeur infecte s'en dégage, lourde et entêtante comme tout ce que l'on cache. D'ailleurs, Marie ne s'est pas contentée de la jeter, cette sale petite photo, elle l'a aussi préalablement couverte de crachats et piétinée.

Alors la gamine, se sentant terriblement coupable, retourne le soir venu sur ce tas qu'elle remue péniblement à l'aide d'un bâton d'abord, puis à pleines mains. La lampe-tempête dans laquelle elle a fixé maladroitement un cierge, et dont le sillage lumineux se réduit à quelques centimètres, ne lui est pas d'une grande utilité. Lorsqu'elle le retrouve, à force de tâtonnements, le cliché qui a macéré dans les excréments présente un Jean-Edmond méconnaissable. Marie hésite même à le récupérer.

Après l'avoir soigneusement rincée, pressée entre deux épaisseurs de feuilles de journal et exposée à la chaleur du fourneau, elle finit par restituer l'image à Anne-Angèle.

— Tiens, ma tante, je t'ai retrouvé ton amoureux. Il était sous ton lit.

— Sous mon lit ?

La vieille s'empare fébrilement de l'image qu'elle plaque contre sa poitrine en poussant un long soupir de soulagement.

— Oui, tu vois, tu t'es fait du souci inutilement.

Anne-Angèle passe ses doigts sur le visage de Jean-Edmond si lisse hier encore, qui paraît à présent couvert d'aspérités, et même brûlé par endroits. Comme un psoriasis sous la gélatine photographique. En le portant à ses narines, car la pauvre ne voit vraiment plus rien, il lui semble qu'il en émane une étrange odeur, âcre comme de la crotte passée au four. Elle pourrait bien sûr demander des explications à Marie, mais la gamine mettrait cela sur le compte des hallucinations. Et elle aurait sans doute raison. La vieille hésite.

— Tu es sûre, Marie, que personne n'a touché à cette photo ?

— Je te jure que je l'ai trouvée comme ça, sous ton lit.

La pauvre Anne-Angèle vacille. Ce qui lui vient à l'esprit, elle n'ose même pas s'en ouvrir à la gamine : un acte de sorcellerie, se figure-t-elle.

349

L'oiseau qui vient parfois frapper aux volets a dû s'emparer du cliché et s'acharner atrocement dessus. L'esprit maléfique a peut-être même quitté l'enveloppe grotesque du corbeau pour prendre celle, discrète, caoutchouteuse et furtive, d'une chauve-souris et ainsi pénétrer dans la maison. Ces volatiles de nuit dont il est prouvé que même aveugles ils peuvent se diriger, s'emparer d'une proie, retrouver leurs nids. Vous refourguer la rage et tout un tas de saloperies au passage. Une chauve-souris. Une nuée de chauves-souris. Oui, les chiroptères ont peut-être copulé avec cette image. Ils l'ont infectée avec la syphilis. La malédiction est partout, ici. Dans chaque recoin de pièce, derrière chaque placard, chaque latte de plancher, chaque bruissement véhiculé par le plus innocent des courants d'air. Anne-Angèle s'efforce de chasser l'idée que Marie serait peut-être la raison de cette guigne. Mais elle ne peut nier, par exemple, que ses ennuis ont commencé dès lors qu'elle a pris la décision de s'occuper d'elle, que l'accident létal de sa sœur, à Paris, s'était produit alors qu'elle partait retirer des documents destinés à sortir la fillette de son orphelinat. L'origine de ses propres ennuis n'est donc pas sa sœur, mais bien l'accident de sa sœur survenu à cause de cette gamine.

Par-dessus tout, elle ne s'explique pas que l'enfant ait retrouvé son chat vivant, tandis qu'elle est bien certaine de l'avoir massacré à coups de barre de fer la veille. Une dizaine de coups, pas moins. Elle a bien senti entre ses mains le corps chaud et désarticulé du félin. Lorsqu'elle l'a jeté par la fenêtre, elle a entendu un chien s'en emparer et défendre sa prise contre un autre molosse réclamant sa part. Le combat entre les deux chiens a bien duré cinq minutes. Le chat n'a pas pu survivre à un tel carnage, impossible. Comment Marie s'y est-elle prise pour redonner vie à cet animal ? Marie est-elle une sorcière ? Une sorcière capable de redonner la vie ? De prendre l'apparence de ce dont elle se nourrit ? Était-elle l'un de ces chiens ? Anne-Angèle s'interdit d'y songer plus longtemps.

Ce même soir, la fièvre monte et elle est prise d'hallucinations. Marie lui apparaît, mais sa voix est celle de Mathilde, elles ne forment plus qu'un seul et même être, un corps à deux têtes. Et il vient à l'idée de la vieille, telle une funeste révélation, que Marie est tout simplement la fille de sa propre sœur. C'est évident. Tellement évident. Pourquoi ne s'en est-elle pas doutée plus tôt ? Tout le monde lui a menti à Paris, peut-être même Chanfrin-Bellossier, cette ordure médaillée en peignoir de soie, au courant lui aussi. Oui, c'est tout à fait plausible. Cette cochonne d'enfant se comporte de la même façon que sa sœur au même âge. Tout aussi dissimulatrice et menteuse. Même façon de s'exprimer, vous donnant l'impression d'être inférieure, de lui devoir toujours quelque chose. Même façon de cacher des choses sous son matelas. Même façon de chantonner tout et n'importe quoi, comme cette *Valse grise* qu'elle entonne sans cesse et dont elle connaît les paroles par cœur. Et puis, cette histoire qu'elle a littéralement tenté de lui faire avaler : la viande soi-disant gagnée en travaillant aux champs, cette énormité. Évidemment que tout cela pue. Marie se livre certainement déjà à la prostitution. Marie n'est pas seulement une sorcière, la réincarnation d'une chienne, d'une chauve-souris, elle est une pute. La fille de sa sœur Mathilde qui était, elle aussi, une graine de pute.

Le monstre Marie-Mathilde éclate de rire, de ses deux têtes, bouches grandes ouvertes, elle mugit *pardon pour tous ces mensonges* et puis *pardon pour ton amoureux d'autrefois* ! En lui tendant le portrait souillé de Jean-Edmond.

Le même cauchemar, plus tard cette même nuit, Anne-Angèle marche dans le désert, mais cette fois Jean-Edmond a disparu. Elle appelle dans la nuit et finit par le retrouver, assis dans l'anfractuosité d'un rocher. Il lui dit qu'il l'attendait ici depuis toujours, son visage noir et blanc, glacé telle une émulsion photographique, est lacéré, couvert de rayures. Anne-Angèle se blottit contre lui. Le désert s'étend devant eux à perte de vue sous une immense lune rousse, c'est magnifique. Elle lui dit qu'elle regrette tout ce temps passé sans lui. Mais le jeune homme, qui semble ne pas l'entendre, lui parle à nouveau des étoiles, comme il avait l'habitude de le faire. Il la vouvoie.

— Apercevez-vous, Anne-Angèle, cette forme lumineuse là-haut dans la nuit ?

Anne-Angèle fait de son mieux pour la voir, sans y parvenir. Elle dit qu'elle est en train de devenir aveugle, s'excuse d'être porteuse de la fièvre. Le jeune homme, tout contre elle et, en même temps si lointain, poursuit, les yeux toujours rivés au ciel, et dit que ce groupe d'étoiles a de tout temps été un repère pour les nomades.

— Comment se nomme-t-il ? demande Anne-Angèle.

— Les nuages de Magellan.

— Pourquoi Magellan ?

— Parce que c'est Magellan qui les a observés. Depuis toujours, ces étoiles permettent aux marins indiens, arabes, ainsi qu'aux chameliers de s'orienter vers le sud... Ils ont surtout éclairé la fuite des groupes humains les plus humiliés – Pygmées, Bushmen, Australiens, Fuégiens –, refusant de former un peuple d'esclaves. La nuit, cette constellation leur servait de repère pour trouver le sud... Il faut regarder par là, Anne-Angèle, il faut regarder par là.

Anne-Angèle se réveille, elle voudrait être emportée derechef par ce rêve, entendre à nouveau la voix de son amour de jadis. Mais c'est foutu, fini, le rêve est passé.

Elle se demande où est Marie, elle hurle :

— Marie ! Marie ?

La gamine marche depuis bientôt deux heures. Sa tante l'a chargée d'aller prendre de la quinine chez Serraval, car la fièvre l'assaille de plus en plus violemment chaque nuit. Marie a promis. Mais en arrivant devant la maison du toubib, cette belle et rassurante demeure coiffée de son toit d'ardoise, ses encadrements de baies ornées de pierre de taille, elle a hésité, se demandant ce que ce vieux cochon allait lui proposer en échange du remède. Craignant un traquenard, elle est restée un instant à attendre assise sur le muret, toujours le même, celui de l'indécision.

Elle a tiré à pile ou face en lançant un caillou plat sur le sol, s'y reprenant à plusieurs fois jusqu'à ce que le galet lui indique de remettre cette corvée à plus tard. Au lendemain, au surlendemain, on verra bien. Sa pauvre tante n'est plus à un jour près, puisque la fièvre lui fait perdre toute notion de temps. Souvent, elle demande à Marie, qu'elle appelle Marie-Mathilde, d'ouvrir la fenêtre, imaginant que c'est l'été, qu'il fait jour au beau milieu de la nuit. Et puis il lui arrive de se passer la main dans les cheveux pour vérifier qu'il ne s'y cache pas des chauves-souris, de montrer du doigt un nuage d'étoiles qu'elle seule aperçoit au plafond, de se mettre à pousser des hurlements telle une femme en train d'accoucher son mal, interpellant des inconnus, parfois en arabe. Durant ses cauchemars elle invoque très souvent son bon ami Jean-Edmond, le suppliant de ralentir le pas, et tout un tas d'autres fantômes dont Marie croit comprendre qu'ils la concernent, elle. Parmi ces noms, celui d'une femme, Faustina, qu'elle traite de pute, lui reprochant de lui avoir caché que Marie est la fille de sa sœur. Parfois aussi, elle s'adresse à Dieu qu'elle désigne par « le grand maître de la destinée », mais qu'elle traite aussi de « porc » ou encore « de sale porc de proxénète ».

On ne s'ennuie pas, à la Verrerie.

La nuit dernière, dans un moment de relative lucidité, la vieille a décrété qu'elle était envoûtée, elle a donc prié Marie de lui verser de l'eau des *sept vagues* sur le visage. Le petit flacon sur la table de nuit, celui avec l'étiquette illisible. Marie s'est exécutée. Toujours à sa demande, elle lui a enduit les cheveux avec du henné et lui a même dessiné des yeux sur les mains et sur la plante des pieds. Des dessins de protection que Marie a recopiés dans l'album photographique, celui où sont répertoriés les tatouages de femmes berbères. Elle y a ajouté le beau motif des veuves, celui symbolisant la barbe de leurs défunts maris. Une suite de carrés et losanges qui descendent sur chaque joue pour se rejoindre en un triangle sombre sur le menton. Comme sa tante semble momentanément se porter mieux et se rendort, la gamine s'applique le même traitement capillaire et, puisqu'il reste de la boue colorée, le chat y a droit également. Dorénavant Anne-Angèle, Marie et Paillassonne semblent vraiment faire partie de la même famille. Elles sont rousses toutes les trois. Pour être certaine de ne pas être atteinte par la malédiction de sa tante, Marie s'est elle aussi dessiné des yeux sur les paumes et elle en a tracé deux sur l'arrière-train de Paillassonne. Merveilleuse chatte dont elle ne se sépare plus, l'emmenant partout avec elle dans ses tournées de quémandage. À vrai dire, il lui est arrivé de douter en considérant l'animal, se demandant s'il s'agissait réellement de Paillassonne à cause de sa curieuse façon de miauler, mais principalement en raison de la couleur de ses yeux qui ne sont pas exactement du même vert. Et même, pour être tout à fait objectif, pas verts du tout, puisqu'ils sont jaunes. D'un joli jaune d'ailleurs, légèrement orangé. Un regard sucré, solaire, couleur de miel. La gamine s'est convaincue que ce genre de choses pouvait évoluer. D'ailleurs Toinette lui avait dit que Matesson, avant de partir à Verdun, avait de beaux yeux bleu ciel et que, lorsqu'il en était revenu à moitié débile, son regard s'était voilé d'un gris orageux. Qui est aussi la couleur de la poudre à canon.

Marie se convainc par tous les moyens que son chat est bien Paillassonne et que cette transformation n'est que passagère même si, lorsqu'elle prononce son nom, l'animal ne réagit pas instantanément. Une chose est certaine, ce chat-là attrape des souris et pisse partout dans la maison, ce que Paillassonne ne faisait pas.

Il faut donc continuer de croire aux miracles.

Un groupe d'hommes, des silhouettes réunies au centre d'un champ. Tous regardent en direction d'une fosse, attentifs et nerveux comme des scolopendres autour d'une plaie. Certains ont un sac sous le bras, d'autres une cagette à la main, ils attendent. Marie a entendu dire ce matin en traînant autour du bistrot sur la place du village, où elle allait mendier, qu'il y avait peut-être un peu de viande à ramasser par là.

En s'approchant du groupe, elle reconnaît Célestin parmi les badauds. Une corde enroulée sur l'épaule et une lourde valise d'apprenti portée en bandoulière lui donnant l'air drôle d'un ramoneur.

— Qu'est-ce qui se passe ? demande-t-elle.

— C'est le cheval de Matesson qui s'est enfoncé dans une ancienne galerie ! répond Célestin en désignant la fosse du bout du pied.

Marie se penche et observe des individus occupés à déharnacher un cheval. La boue dont ils sont couverts les fait ressembler à des figurines mouvantes et rebutantes. Tout autour d'eux, des bûches de bois flottent à la surface de la vase. Le pauvre Jupiter, noirci de terre, tente de prendre

357

appui sur les parois en lançant ses sabots vers l'avant, mais il rebascule et glisse à chaque fois, au risque d'écraser de tout son poids les gens qui s'activent autour de lui.

— C'est arrivé comment ? demande la gamine.

— Matesson effectuait un transport de bois. En quittant la forêt, comme il s'est mis à pleuvoir, il a voulu couper à travers champs pour gagner du temps. Et là, il paraît que le sol s'est ouvert et qu'il a été aspiré par le fond avec Jupiter et tout le chargement.

— C'est quoi, ces souterrains ?

— D'anciennes canalisations romaines, ou peut-être même des tombes, j'en sais rien. Avec toute la pluie qui est tombée ces derniers mois, la Bellesme a débordé, ça a formé des lacs par en dessous...

Célestin s'interrompt, regardant Marie et son chat avec curiosité.

— Qu'est-ce que vous vous êtes fait avec ta bestiole ? C'est quoi cette couleur de cheveux et ces drôles de dessins que t'as sur les mains ?

— Un truc de fille de la ville, répond la gamine. Et toi qu'est-ce que t'attends avec ta valise ?

Célestin ouvre les loquets du bagage qui contient une collection de couteaux retenus par de fines languettes de cuir et rangés par ordre de taille, ainsi qu'une longue pierre à aiguiser en forme d'ogive et des torchons.

— Si le cheval de Matesson crève, il faudra qu'on le découpe sur place. C'est pour ça que tout le monde attend autour du trou...

En observant le fond de la béance, Marie identifie désormais parmi les ombres la silhouette agitée de Matesson, celle d'Hubernot et même Bernard, le frère de Célestin, qui donne un coup de main en glissant une poutre sous les flancs du canasson pour l'aider à prendre appui sur la paroi.

La gamine se sent terriblement coupable d'avoir souhaité la mort de Matesson et de son cheval au retour de chez Hubernot. D'avoir souhaité qu'il périsse enseveli. Elle y a fréquemment repensé depuis, allant jusqu'à brûler un papier sur lequel elle a inscrit son nom, avant d'en balancer les cendres dans la rivière, en répétant comme une litanie : *Mort, mort, mort ! Terre qui s'ouvre, terre qui s'ouvre, terre qui s'ouvre !* Et la terre s'est donc ouverte. La déesse de Bellesme a exaucé son vœu. Marie regrette. Elle préférerait finalement que Jupiter ne meure pas, ni Matesson d'ailleurs, qui, vu d'en haut, lui fait soudain un effet pitoyable, à se débattre ainsi, dans cette glaise dont il est couvert et qui lui donne l'apparence d'un Africain épileptique. Par instants, il glisse, s'agrippe aux parois, tente de reprendre ses esprits, tousse, et tousse, comme autrefois peut-être dans les tranchées de Verdun. De la galerie romaine, il ne subsiste que quelques pierres en voûte, blanches les pierres, émergeant de la boue telles des ratiches de géant prêtes à mordre, à engloutir. Et de la terre tombe encore, sur les côtés, emportée par les rigoles de pluie saliveuse. Toute l'eau et toute la misère du monde convergent vers ce puits qui ne cesse de s'élargir.

Marie pose Paillassonne près d'elle, s'agenouille et se met à prier, détournant l'attention des badauds qui se demandent à quel jeu peut bien se livrer cette idiote vêtue de guenilles avec ses cheveux rouges et son chat attaché au poignet.

Aussi Célestin la met en garde, à voix basse :

— Euh… Marie, je crois que tu es en train de te ridiculiser. Et puis, fais attention, en te penchant comme ça, tu risques de glisser toi aussi.

La gamine pleure, elle ne le fait pas exprès. C'est le fait de prier un Dieu dont elle peine même à se souvenir, et surtout l'épuisement. Les nuits sont courtes depuis quelque temps, et la faim, tenace. Les résidus de lard offerts par le soldat allemand l'autre jour ont été bien vite digérés et lui ont rappelé le goût d'un vrai repas. La faim en est devenue plus obsédante et pernicieuse encore. Des larmes roulent sur ses joues et, comme elle les écrase de ses paumes couvertes de henné, elles se transforment en larmes de sang.

— Marie... Ça ne va pas ? demande Célestin, voyant la gamine perdre la raison, et aussi parce que les regards se portent maintenant sur lui, le dernier-né de la très honorable boucherie Trabel ; tout cela fait un peu désordre. Bon allez, Marie, le mieux c'est que tu te relèves. Si tu as faim, je te promets que ce cheval je t'en donnerai des tas de morceaux ! Tu veux quoi ? Les oreilles ? Ça te dirait, les oreilles ? Sur les braises je te jure que ça vaut bien une entrecôte... Et puis tiens, je te mettrai une joue de côté, une belle grosse joue de canasson, hein ? Là je te jure que ça va être le festin !

Marie ne répond pas, elle poursuit sa prière. Justement, ce cheval, elle ne veut plus qu'il meure parce que s'il mourait, ce serait de sa faute à elle. Elle le dit dans son incantation.

— Dieu, si tu existes et quels que soient ta tête et ton pouvoir, que tu portes la barbe du Christ, le bouc du diable ou les moustaches du Maréchal, fais en sorte que je n'aie pas à manger aujourd'hui la chair de Jupiter. Délivre-nous du mal et de la faim. Donne-nous aujourd'hui notre pain quotidien, mais c'est tout... rien d'autre, s'il te plaît.

Célestin ne sait plus où se mettre. Il lance des coups d'œil éperdus autour de lui, s'efforçant de sourire pour donner à cette situation une dimension dérisoire et cocasse.

— Euh... Marie... Bon, c'est bien, je crois que Dieu t'a entendue maintenant, tu peux te relever ! dit-il en passant les mains sous ses aisselles afin de la soulever.

Mais Marie reste immobile, les yeux fermés et le visage d'une telle fixité qu'elle paraît endormie.

Venant de la fosse, un mugissement bégayant retentit :

— À... À... la... uuuu... ne !... À... la deux !... À... la trois !

L'énorme Jupiter vient de reprendre pied sur la terre ferme. Tout emberlificoté dans les cordes et les lanières de cuir, traînant derrière lui la carcasse de la charrette, éternuant de la boue, fumant telle une divinité maculée de lave. La foule des badauds se disperse. Certains, déçus de repartir bredouilles, poussent un juron en direction de la gamine, mais discrètement, parce que dans cette affaire de relatif miracle, s'il existe, ce serait aussi un peu Dieu qu'ils injurient.

— Fou... Fou... Foutue bon Dieu de saloperie de journée !

Matesson émerge de la fosse, le corps agité par la peur. Ses cheveux, rigidifiés par la glaise, forment des cônes asymétriques de part et d'autre de son crâne. Pour se donner une contenance et ne pas être tout à fait l'idiot de service aux yeux d'Hubernot qui le précède, il enroule des cordages autour de ses bras noueux rigidifiés par le froid. Mais il perd l'équilibre, bascule en arrière et entraîne son maître dans sa chute. Les voilà tous deux pataugeant à nouveau dans la flaque.

Les badauds encore présents, dont Célestin et son frère Bernard, s'esclaffent. À défaut d'un morceau de viande de cheval à refourguer au marché noir, on aura ri un bon coup. Il faut ajouter au comique de la situation le fait qu'Hubernot a perdu sa botte dans la vase. À quatre pattes, il la cherche de ses bras tendus, tâtonnant tel un aveugle. Tandis que de son côté, Matesson s'agrippe au talus et n'en finit pas de glisser en vociférant des jurons incompréhensibles.

Marie s'approche et lui tend la main pour l'aider à agripper le bord. C'est surtout ça, dont elle aurait besoin, Marie. De sentir la grosse pogne abîmée de Matesson dans la sienne. Une façon d'en finir avec les malentendus. De faire comme les ennemis le font depuis toujours. D'ailleurs, en lui tendant la main, elle dit :

— Pardon, Matesson, pour l'autre jour, je ne pensais pas du tout ce que je disais... Allez, sans rancune !

Mais Matesson, vexé, préfère l'ignorer.

Hubernot est bien plus agressif.

— Qu'est-ce que tu fous là, toi ? T'as pas entendu ce que je t'ai dit l'autre jour ? Allez, dégage de mes terres ! Sale petite garce ! hurle-t-il, le visage maculé par la vase de ses ancêtres.

Bercée par son propre souffle et ses battements de cœur, surtout, dont le rythme lourd lui fait l'effet rassurant d'un tambour, Marie progresse dans les sillons d'un autre champ, loin de Tourcy, loin des terres d'Hubernot, qui doivent bien appartenir à quelqu'un pourtant, espérant y récupérer – qui sait ? – une racine de rutabaga, un panais, une betterave oubliée. Elle remue à pleines mains, en les broyant, des mottes de terre qui ne révèlent rien d'autre qu'une pierre à laquelle le temps facétieux a donné la forme ovale et les contours rugueux d'une patate. Marie jette devant elle ces fécules crayeuses, les maudissant. Et, au fur et à mesure qu'elle s'y engage, les sillons lui paraissent de plus en plus profonds. Les dunes d'un désert détrempé qu'il faut gravir pour accéder à la tranchée suivante, puis, de dune en dune, vers un autre champ, toujours plus grand, toujours plus long, et sur lequel des ormes ébranchés qui en constituent les haies veillent silencieusement.

Des mouches tournoient dans le ciel, d'abord énormes, puis minuscules. Elles n'existent que par la réflexion de la lumière sur leurs ailes et par leur vaine obsession de vouloir occuper tout l'espace. Marie les chasse, mais elles sont toujours là. Turbulentes. Elles reviennent. Encore plus jaunes, les ailes plus brillantes encore, malgré l'absence de soleil ce jour-là.

— Chat, faim… Très faim ! *Hunger*… Lui mourir de faim !

Marie tend Paillassonne à bout de bras en direction de la porte des cuisines de la caserne qui laissent échapper, en plus de l'habituelle odeur d'huile et de lard, celle d'oignons cuits, car il est près de onze heures et que l'on y prépare le déjeuner des sentinelles. Face à elle, Hans vêtu de sa blouse trop grande, les manches retroussées, son regard myope rendu plus vague encore par la vapeur qui embue ses verres, ne sait que répondre à cette gamine qui enfonce ses doigts dans les côtes de Paillassonne.

À chaque pression, le félin gémit douloureusement.

— Lui, très faim… pas manger depuis trois jours !!! Toi lui redonner à manger !… Lui souffrir beaucoup ! Toi comprendre ?

Hans semble avoir compris, en effet, se demandant comment se débarrasser de cette gamine qui a tout d'une folle avec ses cheveux dont la coloration orange a déteint sur les oreilles et le front. Et puis ces yeux peints sur ses mains auxquels ont été ajoutés entre-temps des arabesques et des serpents. Le chat, quant à lui, est couvert d'inscriptions arabes sur les flancs, même une main de Fatma, que la gamine a tracée sur sa tête, et qui le fait ressembler à une créature du panthéon égyptien.

Marie reprend sa rengaine.

— Toi comprendre ?... Faim, faim... manger... *Hunger* !

Arrivant du fond de la cuisine, un homme s'approche. N'accordant qu'un bref regard à Marie et à son piteux animal, il engueule Hans et lui ordonne d'expédier cette enfant qui vient presque tous les jours à la même heure, depuis une semaine, leur faire son numéro. Au début, quelques troufions des cuisines dont Hans en premier ont eu la *mauvaise* idée de lui faire l'aumône de leurs déchets, mais là, ils sont dépassés. C'est fichu. La gamine est animée d'une telle exubérance qu'elle parvient même à convaincre les sentinelles du camp de la laisser passer.

Hans, ne sachant que répondre à son supérieur, hausse les épaules, l'air gêné. Ce dernier agite son torchon en direction de Marie comme pour chasser une nuée de moustiques.

— *Hau ab ! Kleine Fliege...*

Marie profère à son tour quelques insultes entendues chez Toinette, incompréhensibles du fait de sa prononciation. S'apprêtant à renoncer à sa requête, elle pousse un dernier cri étrangement semblable à celui du chat, et qui la rend parfaitement effrayante.

Elle recule, marche un peu, agite les mains devant son visage comme pour chasser quelque chose qu'elle seule peut voir, et s'évanouit.

Hans tient une brosse à la main et une boule de paille de fer de l'autre. Avec la brosse, il donne des coups vifs sur les contours d'une casserole pour en éliminer les traces de feu. Avec la paille de fer, au contraire, il retire le gras à l'intérieur du récipient en effectuant des mouvements circulaires. Ce geste, il faut l'exécuter avec la même délicatesse que pour une valse : léger, aérien, et puis accélérer progressivement le mouvement en appuyant de plus en plus fort vers le centre de la casserole. À la paille de fer on peut ajouter un peu de sable, mais en petite quantité parce que ça attaque le métal. Si le graillon résiste, il est conseillé en dernier recours d'utiliser la spatule en fer suspendue à un clou, au-dessus d'un bac dans lequel sont remisés les ustensiles destinés à être nettoyés. Un instrument de la taille d'une machette et dont la lame est toujours bien affûtée. Une fois la casserole débarrassée de son graillon, il faut la passer à un collègue qui la savonnera et la passera sous l'eau, pour l'envoyer d'un geste sportif enfin à celui qui l'essuiera d'un bref coup de torchon et la rangera sur l'une des très nombreuses et très longues étagères fixées aux murs de la cuisine, avec l'aisance d'un champion de volley-ball. Ce type adroit à la stature de géant, c'est Schmut, le régisseur de la cantine. Celui qui reprochait à Hans sa mansuétude envers Marie. Certains employés des cuisines l'appellent aussi Schmutzi, car s'il est exigeant pour le nettoyage des casseroles, il n'en est pas de même en ce qui concerne son hygiène corporelle et puis, grand consommateur de vin, il émane de l'individu une prégnante odeur de vinaigre. Il est incroyablement antipathique, ce Schmutzi, en même temps, comment ne pas l'être lorsque l'on porte un éternuement en guise de nom, songe Marie.

Tandis que Hans apprend à la gamine les gestes rudimentaires de la plonge et les trente et une façons d'éradiquer une trace de cuisson incrustée au fond d'une casserole, Schmutzi observe, les bras croisés, avec une expression qui en dit long sur son mécontentement de voir cette enfant œuvrer en cuisine. Lui ne se serait pas fait avoir par ses simagrées lorsqu'elle s'est laissée choir, la tête la première, devant la porte de la cantine. Non, vraiment, il ne se serait pas laissé avoir par ce manège qui a persuadé Hans de la nourrir et même de l'embaucher. Il se serait contenté de lui envoyer un seau d'eau à la figure pour la réanimer ou une paire de claques, plus efficaces. Schmutzi n'a pas confiance en cette gamine, aucune confiance, et le temps lui donnera certainement raison.

Mais voilà, ça y est, c'est parti, le pli est pris, Marie est à la plonge. Pour les basses besognes, on ne dispose jamais suffisamment de petites mains, surtout quand elles sont puissamment motivées par la faim. Ce travail lui rapportera quelques pommes de terre chaque soir. C'est ce que Hans a promis, en tout cas, c'est ce que la gamine a compris. Hans est un drôle de type, qui emploie les rares mots de français qu'il maîtrise pour ne pas dire grand-chose. Comme parfois les gens affectés ou trop sensibles, il complique tout. Assez typiquement le genre de soldat auquel on évitera de confier une arme. Ses yeux sensibles semblent avoir été conçus pour une activité à courte vue. Le dessin ou la lecture, par exemple, qu'il pratique d'ailleurs dès qu'il a un moment, frénétiquement, comme pour chasser l'anxiété. Il dessine sur des cartons, lit à peu près tout ce qui lui tombe sous la main : les bulletins météorologiques jetés par les services de l'observatoire du camp et dont les cuisiniers se servent comme papier d'emballage, les modes d'emploi des ateliers mécaniques, des romans à l'eau de rose usés jusqu'à la corde à force d'être passés de main en main, de lit en lit et de latrines en latrines. Et même les revues de propagande, que plus personne ne lit ici et dont les couvertures défendent à grands coups d'illustrations naïves les thèmes chers au IIIe Reich : de beaux hommes blonds, le torse nu ou en tenue militaire, entourés de leur famille à l'occasion d'une permission ou en train de secourir des enfants aux quatre coins du monde, blonds aux visages sculpturaux, eux aussi, forcément. Rien à voir avec le physique ingrat de Hans ou de Schmutzi car, ce dernier, s'il peut revendiquer une apparente forme physique, n'en a pas moins l'aspect d'un gorille albinos.

Si l'idéal aryen a la réputation d'avoir été conçu par une invraisemblable machine idéologique, le jour où elle a engendré Schmutzi, quelque chose devait être déréglé. Ce défaut tient principalement à l'étroitesse de son visage dont le front court et plat aurait pu servir de modèle à Frankenstein. Son large menton, ses bras gonflés par la musculation au point de ressembler à des cuisses greffées à ses épaules, ses mains, disproportionnées elles aussi, pourvues de doigts anguleux, dont cet index qu'il tend cent fois par jour en direction des employés aux cuisines pour leur donner des ordres.

Accessoirement, Schmutzi est aussi celui qui conduit l'engin utilisé pour la collecte des légumes dans les fermes du voisinage, un véhicule équipé d'une benne bâchée que l'on reconnaît de loin malgré son camouflage à cause de l'impressionnante fumée d'échappement qu'il dégage. Lorsque Schmutzi en descend, c'est à la façon d'un entraîneur sportif qui dirige les jeunes recrues chargées de vider les granges et les caves des fermes. Quand, ayant trop hurlé, il n'a plus de voix, il utilise son sifflet, un instrument à vous tuer les oreilles. Il est vraiment très inquiétant, Schmutzi. On l'imaginerait plus volontiers dans un asile de fous avec une camisole de force qu'en régisseur de la cantine. Ces cuisines ne sont évidemment pas le lieu d'affectation pour l'élite militaire, c'est certain. En revanche, il offre un point de vue unique sur l'activité du camp et ses aviateurs qui sont un peu plus représentatifs de l'efficacité germanique, encore que cela tienne peut-être à leurs costumes, la dimension de leurs casquettes, la brillance de leurs bottes qui leur donnent l'air de se mouvoir dans un carénage, et puis aussi à cette façon qu'ils ont de faire claquer violemment leurs talons lorsqu'ils se croisent entre gradés. Plus l'uniforme compte de médailles, plus le talon claque fort en même temps que se dresse le bras, accompagné d'un sonore *Heil Hitler*. Le portrait du Führer avec sa tête d'apprenti boucher éternellement aux aguets est affiché dans chaque baraquement. Les bras croisés, le regard sombre, inquisiteur, il guette.

La gamine fait de son mieux pour garder confiance, en se persuadant qu'elle a bien fait d'accepter cette place, puisque là au moins – et contrairement à chez Hubernot – elle ne court pas le risque de se trouver injustement accusée de collaborer avec l'ennemi. L'ennemi est pleinement chez lui, ici. Rien ne peut lui arriver, pense-t-elle. Ironie du sort, Marie croit reconnaître les pommes de terre qui ont été confisquées quelques jours auparavant, elles sont entassées par dizaines de caisses le long d'un mur. Et même les choux, organisés en pyramides dans un autre coin de la cuisine et qu'un groupe de jeunes cuistots coupent ou râpent frénétiquement. Les bruits de couteaux et de la râpe font songer à la base rythmique d'un orchestre à laquelle se superposent les cymbales provenant des ateliers de mécanique voisins où d'autres soldats martèlent des tôles à longueur de journée. Une fois râpés, les choux macèrent dans des bacs installés dans une pièce attenante aux cuisines et dont les proportions de cagibi et l'absence de fenêtre contiennent tant bien que mal la suffocante odeur de serviette humide et d'alcool qui s'en dégage, sans parvenir à faire oublier celle, somptueuse, des charcuteries suspendues au plafond et qui sont indispensables aux plats typiquement germaniques offerts aux officiers à l'occasion des fêtes traditionnelles.

En cette fin de guerre on entretient la bonne humeur comme on peut.

Il n'est pas rare d'ailleurs qu'un avion venu de Berlin fasse escale ici pour recharger ses réservoirs de carburant et se déleste en retour de quelques caisses de bière estampillées de tout ce qui constitue la panoplie graphique de la grande Allemagne fantasmée : montagnes, aigles, cerfs, bergers au regard sombre. Précieuses caisses que les pilotes offrent aux employés des pistes avant de redécoller vers des destinations inconnues.

Dans un autre placard, cadenassé celui-ci, Marie n'a pas manqué de reconnaître les fameuses conserves de harengs, avec lesquelles les sentinelles du chemin de la forêt s'offrent les faveurs de Toinette. Les boîtes métalliques y sont empilées en quinconce, tels des lingots dans un coffre-fort.

Lorsque les casseroles à dégraisser sont trop grandes pour elle – certaines dépassent le mètre – Marie s'y engage de tout son corps, devenant pour l'occasion une sorte de torchon humain. À chaque coup de paille de fer sur les résidus graillonneux, une formidable odeur de cuisson est ravivée. D'ailleurs, une fois agenouillée dans l'un de ces grands récipients, à l'abri des regards, l'enfant ne résiste pas à la tentation de se fourrer dans la bouche ces fragments gras au goût de viande, âpre et amer à vous tordre l'estomac. Quand elle sort la tête des casseroles, les joues rosies par l'effort et le contour de la bouche encore noirci de graisse caramélisée, elle évite de mastiquer pour ne pas attirer l'attention sur elle, mais ne peut retenir quelques traîtres reflux et borborygmes.

La plonge du déjeuner achevée, il faut passer un coup de balai puis aider au nettoyage des latrines en pratiquant encore ce fameux geste de brossage circulaire, mais avec une brosse plus longue et en se bouchant le nez. Après une courte pause qu'elle passe à apprendre par cœur des mots d'allemand avec Hans qui dessine sur un carton tout en les traduisant un tas de choses indispensables dans sa fonction : *fourchette, cuillère, brosse, serviette, savon, frotter, serpillière,* Marie a le droit d'assister au deuxième service des cuisines qui débute à dix-huit heures et où il faut, cette fois, aider à remplir les gamelles des soldats.

Le service se divise en trois groupes : les mécaniciens et les aides de camp, les sentinelles affectées aux chemins forestiers et enfin les officiers qui ne sortent pas du mess. Les repas leur sont apportés sur un chariot qu'il faut pousser depuis la cantine et dont les roulettes se grippent au contact de la terre battue. Lorsqu'il pleut et que le sol est détrempé, Marie aide Hans à soulever l'engin. Ces jours-là, les roulettes ne sont plus d'aucune utilité. Pour servir les officiers, il faut soigner son apparence, passer un tablier propre, porter des gants et un calot. Il n'a pas été simple d'en trouver un adapté à sa tête d'enfant. Le responsable du ravaudage des toiles de parachute, un dénommé Krall qui croupit derrière sa machine à coudre dans une pièce attenante aux ateliers de mécanique, lui en a fabriqué un tout spécialement, en feutrine. À l'endroit de l'aigle de la Wehrmacht il a brodé une mouche noir et blanc avec une minuscule inscription : *die kleine Fliege.* La petite mouche.

Marie l'a rembourré avec du journal pour faire saillir son sigle personnel. Ainsi coiffée, elle donne l'impression de déambuler avec une bouillotte sur la tête. Mais l'enfant se plaît ainsi. Elle en rajoute même dans ses manières d'hôtesse, apprenant à énoncer, avec le moins d'accent possible, les formules de politesse indispensables qui viennent s'ajouter à sa déjà très longue liste de termes techniques.

Dans ce lieu qu'est le mess, les soldats, dont un grand nombre sont aviateurs, responsables radio, ingénieurs météo, paraissent mieux éduqués que ceux du réfectoire. Ils mâchent silencieusement, sentent moins la transpiration, ne raclent pas le fond de leurs assiettes avec leur cuillère, ni ne rongent les os de mouton ou de poulet, pour le plus grand bonheur de la gamine qui glisse au moment de la desserte les plus charnus de ces déchets dans les manches de son tablier avec l'adresse d'un joueur de poker. Parfois, lorsqu'un os lui échappe et tombe, elle fait en sorte de le ramasser avec ses pieds en mettant à profit la semelle décousue de son soulier telle une boîte à trappe de magicien. Puis elle récupère le contenu de ce réservoir clandestin, la plupart du temps en effectuant une courbette de remerciement, sinon en faisant mine de relacer sa chaussure ou en s'agenouillant pour poser les assiettes sur l'étagère inférieure du chariot.

Plus rarement, il arrive que Marie accompagne Hans dans les appartements du commandant, un petit homme bedonnant, l'air sérieux à cause de son monocle. Son bureau, qui fait aussi office de chambre – pour ce que Marie a pu en apercevoir –, contient quelques vitrines. Hans a expliqué à l'enfant qu'il s'agissait d'un collectionneur invétéré d'objets archéologiques, des figurines de bronze gallo-romaines essentiellement, que les démineurs détectent parfois avec leurs instruments dans les champs, les faisant sonner inutilement. Ces figurines antiques de petits guerriers aux contours mal dégrossis, armés de lances ou de massues, parfois juchés sur des chevaux, sont disposées sur un socle en bois à la façon d'un théâtre miniature où se jouerait inlassablement l'histoire de nos civilisations.

Sur le bureau du commandant, des photos aériennes lui permettent – toujours d'après Hans – de distinguer dans les champs les contours de propriétés gallo-romaines où il lui arrive alors de lancer des fouilles, faisant déplacer pour l'occasion les pelleteuses destinées à la réalisation de fossés autour de la caserne.

En débarrassant la table du commandant, Marie tâche discrètement de repérer l'emplacement de la Verrerie sur les clichés, qui n'est d'ailleurs pas si difficile à identifier puisqu'il se situe en bordure de la Bellesme qui, vue du ciel, ressemble à une longue couleuvre écrasée. Elle aperçoit même au centre de la forêt la petite maison de Toinette avec ses tas de bois, son séchoir à tabac, son bassin, l'ensemble donnant l'impression d'une paramécie vue au microscope.

Le commandant ne prête pas attention à l'enfant, ni même à Hans, qu'il remercie sans le regarder. Homme passablement renfermé et mélancolique, il n'est pas rare pour Hans et Marie, lorsqu'ils pénètrent dans la pièce avec leur chariot, de le trouver debout devant la fenêtre à contempler l'activité du camp, le visage légèrement penché, comme somnolent, au point que sa respiration s'imprime à la surface des carreaux qui conservent des marques grasses, laissant imaginer qu'il lui arrive de coller son nez à la vitre pour considérer le mouvement des engins du camp comme un enfant lassé par la vanité de tous ces invraisemblables jouets.

À quoi songe-t-il ? Que regrette-t-il ? Qu'espère-t-il ? Marie n'en sait rien. *Personne* n'en sait rien.

Lorsque la journée tire à sa fin et que le gigantesque Schmutzi se hisse sur la pointe des pieds pour ranger les dernières casseroles tout en haut des étagères de la cuisine après en avoir vérifié la propreté en râlant, ce à quoi il passe le plus clair de son temps, la gamine en profite pour ramasser discrètement tout ce qui traîne sur les établis : peaux de saucisson, miettes de hareng, quignons de pain, déchets en tous genres qui s'ajoutent à ceux glanés dans les baraquements des officiers et à son salaire de patates qu'elle ramène le soir venu dans son bidon métallique.

Les quelques kilomètres qui séparent la caserne de la Verrerie lui font désormais l'effet d'une promenade insouciante puisqu'elle bénéficie d'un laissez-passer militaire qui lui évite d'avoir à se justifier en cas de contrôle, de toute façon très rare juste après le couvre-feu. Sur le document, il est inscrit *Marie-kleine-Fliege*, c'est devenu son nom officiel, à la place de *Stefanini* que personne au camp ne prend la peine de savoir prononcer.

Paillassonne marche devant, toujours retenue par une ficelle reliée au poignet de l'enfant, persuadée que cet animal lui porte bonheur et repousse par sa simple présence les mauvais esprits qui guettent, *c'est évident*. Il faut croire aux esprits mauvais, *il le faut*, Marie en est de plus en plus convaincue. Surtout à cause de ces cailloux venant de nulle part qui se sont mis à lui tomber dessus, elle aussi, tout comme sa tante prétendait en recevoir. Ce sont des pierres de taille moyenne dont certaines l'atteignent, d'autres passent près de ses oreilles, en sifflant telles des balles en fin de course.

Par moments, le félin s'immobilise pour observer ou renifler tout autour de lui. Il pousse alors un long miaulement plaintif et finalement se roule par terre, s'assied, se gratte l'oreille, se lèche les pattes, à la façon d'un mystérieux rituel, donnant à Marie l'occasion de souffler un peu elle aussi, ce qu'elle n'a pas le temps de faire au camp.

Au fil de ce trajet, il arrive aussi que l'enfant entende des voix qui parlent un langage inconnu, le bruit du vent, imagine-t-elle, d'où s'exhale peut-être l'humeur des ancêtres, les vaillants guerriers gaulois, qui sait. Parfois ce vent est porteur de voix plus intelligibles, qui la traitent de *torcheuse de cul de Boche, cousine de salope, chienne à tout faire*.

L'enfant cherche des yeux autour d'elle, sans succès puisque la nuit, en s'emparant des paysages, prend presque toujours le parti des voleurs et des médisants.

En plus du lot de patates, Hans parfois remet à Marie une lettre affranchie qu'elle a pour mission de poster le lendemain matin au village et dont elle a compris qu'il s'agissait probablement de lettres à son amoureuse restée en Allemagne. Il s'en est justifié, prétendant qu'il était préférable qu'elles ne soient pas ouvertes par le service de contrôle du camp, ni par Schmutzi qui surveille le moindre de ses faits et gestes avec des airs de vieux clown jaloux.

Ils ne pèsent pas lourd, ces courriers, et ça ne coûte rien à la gamine de les déposer sur le comptoir du postier en faisant croire que c'est elle qui les envoie. Pour ce service rendu, Hans donne deux ou trois pommes de terre supplémentaires à l'enfant.

Une fois à la Verrerie, ce qu'elle n'a pas réussi à faire avaler à sa pauvre tante, Marie en remplit des bocaux qu'elle fait bouillir longuement pour les stériliser car certains de ces déchets, lorsqu'ils n'ont pas été ramassés par terre, ont parfois été recrachés par les soldats.

Ces précieuses conserves permettront de tenir jusqu'à la fin de l'hiver, se dit-elle, peut-être jusqu'à l'automne prochain au cas où cette guerre prendrait son temps, puisque pour l'instant rien ne prouve que les Allemands auront décampé au printemps. Tout le monde le prétend, bien sûr, mais il faut se méfier de ce que les gens disent. Certaines nuits, des avions britanniques larguent des prospectus pour avertir d'un déluge de feu imminent, comme l'on prévient des spectateurs d'une pièce où ils seront, de toute façon et qu'ils le veuillent ou non, au premier rang. Ces avis, souvent illustrés avec des crânes ou des éclairs, sont destinés à l'envahisseur et rédigés en allemand. Marie les collectionne comme des devoirs de traduction supplémentaires. *Mort. Danger. Défaite. Déroute. Vengeance* sont les termes les plus communément choisis pour ces messages d'intimidation. D'autres nuits, les avions vrombissants larguent de longs rubans d'aluminium pour brouiller les radars, laissant craindre une attaque, mais ces avions-là ne font que passer, finalement. Au matin, les arbres sont couverts de ces rubans métalliques, évoquant avec un peu d'imagination les fêtes de Noël à venir. Les jours qui suivent, on apprend que les lignes de chemin de fer qui relient Paris ont été violemment pilonnées.

Aussi, l'essence n'arrive plus par wagons mais par camions-citernes qui, chaque nuit, traversent le village, escortés par des motards roulant tous feux éteints et dont le son des moteurs fait vibrer les planchers de la Verrerie.

Un jour, bientôt, il y aura un gigantesque orage. Marie le sait, tout le monde le sent. Et avec cette tempête, les choses se transformeront pour de bon. La mort montrera son vrai visage, enfin. Le mystère s'éclaircira. L'enfant, qui recommence à prendre du poids, n'est plus si certaine d'être la mieux placée pour accéder au paradis, ni même Paillassonne qui a subitement pris du ventre elle aussi. Existe-t-il un paradis distinct pour les animaux et les humains qui, avant d'être gavés, ont tout de même failli mourir de faim ? Marie s'interroge. En attendant de connaître le visage de la mort, il faut continuer de se nourrir. Une fois les conserves de déchets rangées dans le grand placard de la cuisine, Marie peut songer à se reposer. Elle trempe ses mains dans une bassine d'eau froide pour les décongestionner.

Elles ont bien changé ces mains, elles semblent plus honnêtes, moins gourdes, déjà usées. À cause de la paille de fer surtout, qui vous plante sous l'épiderme de fines particules brillantes. En orientant ses paumes vers le soleil, l'enfant remarque qu'elles réfléchissent la lumière. Mais ces lueurs ne sont peut-être qu'une illusion.

L'état d'Anne-Angèle s'est apparemment sta-
bilisé. Le regard vide, l'haleine chargée, elle ne
transpire presque plus. Mais cela ne veut rien dire
puisque pour transpirer il faudrait qu'elle boive,
ce qu'elle se refuse à faire. Marie lui introduit
dans la bouche des aliments qu'elle a préalablement broyés, mais une fois cette bouillie ingurgi-
tée, tandis qu'elle lui incline la tête pour la faire
boire, la vieille se rebelle de façon incompréhensible. Il y a seulement quelques semaines de cela,
l'enfant parvenait à forcer sa mâchoire, glissant
le manche d'une cuillère en bois là où il manque
deux molaires, s'en servant comme levier jusqu'à
entrouvrir sa bouche afin d'y faire passer un
mince filet d'eau. Mais depuis peu, la vieille résiste
même à cette tactique. Les mâchoires restent her-
métiquement fermées. Elle ne veut plus boire.
Et elle ne parle plus du tout, ou alors, dans son
sommeil. Encore qu'il soit parfois malaisé pour
la gamine de savoir si elle dort car Anne-Angèle
passe des nuits entières à contempler le plafond
sans jamais cligner les paupières ou presque, ce
qui inquiète vivement l'enfant qui ne manque pas
de laisser tomber quelques gouttes d'eau sur ses

caroncules lacrymales, en vain, car l'eau ne s'étale pas à la surface de ses yeux qui sont chaque matin de plus en plus secs, de plus en plus opaques, et de plus en plus fixes.

Que contemple-t-elle ainsi, des jours et des nuits durant ? Qu'attend-elle ? Marie demande :

— Ma tante, est-ce que tu m'entends ? À quoi tu penses ?

Mais la vieille, tout à son coma, reste muette. Par instants, néanmoins, elle se remet à parler, mais d'une voix si ténue que ses mots sont inaudibles. Marie approche son oreille au plus près des vieilles lèvres gercées qui tremblent et elle entend, mêlé à son souffle :

— La quinine, Marie... il faut... que tu ailles chercher la quinine chez... le docteur... Serraval.

Marie répond « oui » et se convainc en même temps de n'avoir pas bien entendu, puisque c'est dit d'une voix si peu amène et que l'esprit de sa tante semble passablement égaré. Un bon repas plus qu'un remède devrait lui permettre de retrouver ses esprits.

Pourtant, mue par des assauts de culpabilité, il est arrivé quelquefois à l'enfant de se détourner du chemin qui mène à la caserne pour faire une halte vers la maison du médecin, toujours assise sur le même muret. À se demander quel risque elle prendrait à frapper à la porte de cet ignoble individu et ce qu'il lui réclamerait en contrepartie du remède. *La quinine.* Elle se dit parfois que la vie de sa tante vaut bien qu'elle se laisse tripoter, puisque la vie des femmes est ainsi faite. Qu'un jour ou l'autre elles doivent accepter d'y passer. À d'autres moments, non, elle se dit qu'elle n'est pas encore prête. Pas comme ça, pas avec Serraval.

Ou alors, il faudrait que ça lui rapporte beaucoup plus.

Toinette lui a raconté un jour comment elle en était arrivée, elle, à faire commerce de son corps. Le plus simplement du monde, dès l'enfance, au sein même de sa propre famille. Et gratuitement encore, puisque frères et oncles lui passaient régulièrement dessus. C'était dans un patelin de province presque aussi triste que celui-ci, une vallée où même le soleil ne s'attardait jamais. Un jour, elle avait quitté cet endroit et sa sordide famille pour rejoindre un bordel à Paris. Une maison confortable dont l'évocation fait briller ses yeux et où il y avait de l'eau courante, un gramophone, des gens d'étage et même des bidets dans les chambres. C'était au début de l'Occupation et les clients de Toinette étaient déjà presque tous des Allemands. Des soldats qui posaient leurs mains sur une femme française pour la toute première fois. Des mains qui s'étaient battues, qui avaient peut-être même piloté des chars d'assaut, des avions, étranglé des chiens et des enfants. Pour se poser, inexpertes et timides, sur ses seins. Seule une pute peut vous raconter ça sans que vous ayez envie de l'interrompre. Toinette parle bien, parce que Toinette dit toujours ce qu'elle pense. Et sa libération à elle, lorsqu'elle en parle, a été de pouvoir réclamer de l'argent et d'avoir enfin le choix de sa décision. C'est ça, la liberté pour une femme, selon Toinette, de pouvoir dire *oui* ou *non*. De pouvoir fixer son tarif d'un *oui, peut-être*.

Si elle frappe à la porte de l'immonde Serraval pour lui réclamer la quinine promise à sa tante, Marie n'est pas certaine d'avoir le pouvoir de dire *oui*, *non* ni *peut-être*, donc elle hésite.

Elle demeure assise sur son muret qui, en plus de tout, lui fait froid aux fesses, mais ça, ce n'est pas trop grave.

Il lui arrive aussi d'apercevoir Célestin, Solange et d'autres *camarades* qui se rendent à l'école. Dans ces cas-là, Marie se sent devenir transparente, ne faisant presque plus du tout partie de ce monde, bien moins qu'un caillou, en fait. Pour cela, la honte est une chose magique, en un rien de temps vous n'existez plus. Tout devient plus intéressant que vous-même. Célestin par exemple, lorsqu'il passe devant elle, regarde de l'autre côté comme s'il avait le torticolis, Solange aussi.

Et puis quand Marie tente un bonjour, le mot semble se dissoudre dans l'air, tel un gaz inodore, ininflammable, inoffensif.

Un jour, tout de même, la gouvernante du toubib aperçoit la gamine, elle sort de la maison pour lui demander ce qu'elle veut à la fin, ce qu'elle attend, et Marie frémit. C'est l'étrange voix de cette bonne femme, avec son accent régional. Marie se sent désormais beaucoup plus familière de l'allemand qui représente moins la langue de l'infamie à ses yeux. Entre les mots enseignés par Hans, ceux glanés à la cantine, dans les revues de propagande ou reçus la nuit des avions alliés, elle apprend vite. Très vite. Un jour, se dit-elle, ce sera peut-être avant la fin de la guerre, elle ne parlera presque plus du tout français. Quelques mots, et encore. Ce jour-là, elle laissera derrière elle toutes les insultes entendues. Elle ne sera plus *la mendiante qui pue*, *celle qui torche les Allemands*, ni *la nièce de la vieille folle arabe*, elle ne sera plus rien de tout cela. Elle sera juste : *die kleine Fliege*. La petite mouche de la caserne, et ainsi portée par ce nom, elle se choisira un nouveau foyer, ailleurs, dans la famille de Hans peut-être, puisqu'il lui a promis de l'emmener *là-bas* avec lui. Dans son merveilleux village de la région de Leipzig en Allemagne, où il ouvrira une auberge, puisque le rêve de Hans est de devenir cuisinier une fois la guerre finie. Une auberge qu'il entreprend parfois de dessiner ou de construire sous forme de maquette avec des cartons d'emballage qu'il découpe et peint. Une auberge en carton. C'est tout de même un artiste ce Hans, elles sont belles, ses maquettes. Il se figure sur chacune d'elles avec une toque de cuisinier et il représente aussi Marie et Paillassonne passant chacune la tête à une fenêtre.

Lorsqu'il place une bougie à l'intérieur de ces maisons de carton, les fenêtres s'illuminent et les personnages se matérialisent en ombres chinoises.

Toujours dans le cadre de son apprentissage de la langue, Marie a pris l'habitude de décacheter et de lire les courriers que Hans lui demande de déposer à la poste. Et elle a compris que son amoureuse était en fait *un amoureux*. Un homme que Hans appelle *mein Schatz, mon trésor*. Probablement un vieillard ou un infirme car *mein Schatz* vit en Allemagne et son adresse n'est pas celle d'une caserne.

Dans ses lettres, Hans parle abondamment de sa vie au camp qui l'ennuie, de Schmutzi qui est un bon amant même s'il est un peu trop jaloux. Bref, Marie a compris tout un tas de choses qui expliquent pourquoi Hans est si différent des autres soldats et Schmutzi, avec son corps d'athlète et son tatouage d'aigle sur le bras, une sorte d'humain passablement aigri et malheureux. Dans ces mêmes courriers, Hans se prend à évoquer Marie qu'il appelle toujours sa mouche adorée et qu'il se promet d'emmener avec lui après la guerre. Il parle d'elle avec les mots tendres que l'on réserve aux petites sœurs. Il le dit, d'ailleurs, *Marie est la petite sœur que j'aurais rêvé d'avoir.*

Marie est heureuse, vraiment, très épanouie. Elle embrasse ces missives avant de les poster, ajoute même parfois une fleur ou une feuille séchée. L'idée de repartir un jour avec Hans après la guerre lui plaît. Et si elle ne se sent pas bien avec Hans et son vieil ami, elle ira voir ailleurs, dans une autre maison ou même dans un autre pays, mais toujours vers le nord. Jusqu'au point où il fera trop froid pour survivre. Car les mouches ne résistent pas au froid. Ce jour-là, elle se laissera aplatir par le premier venu et elle ira au paradis des mouches, qui est peut-être encore plus confortable que celui des humains.

Ce qui passe dans la bouche des soldats passe dorénavant par les mains de Marie. En plus de la plonge, du balayage et du service au mess des officiers, elle aide à la confection des plats. Les journées commencent d'autant plus tôt, par le bois qu'il faut ramener du préau afin de mettre en route les cuisinières, sur le coup de six heures du matin. Le très précieux bois de la forêt Hubernot, hêtres, frênes, chênes, celui qui sèche en piles dans les clairières. Pas plus tard qu'hier, Marie a croisé Matesson qui venait en effectuer sa livraison mensuelle avec sa charrette tirée par l'imperturbable Jupiter. L'homme et l'enfant ont fait mine de s'ignorer. Finalement c'était plus simple comme ça. Même si Marie a pu observer qu'en déversant le bois de sa charrette devant le baraquement, Matesson faisait une drôle de tête, sous les larges arcades sourcilières, son regard tout à fait effrayant lui a rappelé ce jour où il avait menacé de l'enterrer vivante. Un autre matin, il a tenté de lui parler, lui demandant ce qu'elle fabriquait *chez les A... Alle... llemands*, et depuis combien de temps. Marie n'a rien répondu. Et puis, comme il insistait, elle lui a ordonné de déguerpir.

— *Lass mich in Ruhe, Matesson ! hau ab !*

Finalement, ces cuisines de la caserne sont certainement le dernier endroit où il s'attendait à la retrouver. Marie tâche de se persuader qu'elle n'a plus rien à craindre de Matesson, ni de Hubernot, ni des Braves de l'ombre. Puisqu'en s'en prenant à elle ils auraient affaire à la Gestapo, qui n'est pas une brigade de l'ombre, mais de la lumière, se dit-elle.

Il lui vient parfois à l'idée qu'elle pourrait tous les dénoncer, Matesson, Hubernot et quelques autres, et ainsi s'épargner des représailles fourbes et des regards en coin qui ne lui disent de toute façon rien qui vaille. Si elle hésite encore, c'est à cause de Toinette et de Gaston. Eux ne méritent pas cela. Toinette ne mérite pas de perdre son idiot de mari qu'elle aime comme un bon chien et Gaston ne mérite pas de perdre son père, même si Matesson n'est pas son père. Finalement, les seules personnes qui manquent réellement à Marie, ce sont eux. La gamine y pense souvent, mais le temps et l'énergie lui font défaut pour aller leur rendre visite. Et puis, en reprenant le chemin de la maison de Toinette et Gaston, elle prendrait aussi le risque de se retrouver seule avec Matesson qui, à défaut de trouver le courage de lui faire payer de sa vie la chance qu'elle a de travailler pour les Allemands, ne laisserait pas passer l'occasion de lui réclamer de *menus* services. Marie commence à bien connaître le genre humain. Rien n'est gratuit, tout a un prix. Elle ne veut plus rien devoir à personne. Si elle donne quelque chose, c'est avec le cœur, uniquement. Parce que donner normalement, c'est *ça*.

Les plats préparés à la caserne ne variant pas tellement d'un jour à l'autre, Marie, pour se distraire, s'astreint à bien les présenter, coupant les tranches de pommes de terre en forme de couronne, de fleur ou de croix gammée. Elle ajoute au moment de la cuisson des branches de tussilage ramassées sur le bord des chemins qui ne changent pas grand-chose à la présentation, mais améliorent considérablement le goût des viandes bouillies. Tout est affaire de détail. Quand elle s'avance dans le mess des officiers, coiffée de son calot, en se tenant bien droite et en roulant des fesses – ce qu'elle imagine être une façon raffinée de se déplacer –, il n'est pas rare que les soldats, si réservés d'ordinaire, poussent des *oooh !* et des *aaaah !* parce qu'elle est décidément très dévouée, cette petite, et qu'en reprenant du poids elle a aussi pris des formes là où se plaisent à s'attarder les yeux des hommes qui, lorsqu'il s'agit du corps féminin, constituent depuis toujours une seule et même nation d'ahuris. D'autres fois, à l'heure du service des sentinelles de la forêt, il lui arrive de sentir une main passer sur ses fesses ou d'entendre fredonner l'air de la *Valse grise*, en sourdine, de manière équivoque, comme l'on proposerait un jeu sans suite. Marie se persuade qu'elle ne sent rien, ne voit rien, n'entend rien. C'est cela, savoir être une femme, pense-t-elle. Ne rien dire, ne rien voir, mais savoir voir venir. Hans est là, de toute façon, qui veille au grain. Quand un soldat devient trop entreprenant, il ne manque pas de le remettre à sa place, employant des mots d'une vulgarité inconditionnelle mais, parfois cela ne suffit pas. Comme ce jour où – et c'est très anecdotique – la gamine seule en cuisine avait cherché à subtiliser une boîte de harengs dans le grand placard cadenassé et qu'un cuistot l'avait mise à genoux et tenté, pour la punir, de lui fourrer son sexe dans la bouche, un sexe dont l'odeur ressemblait d'ailleurs à celle du hareng. Hans était intervenu et s'était risqué à la défendre avec le courage d'un gladiateur d'opérette, muni d'une grande louche en étain comme seule arme, sans succès hélas, car le pauvre Hans, déjà handicapé par sa myopie, pesait la moitié du poids de son adversaire. Un combat loufoque, perdu d'avance. Pour finir, le cuistot obèse s'était assis sur lui et lui avait glissé son sexe dans la bouche. Triste spectacle, car Hans, qui saignait du nez, reniflait tout en suçant, tandis que l'autre abruti grognait en regardant la gamine.

Marie s'est juré d'oublier cette scène, même si elle a noté dans son carnet de « mots à retenir pour l'avenir » que *fellation* se dit en allemand *jemandem einen Blasen*.

Qui n'est donc pas tout à fait l'équivalent de *pipe* en français.

Le ciel vrombit doucement, il s'est empli de voluptueux nuages bleutés en toute fin d'après-midi, puis il s'est mis à gronder à la tombée du jour. Ce n'est rien, ça n'est pas anormal. Il faisait chaud ce matin, étrangement moite pour un hiver, et cet orage fera le plus grand bien aux prochaines moissons surtout, car le bruit court que l'été sera sec. Aride, même. *Orage de février fait de la terre son blé.* Des éclairs de chaleur illuminent l'horizon. Les fenêtres de la Verrerie sont bien fermées et la lumière froide des flashs traverse à peine l'épaisseur des journaux qui les occultent. Pour se distraire, Marie sert le dîner à sa tante comme on le ferait dans un palace berlinois. Elle a placé des bougies tout autour d'elle, l'a peignée, a noué une serviette propre autour de son cou, qui est à vrai dire une nappe brodée d'un aigle empruntée au mess des officiers. Ce qui n'est pas un luxe puisqu'il arrive assez fréquemment que la pauvre vieille non seulement refuse de boire, mais recrache aussi la nourriture que l'enfant lui introduit dans la bouche, en l'occurrence une bouillie de harengs et de pommes de terre qu'elle a agrémentés d'un peu d'alcool récupéré dans une carafe au mess, également. Un alcool qui fleure bon la pomme et que Marie ne se prive pas de goûter lorsqu'elle en a l'occasion, en introduisant sa langue, qu'elle a de plus en plus adroite et de plus en plus longue, au plus profond du goulot.

Pour rendre ce dîner plus solennel et ne pas interrompre son entreprise de parler couramment l'allemand avec l'arrivée des beaux jours, Marie en servant la bouillie alcoolisée à la vieille s'exprime dans la langue de Goethe, et avec des intonations qu'elle imagine être celles de la haute société. Annonçant le plat en termes choisis, avec cordialité, courtoisie, et en se délectant de chaque syllabe :

— Petites pommes de terre bouillies sur leur purée de poissons de la Baltique volés dans les placards du camp. *Gekochte Kartoffeln mit Fisch-Mus von der Ostsee, aus den Lagerschränken geklaut.*

Anne-Angèle ne dit rien, Marie se charge de se donner la réplique à l'aide d'un bout de papier sur lequel elle a noté des commentaires de clients satisfaits.

Paillassonne, qui a pris elle aussi ses habitudes dans ce palace imaginaire de l'enfant, grimpe tant bien que mal, à cause de son ventre lourd, sur le lit de la vieille pour manger à même son assiette.

Si Anne-Angèle ne pipe mot ni ne bouge depuis des semaines, elle n'est pas encore tout à fait morte. Depuis les tréfonds de la fièvre, elle lutte, elle résiste. En silence. Elle parcourt le désert où il fait de plus en plus nuit et de plus en plus froid, en scrutant désespérément le ciel à la recherche des nuages de Magellan. Du fond de sa nuit comateuse, il lui arrive d'entendre la voix de Marie-Mathilde, ce monstre à deux têtes, mais de façon très lointaine. Par instants, elle sent confusément quelqu'un lui mettre des aliments dans la bouche et puis de l'eau, qu'elle se refuse farouchement d'avaler, car l'eau du désert est souvent corrompue.

Dans ce cauchemar, cette personne qui la nourrit dégage une curieuse odeur, un mélange de tabac, de poisson, d'eau-de-vie et de sueur.

Par moments, Anne-Angèle n'identifie plus du tout cette voix qui soudain s'adresse à elle en alle-mand, avec des intonations de maîtresse de maison.

Tout au commencement de la fièvre, pour ne pas céder au délire, la vieille infirmière répétait en boucle certaines formules. Surtout des termes médicaux, ceux de la guérison. Les trente et une façons de réaliser un point de suture, par exemple :

– Point séparé.
– Point simple séparé.
– Point appuyé
– Point en X.
– Point en U.
– Point en T.
– Point en tunnel.
– Points simples inversés.

Et puis, elle a perdu le fil. Ça n'est pas grave, elle continue d'y croire, elle avance dans le désert. À l'aveugle. Elle se dit qu'à défaut de repérer dans le ciel les vastes spirales magellaniques elle parviendra jusqu'à la mer. Le chemin est long, si long. Il lui arrive parfois de croiser Jean-Edmond, il marche avec son anémomètre dont l'hélice activée par la pression de la tempête tourne à une vitesse vertigineuse. Son visage affiche une expression ravie. Anne-Angèle l'appelle, mais il n'entend pas. Et encore, toujours au chapitre du désert et des disparitions, des souvenirs étranges lui reviennent, comme l'histoire de cette religieuse percluse de rhumatismes, qui avait pris l'habitude d'aller s'enfouir dans le sable brûlant des dunes pour soulager sa souffrance. C'était une sotte habitude car un jour le sable l'a, paraît-il, engloutie. Anne-Angèle, en traversant le désert dans sa mémoire délirante, croise parfois la moniale disparue au visage sec, aux yeux vitreux, qui marche seule, elle aussi. Sa silhouette fine se confond avec les branches de salicornes, ses pas ne laissent aucune empreinte sur le sable. Elle lui parle en allemand. Anne-Angèle ne comprend rien, la peur la submerge.
Elle entend des bruits, le sol vibre, oui, il bouge.

L'orage gronde, une pluie lourde heurte violemment le toit de la Verrerie, on dirait des grê-
lons. Le tambourinement s'éloigne puis revient,
plus vif encore et par vagues. Le vent siffle des
injures dans une langue que Marie ne comprend
plus désormais, quelque part dehors elle entend
des branches craquer.

Elle retire la serviette du cou de sa tante. Ce soir
encore elle n'aura rien mangé. L'enfant se sent
abattue, elle se demande si la vieille retrouvera
un jour ses esprits. Quand elle sera partie pour
l'Allemagne avec Hans, est-ce qu'elle se souviendra
d'elle ? Et qui s'occupera de cette vieille ? Chaque
chose en son temps, on verra ça plus tard. Comme
chaque soir, Marie remet l'oreiller en place derrière la tête de la malade, lui refait son chignon,
repasse sur ses mains et son front des dessins
au henné. Puis elle tente de lui ouvrir la bouche
pour y verser de l'eau, mais, comme chaque soir,
la vieille poupée desséchée ne veut plus jouer.

L'enfant souffle les bougies dans un long soupir, l'embrasse sur le front et lui souhaite une
bonne nuit.

— *Gute Nacht.*

C'est alors que la momie sursaute et s'agrippe à son cou.

— Je vais te tuer, Marie-Mathilde ! Salope ! Tu as pris la forme d'une bonne sœur qui arpente le désert, mais je te reconnais !

Marie, surprise, laisse tomber assiette et couverts. Sa tante vit, elle vit ! Ses vieilles mains crispées sur sa glotte l'empêchent de reprendre sa respiration, elle voudrait lui demander de la lâcher, lui hurler sa joie, lui dire qu'elle n'est pas Marie-Mathilde ni une religieuse, juste Marie. Les yeux voilés de sa tante, effrayants, la fixent tout en semblant ne pas la voir. L'enfant empoigne ses cheveux et tente de la tirer d'un coup brusque vers l'arrière, en vain.

— Ma tante... c'est moi... Ma... rie... lâche-moi... !

La tante ne desserre pas son étreinte, bien au contraire, puissante comme la mort, elle comprime le cou de l'enfant de plus en plus fort. Finalement, Marie parvient à agripper le tiroir de la table de nuit qu'elle arrache du meuble d'un coup sec et dont elle se sert pour cogner la tête de la vieille.

Une fois, deux fois, trois fois.

Les murs de la maison ont vibré de nouveau. Un coup de tonnerre, plus violent, beaucoup plus, au point que la baraque en a été entièrement secouée, c'est venu du sol. Dans la lumière d'un éclair, Marie qui se tient prostrée dans l'angle de la chambre a aperçu sa tante, inerte, le visage ruisselant de sang. L'enfant n'ose plus s'approcher d'elle, ni passer à côté de son lit par peur que la vieille ne s'agrippe de nouveau à elle.

Une nouvelle déflagration. Cette fois, ça n'est pas l'orage car les fenêtres ont explosé pour se répandre en éclats de verre et de bois sur le sol. Une violente bourrasque s'engouffre dans la chambre et, avec le vent et la pluie, de longs rubans d'aluminium largués par les avions, ceux destinés à brouiller les radars. Ils s'entortillent sur le sol tels des reptiles acéphales, semblent s'immobiliser pour se tordre à nouveau dans un bruissement métallique. Et, venant de l'extérieur, le hululement d'une sirène. Longue, morne et lugubre comme un hallali de chasse à courre, celle qui annonce les bombardements. Marie se lève, sa jambe est douloureuse, elle se l'est luxée dans la bagarre. Un sifflement est toujours présent dans la pièce, mais peut-être s'agit-il juste de sa peur ou d'un tympan crevé par le souffle qui a pulvérisé les vitres.

L'enfant, tout en s'avançant dans l'obscurité, tient le tiroir devant elle pour se protéger, à la façon d'un bouclier. Elle appelle :

— Ma tante... il faut se réveiller... nous... nous... sommes bom... bombardés.

Mais Anne-Angèle demeure immobile.

Dans un nouvel éclair, Marie aperçoit encore une fois le vieux visage qui respire malgré tout, puisque des bulles d'hémoglobine se forment aux commissures de sa bouche. Marie s'efforce de soulever le corps inerte pour le remettre à plat sur le lit puis, en passant un bras autour de son cou, le traîner vers la pièce voisine, dont les fenêtres sont apparemment intactes. Mais le corps est trop lourd et les vibrations d'une nouvelle détonation font tressaillir de nouveau l'enfant qui retombe sur le lit, écrasée par le poids de la vieille femme.

Marie s'empare d'un sac de toile sombre qu'elle dispose sur sa tête telle une capuche, puis, ayant barbouillé son visage avec de la suie, elle quitte la maison et prend la direction des ruelles du village où flotte une odeur de feu et de poudre mêlés, que l'air humide fige dans l'obscurité brumeuse.

Le son de la sirène jaillit de nouveau.

Pour rejoindre la maison du docteur Serraval, pense-t-elle, le trajet serait plus court par la forêt, et puis les arbres la protégeraient des éclats d'obus.

L'enfant hésite.

Les rampes de projecteurs illuminent le ciel, c'est à la fois beau, majestueux, mais aussi terrifiant. Dans les faisceaux incandescents, la fumée des tirs de DCA se confond avec les bulles des parachutes suspendus dans l'obscurité comme un banc de méduses blafardes.

Passer par la forêt n'était finalement pas une très bonne idée. Marie n'est plus si certaine de pouvoir se repérer. Le temps de s'adapter à l'obscurité, ses yeux sont aveuglés par de nouvelles déflagrations. Pourquoi les bombes tombent-elles sur cette forêt ? Elle l'ignore. Réfléchir ne sert à rien, surtout en cet instant. L'enfant ramasse un morceau de bois pourri qu'elle tient devant elle comme le guidon d'un engin imaginaire, une baguette de sourcier qui par magie connaîtrait sa destination. Par moments, ses pieds s'enfoncent dans la vase gluante et malodorante à cause du pétrole des citernes. Sombre miroir. Elle aperçoit furtivement son reflet, se dit qu'il serait regrettable de finir carbonisée pour le cas où une bombe choisirait de tomber là, dans ces vapeurs d'essence. Ailleurs, le sol brûle déjà, mais timidement, par petites flammèches bleutées, comme des feux follets. Cette nuit, même les morts s'expriment. Il fait froid. Il fait peur. Il faut avancer. Une souche. Un arbre vient de s'effondrer. Marie se réfugie dans l'anfractuosité creuse et rassurante laissée par l'arrachement de ses racines. Une nouvelle déflagration, c'est le faîte d'un arbre qui s'embrase et laisse retomber dans la nuit une pluie crépitante de brindilles luminescentes. Dans ce flash de quelques secondes, cette envolée de lucioles, Marie aperçoit une renarde qui détale, tenant son petit dans la gueule.

— Y a quelqu'un ?

La maison du toubib se découpe dans la lueur grise du jour qui peine à se lever. Rien ou presque n'a bougé ici. La véranda est intacte et les volets sont bien fermés. C'est ce qu'a immédiatement remarqué Marie qui appelle encore une fois, le plus fort possible, réunissant ses mains devant sa bouche en porte-voix. Mais sa voix s'étrangle à cause de la peur et aussi parce que sa tante lui a comprimé la glotte au point qu'un goût de sang lui remonte dans la gorge. L'enfant appelle encore une fois.

— Docteur ? Vous êtes là ?

Mais rien ne bouge. L'espace d'un instant, Marie se demande s'il est bien là. Mais oui, forcément, puisque sa voiture dépasse du cabanon où il a l'habitude de la garer. L'enfant tambourine à la porte, puis s'empare d'une pierre dont elle se sert pour cogner un par un aux volets du rez-de-chaussée.

Finalement elle lance la pierre vers la fenêtre du cabinet en hurlant : « Il faut m'ouvrir ! Il faut m'ouvrir ! Il faut m'ouvrir ! » d'une voix si forte que du sang lui sort de la bouche.

L'enfant recule d'un pas, s'apprêtant à renoncer, mais elle sursaute car une fenêtre vient de s'ouvrir au niveau du sol dans laquelle s'encadre la tête rouge et boursouflée de Joseph Serraval flanqué de sa gouvernante, écarlate elle aussi. Il est en pyjama et elle, en robe de chambre. Cette vision en plongée leur donne un air de souffleurs de théâtre, au toubib surtout, qui s'exprime à voix basse, les yeux écarquillés.

— Qu'est-ce qui te prend, Marie, de frapper comme ça ! Ça ne va pas ?

— Non, ça ne va pas du tout ! Il faut que vous veniez à la Verrerie, docteur, je crois que ma tante est en train de mourir ! braille la gamine en s'approchant du soupirail.

— Qu'est-ce que tu racontes ?

— Oui, je crois que je l'ai tuée !

— Tu es complètement folle, ma petite ! De toute façon c'est trop risqué, il y a eu des bombardements, et quand la sirène du camp retentit il est interdit de sortir !

— Mais je vous dis qu'elle est en train de mourir !

— Ça attendra !… Ma voiture est en panne. Je n'ai plus de carburant. Rentre chez toi, tu n'as rien à faire dehors !

Le toubib tente de refermer le volet, mais Marie l'en empêche en le bloquant de son pied.

— Quoi encore ?!

— Allons-y à pied, docteur… Nous ne risquons rien, j'ai une carte qui m'autorise à me déplacer en dehors du couvre-feu ! finit par hurler l'enfant en cherchant sur elle le document, dont elle a même oublié qu'avant de quitter la Verrerie elle l'a attaché autour de son cou.

— Espèce de folle !

— Rentre chez toi, petite salope ! finit par gueu-
ler la gouvernante qui jusqu'alors s'était abstenue
de prendre la parole et unit sa force à celle du
toubib pour refermer le volet.

L'enfant se remet en chemin.

Lorsqu'elle se présente à l'entrée de la caserne,
une cinquantaine de minutes plus tard, l'endroit
est étrangement calme. Les bombes nocturnes
qui, pour la plupart, ont surtout frappé les leurres
lumineux de la proche forêt ont épargné les pistes
d'atterrissage et les avions que quelques soldats
habituellement employés à leur entretien sont en
train de découvrir de leurs bâches de protection
de camouflage, et d'en vérifier l'état des carlingues, surtout.

Le baraquement de la cantine n'a pas subi lui
non plus de dégâts considérables. Sous l'effet
des vibrations tout de même, quelques piles d'assiettes, les plus belles hélas, celles utilisées pour
le mess des officiers, ont basculé des étagères
pour se répandre sur le sol en une multitude de
fragments de porcelaine, que Hans, Schmutzi et
quelques autres employés des cuisines finissent
de balayer.

Marie s'approche de Hans, elle lui dit qu'elle
s'excuse de ne pas avoir pu venir plus tôt pour
prendre son emploi, que quelqu'un est très malade
chez elle et qu'il faudrait venir l'aider. Elle le dit
d'une voix si basse que Hans ne comprend pas
tout de suite. Puis, ayant entendu la requête
de l'enfant, il lui répond qu'il ne peut pas faire
grand-chose pour elle. Mais l'enfant insiste, lui
réexpliquant que la personne qui s'occupe d'elle
est mourante, et qu'il faudrait que quelqu'un

apporte de l'essence au docteur du village. Juste ça, dit-elle, juste apporter un peu d'essence au médecin.

Hans réfléchit, puis demande à Schmutzi s'il serait possible de les aider à transporter un jerrican de carburant jusqu'au village avec le camion de la cantine. Mais Schmutzi, que la perte de sa précieuse vaisselle met de mauvaise humeur, répond tout en donnant des coups de balai, tête baissée, visage renfrogné, qu'il est hors de question de sortir son véhicule et de prendre le risque de sauter sur une mine pour celle qu'il appelle la petite mouche à merde. Hans s'énerve et le traite en retour de cloporte, insulte qui, dans l'organigramme de toutes celles proférées dans cette cuisine, compte de toute façon pour bien pire qu'une simple mouche. Et comme Schmutzi ne réagit pas, il rajoute à voix basse mais ferme qu'il pourrait, s'il le voulait, lui coller une honte cuisante et définitive en racontant aux soldats du camp ce qu'ils font lorsqu'ils se trouvent tous les deux dans le petit placard réservé d'ordinaire à la macération des choux.

Cette dernière phrase, particulièrement, semble motiver Schmutzi à interrompre cette conversation. Il grommelle quelques insultes, range son balai, enlève son tablier et s'empare du trousseau de clés du camion de ramassage des légumes.

L'engin avance dans la forêt. Le son du moteur, un lourd diesel, force, geint et fume en contournant une flaque, puis un cratère au bord duquel des moignons de branches flambent encore. Quelque part dans la semi-obscurité du bois, puisqu'il a fallu emprunter un chemin de traverse pour éviter la route principale encombrée par la chute des arbres, gît la carcasse d'un avion dont la majeure partie de la carlingue est réduite à une fraction de cylindre creux et calciné. Dans la perspective du sous-bois, un très long et très large sillon dans la glaise où plus rien ne repoussera avant longtemps laisse présager que l'aéroplane allié et ses occupants ont été pulvérisés lors d'un atterrissage d'urgence.

La voiture cale sur une racine puis redémarre. Lentement, laborieusement.

Marie a pris place à l'avant, entre Hans et Schmutzi qui conduit, l'air agacé. Le couinement du caoutchouc des essuie-glaces qui étalent la boue mêlée de cendre sur le pare-brise semble une parfaite illustration sonore de ses états d'âme.

Hans lui demande si ça va et s'excuse pour les menaces proférées quelques instants plus tôt, mais Schmutzi lui répond qu'il n'a rien à foutre de ses excuses. Il lui rappelle qu'il a toujours pensé que cette gamine leur attirerait des ennuis, et que cette prophétie pourrait bien se vérifier si, malencontreusement, une bombe tombée des avions anglais dans la nuit s'était enfouie dans le terreau sans exploser.

Et l'humeur de Schmutzi ne va pas en s'apaisant car, à leur arrivée devant la maison du docteur Serraval, l'endroit semble désert. Comme Marie leur indique que le toubib est certainement caché dans la cave avec sa gouvernante, les deux soldats en défoncent la lucarne. Mais le toubib n'est pas là non plus. Après avoir fouillé chaque pièce de la demeure, ils le retrouvent finalement dans un placard du rez-de-chaussée. Avec sa gouvernante, tous deux dissimulés sous des piles de draps. Terrorisés très certainement à l'idée de constituer la cible d'une expédition surprise de la Gestapo. La gouvernante réussit à s'échapper en passant par la fenêtre. Le toubib tente de l'imiter à son tour, mais Schmutzi, réellement très énervé, ne lui en laisse pas le temps et referme brutalement la fenêtre sur sa main.

Le pauvre homme s'effondre et demeure agenouillé en piaillant.

— Ma main est cassée, hurle-t-il, vous m'avez brisé la main !!!

Hans, gêné, lui tend son bras pour l'aider à se relever en s'excusant des manières brutales de son collègue. Avec les quelques mots de français qu'il maîtrise, il explique à Serraval qu'ils lui ont apporté un bidon d'essence afin qu'il puisse se rendre chez Marie et ainsi soigner sa tante. Mais, tandis que Hans, une fois dehors, dévisse le bouchon du réservoir de son automobile et constate qu'il est en réalité rempli à ras bord, il lui apparaît que ce docteur est indigne de confiance et qu'il serait finalement plus prudent de l'accompagner directement avec Marie jusqu'à la Verrerie.

En aidant le toubib à monter dans la benne du camion, là où d'ordinaire on entasse les légumes, Marie, confuse, lui dit qu'elle est vraiment désolée. Elle lui propose de disposer sur le plancher du véhicule le sac qui lui a servi de capuche, afin qu'il ne se salisse pas. Mais Serraval lui rétorque qu'il n'a pas besoin de son aide, et que ce petit moment de honte qu'il vient de subir, elle le paiera.

— Très cher. Tu m'entends, petite salope ? Ça, tu me le paieras très cher...

Un trou béant dans le plafond de la chambre laisse apparaître une ossature de fines poutrelles vermoulues. Des filets d'eau en tombent, telles les flèches de cristal d'un lustre nimbant la pièce d'une lueur de conte gothique. L'impression est renforcée par les fragments de vitres et les rubans d'aluminium éparpillés qui brillent sur le sol et même sur le lit où repose, couché en travers et partiellement recouvert de la nappe, le corps d'Anne-Angèle. Le ventre dénudé et la tête orientée vers le sol, telle la dernière passagère d'une embarcation naufragée, elle paraît observer fixement quelque chose de son regard voilé. La tempête s'est arrêtée là, pour elle. *Tout* s'est arrêté là. Quelques stalactites de bougies figées sur le bord de la table de nuit confèrent à ce décor une atmosphère de crypte.

Malgré les fenêtres arrachées, l'odeur qui règne est insoutenable, un mélange d'excréments et d'acide dû aux conserves qui sont tombées et se sont répandues en une matière beige et nacrée sur le plancher. Des fragments d'os, des résidus de lard pourris contenus dans ces bocaux qui ne demandaient qu'à exploser sous leur pression pestilentielle.

Paillassonne est là elle aussi, blottie dans un coin, son corps protège des petites formes vivaces dont on pourrait croire à première vue qu'il s'agit de souriceaux, mais qui sont en fait ses petits. Ces chatons sont tombés d'elle pendant la nuit. Paillassonne était pleine et personne ne s'en était douté.

L'escalier qui mène aux chambres est partiellement effondré, laissant en suspens, dans sa partie haute, la table encastrée dans la rambarde et que personne ne se donnera plus la peine d'enjamber. La Verrerie ne tient plus debout que par miracle. En y pénétrant, les trois hommes et la gamine ont dû avoir recours à une échelle pour accéder à l'étage dont le plancher n'était pas en meilleur état que l'escalier. Il n'a jamais été très solide et ne supportait qu'à peine le poids des deux femmes. Ces derniers temps, pour aller soigner sa tante, Marie évitait même de poser le pied sur certaines planches qui grinçaient comme une corde de violoncelle désaccordé.

Serraval lui-même, en s'approchant du corps d'Anne-Angèle, le fait avec précaution. Il demeure un moment devant elle, observant la pauvre femme dont le visage tuméfié est couvert de ces étranges motifs protecteurs que Marie avait tracés avec du henné.

Puis il s'agenouille et incline la tête vers sa poitrine pour écouter.

5

L'écho de la fanfare

On prépare une fête à la caserne, un dîner et même un petit spectacle. Ce que l'on fête, personne ne le sait exactement. C'est un secret et cela doit le rester. C'est ce que Hans dit à Marie lorsqu'elle s'enquiert du nombre de convives. Un dîner qui se déroulera dans le mess des officiers. Tout juste a-t-elle compris qu'un homme important allait bientôt venir faire une escale de vingt-quatre heures. Marie loge depuis peu dans une pièce attenante à celle du service radio, une chambre improvisée dont les proportions rappellent celles d'une cabine de bateau, où elle garde Paillassonne et sa nichée dans une cagette sous son lit. C'est là que Hans lui a permis de s'installer en attendant mieux, puisque dans ce baraquement il y a toujours de l'animation et que Marie ne supporte plus de rester seule, à la tombée du jour. Aux voix radiophoniques des aviateurs égarés dans la nuit dont les instruments de bord endommagés nécessitent un atterrissage d'urgence se mêlent celles des autres, plus lointaines, décrivant ce qu'ils observent depuis le ciel. Ces voix inquiètes détaillent la forme d'un village, d'une rivière, d'un pont. Parfois encore, elles décrivent de vastes

411

zones lumineuses, peut-être des incendies provoqués par le passage des bombardiers américains, ou alors des feux de position que les résistants allument pour faciliter le largage de munitions alliées. Le ciel n'a jamais été aussi complexe. Les protagonistes, pilotes ou opérateurs radio, s'expriment calmement tout en articulant pour rester audibles malgré les brouilleurs, les mêmes informations sont répétées plusieurs fois. Une autre occasion pour l'enfant désormais insomniaque de poursuivre son apprentissage de l'allemand en retenant par cœur toutes les expressions ayant trait à l'aéronautique et à la météo.

Et c'est donc ainsi, au fil d'une insomnie studieuse, qu'elle a entendu le nom de celui qui fera bientôt escale au camp et qu'il ne faut répéter sous aucun prétexte.

Pour cette occasion, quelques musiciens amateurs, dont Hans et Schmutzi, se sont lancés dans la répétition d'une pièce qui sera jouée à la fin du banquet. Il a fallu transporter plusieurs tables dans le mess, échanger les bancs pour des chaises et surtout dénicher de la vaisselle à peu près présentable. Ce qui n'a pas été simple. Marie a accompagné quelquefois Schmutzi dans sa tournée des fermes visant à réquisitionner assiettes et soupières, mais aussi des vivres de qualité et même quelques caisses de champagne qu'un amateur conservait précieusement dans ses dépendances. Une cuvée de 1934, dix caisses, pas moins que cela.

Quelque chose semble avoir changé dans le comportement de Schmutzi à l'égard de l'enfant. Lorsqu'il la regarde, c'est un peu comme s'il la voyait pour la toute première fois, l'air de se demander qui elle est et ce qui lui a échappé, surtout. Avec peut-être l'idée que Marie est une petite juive, ce qui ne la rend évidemment pas plus sympathique à ses yeux. Mais le respect est tout de même là, parce que lorsque Marie l'accompagne dans ses tournées, elle repère mieux que quiconque les endroits où les paysans cachent leurs réserves, ou ce qu'il en reste. Elle le fait à l'instinct, avec la vélocité d'une mouche, justement. Elle pénètre dans une grange, une cave, s'arrête, lève le nez et dit : *Da !* En pointant son index vers le sol ou un mur dont les pierres ne demandent qu'à être descellées. La viande surtout, c'est ce qu'elle rafle en premier. Et de la viande, il y en a à profusion ces jours-ci, puisqu'aux lendemains des bombardements alliés de plus en plus approximatifs et de plus en plus fréquents, de nombreuses vaches sont retrouvées déchiquetées dans les champs. Les bouchers se précipitent chaque nuit pour l'équarrissage, il en vient de partout. Au matin, les routes sont maculées de tout le sang qui a coulé des charrettes, à la façon d'un gigantesque graphique des affaires clandestines qu'il suffit donc de suivre à la trace pour reconnaître celle des trafiquants. Par endroits, le paysage est méconnaissable. De la Verrerie par exemple, il ne subsiste qu'une ruine dans le prolongement de l'usine sur laquelle le lierre prend un peu plus chaque jour ses marques et en effacera bientôt le souvenir. Les fondations de l'église, détruite, subsistent telle une dent creuse sur la colline. Le cimetière est devenu un cratère rempli d'eau. Les stèles, cercueils, crucifix et dépouilles ont été projetés si haut dans le ciel qu'il en est retombé, paraît-il, jusque sur les toits de la commune voisine.

Lorsque Marie prend son service à la caserne chaque matin à six heures, elle se déplace avec la caisse de Paillassonne et ses petits qu'elle cale sous la cuisinière. Ainsi, la nichée reste bien au chaud et, tout en s'activant à la préparation des plats ou à la vaisselle, elle peut garder l'œil sur toute cette marmaille. Depuis quelques jours déjà, les mamelles de Paillassonne ne semblent plus satisfaire les chatons qui s'agitent et tentent de prendre le large au point de la rendre folle, l'obligeant à les faire revenir sous son ventre d'un coup de patte, puisque c'est encore là, et jusqu'à nouvel ordre, leur seule patrie. Marie se dit qu'il lui faudrait, pour bien faire, trouver des repreneurs pour ces petits. Ce qui ne lui sera pas simple car l'enfant n'a plus du tout d'amis dans la région, et qui prendrait le risque de faire encourir à ces bestioles celui de bouc émissaire. On les retrouverait à coup sûr clouées sur les poteaux télégraphiques ou étranglées d'un fil de fer aux alentours du camp puisque les gens sont ainsi, inventifs et farceurs dans l'art de se venger. Le mieux, aux yeux de Marie, serait encore d'avoir suffisamment de sang-froid pour les noyer elle-même. Le véritable amour consiste à savoir tuer parfois, ne pas s'apitoyer.

Elle se promet d'y réfléchir. Tout dépendra de la façon dont elle quittera la région et du nombre de bagages qu'elle pourra emporter dans sa fuite avec Hans qui continue de lui promettre qu'ils partiront ensemble. *Bientôt, très bientôt. Ich verspreche es Dir.*

Quand il évoque ce voyage, il n'est plus du tout question de Leipzig, hélas, qui, comme de nombreuses autres villes allemandes, a été récemment anéantie sous le feu des bombardiers – mais d'un pays lointain. Beaucoup plus loin. Un endroit que Hans appelle son *petit pays des rêves* et dont

414

Marie, en consultant une carte du monde, s'est demandé s'il ne s'agissait pas de la Laponie ou, encore plus sauvage, quelque part dans ces zones de bien après les steppes sibériennes et que les cartographes paresseux résument à des aplats de couleurs beiges et grisâtres. Une contrée si peu fréquentée qu'il faudra lui trouver un nom, en inventer les coutumes, et pour y accéder savoir construire un canoë-kayak et un traîneau.

Il arrive à Hans et à l'enfant, à l'heure de la pause vaisselle pour se distraire, d'en élaborer le langage, qui ressemble pour l'instant à du charabia. Plus proche du langage des chiens et des loups que de celui des humains. Mais l'idéal dans ce nouveau pays serait peut-être de ne plus savoir parler, ou, mieux encore, d'être définitivement sourd pour ne pas être tenté d'écouter de discours. Oui, ils se promettent qu'une fois installés dans leur nouveau pays imaginaire, qu'ils nomment *le petit pays des hommes sourds,* ils institueront cette première règle consistant à ne plus comprendre aucun langage.

En prévision de ce voyage, le jeune homme et l'enfant communiquent en se montrant leurs mains ou en se grattant l'oreille.

Ce qui amuse beaucoup Hans. Mais parfois des larmes énormes lui viennent d'un seul coup et lui déforment le visage. Il se cache dans ses mains, mais elles n'endiguent rien. Les larmes ruissellent entre ses doigts. Marie reste sans rien dire, et le plus respectueusement du monde se permet de lui demander pourquoi il pleure, tandis qu'elle en imagine parfaitement les raisons. Ce sont les siens qu'il pleure, certainement. Ses parents, frères et sœurs, son *Trésor* aussi auquel il n'est plus utile d'envoyer des courriers, puisque ces courriers reviennent systématiquement avec la mention *Adressat unbekannt*. Il n'y a plus de maison à l'adresse indiquée, plus de rue, ni de quartier, non plus.

Marie s'efforce de garder la tête sur les épaules. D'imaginer que tout est encore possible, que le bonheur est encore possible, qu'elle et Hans, tels Adam et Ève, finiront par rejoindre ce continent où même le mot *guerre* n'a jamais été prononcé. Un pays sans ambitions, sans palais et donc sans ruines.

Tout ne sera pas simple bien sûr, on ne repeuple pas un continent si facilement, ce d'autant moins que Hans aime les garçons et que Marie n'est pas encore une femme. Mais tout de même, il faut continuer d'y croire. Marie se dit qu'avec le temps les choses peuvent évoluer. Qu'en grandissant elle sera peut-être belle, en tout cas plus qu'une mouche, et qu'une fois la guerre finie, Hans, en cessant de fréquenter tous ces hommes en uniforme, finira par la considérer comme une femme, lui aussi.

Une fois par semaine, le dimanche, Marie profite d'un transport de troupes pour se rendre à l'hôpital de Reims, où sa tante a été récemment changée d'étage pour passer de l'unité des maladies vénériennes à celle des délirants. En reprenant conscience, la pauvre n'a pas retrouvé ses esprits. Autour de son lit une cordelette délimite un espace sanitaire en attendant d'en savoir plus et de faire le tri entre les maux de l'âme et ceux du corps, et de définir les risques de contagion surtout.

Ainsi installée, on pourrait la croire dans un musée où les visiteurs seraient priés d'aller voir ailleurs, le plus loin possible.

De son enclos, il lui arrive d'apostropher les infirmières, ou de se lancer dans des élucubrations que personne n'a l'envie ni le temps d'écouter. Il y est question du dernier bubale d'Arabie, d'une religieuse jaillie des sables brûlants, d'une femme à deux têtes qu'elle appelle Marie-Mathilde, d'un cabaret qui porte le nom de Peste verte, d'une malédiction provoquée par le vent des *sept vagues* et de tout un tas d'autres choses incompréhensibles. Ce qui, paraît-il, n'est pas exceptionnel à l'issue de longues périodes de fièvre, il ne faut donc pas s'en préoccuper.

Anne-Angèle n'a d'ailleurs pas l'air malheureux, au contraire, installée dans son lit blanc et propre, le corps maintenu par une camisole, elle promène autour d'elle un regard étonné et ravi comme s'il lui était donné d'observer le monde pour la toute première fois.

Même si c'est interdit par le règlement, Marie s'approche au plus près du lit de sa *tante* pour la dévisager. Elle ne l'a jamais vue aussi belle, aussi reposée. Il arrive même qu'un sourire illumine son visage parcheminé, laissant affleurer une douceur que l'enfant n'aurait jamais soupçonnée. Dans les plis de ses rides, une suite de hiéroglyphes gravés autour de ses yeux, on pourrait déchiffrer l'histoire d'un monde ancien, de bien avant qu'elle ne devienne Anne-Angèle. Le pays de l'enfance éternelle, celui de l'insouciance, de la tranquillité. Et puis, parfois, majestueuse telle une fleur vibrante et fanée, elle est prise d'un fou rire sans fin. Elle rit, elle rit, elle rit. Lorsqu'un malade à l'étage, incommodé par ces crises, appelle une infirmière, la tante répond : « Oui, j'arrive ! », s'imaginant sans doute être encore elle-même en service au Maroc. Ce qui amuse beaucoup le personnel hospitalier.

Marie prie pour que rien ne redevienne jamais comme avant, qu'Anne-Angèle reste pour toujours quelque part, perdue dans son désert de bonne humeur et d'oubli. Et qu'elle y disparaisse, emportée par le souffle tonitruant d'un dernier fou rire.

Mais parfois, l'enfant réunit les vieilles mains dans les siennes pour les porter à son visage en les couvrant de baisers, comme si elles n'avaient jamais rien touché de sale, ni même tenté de l'étrangler, elle, Marie. Elle dit :

— Ma tante, il faut que nous nous pardonnions pour tout ce qui a été dit et puis pour tout ce que je ne saurai jamais. Si tu montes un jour au paradis, envoie-moi un signe. Fais briller quelque chose depuis la nuit, ajoute une étoile dans le firmament, je n'oublierai jamais de regarder, je te le promets...

Marie s'efforce de ne pas pleurer pour ne pas déranger sa tante qui n'aime pas cela. Les larmes. Elle prie aussi pour elle-même et pour que quelque chose se passe qui lui donne l'occasion de racheter son âme, ou du moins ce qu'il en reste.

Et, de nouveau, un miracle se produit.

Hubernot n'est pas seul ce jour-là, ils sont cinq ou six dans cette cave. Un endroit qui a peut-être servi à entreposer du vin car, dans l'ombre, quelques planches de tonneaux ramollis par le labeur des vrillettes sont disposées contre le mur et il flotte dans l'air une odeur de tannin et de vinaigre. Quelques ustensiles rouillés sur un établi éclairé par la seule lueur du soupirail, lui-même drapé d'antiques toiles d'araignée. Et puis cette solide table de chêne, laissant supposer que l'on vient ici pour se réunir entre paysans, chasseurs, ou partisans de la Cause résistante régionale, comme c'est le cas aujourd'hui.

En acceptant de monter sur la charrette de Matesson tout à l'heure au retour de Reims – ce qu'elle s'était juré de ne plus jamais faire – Marie ne s'attendait pas à un accueil beaucoup plus chaleureux. Après avoir observé l'endroit, elle comprend mieux à présent la notion d'*ombre*, des *Braves* de l'*ombre*. C'est un nom qui a dû éclore ici, sous la ferme Hubernot, dans cette tiédeur de champignonnière. Peut-être même cela a-t-il fait l'objet d'un débat, ces individus aux visages mornes et inquiets se seront rencontrés plusieurs fois afin de choisir ce drôle de nom pour leur organisation...

Marie, à voir ces hommes qui la scrutent, se dit qu'elle aurait peut-être dû réfléchir elle aussi avant d'accepter d'accompagner Matesson. Ce qui l'inquiète, ce n'est pas tant l'ombre ni la quantité d'hommes présents dans cette cave, mais c'est qu'ils se montrent ainsi à visage découvert, ça n'est pas dans leurs habitudes.

Marie se rappelle Toinette lui expliquant qu'il faut s'inquiéter lorsque les lâches se décident à parler en leur nom, à voix haute, et révéler leur vrai visage. Que les héros sont rares et qu'ils n'attendent pas la fin des événements pour agir ou disparaître. « La grande histoire ne retient que les petits malins, Marie, méfie-toi... »

Il y a parmi ces masques attentifs quelques visages connus, comme ce type chez lequel Marie et Schmutzi ont raflé quelques caisses de champagne et qui avait tenté de leur faire croire qu'il ignorait leur existence, dissimulées qu'elles étaient, sous les tommettes de son écurie, ces caisses. Un autre homme avec un béret que Marie reconnaît comme celui qui se fait appeler *Renard Habile* et que Toinette avait mis en fuite en soulevant sa robe. Est présent également celui que tout le monde appelle *Barrache*, parce qu'il a longtemps été responsable de l'écluse, et que Marie n'hésitait pas à voler, du temps où elle était mendiante. Et, enfin, Serraval, le bon docteur, dont l'une des mains est emballée dans un beau bandage de gaze propre qu'il a dû faire le matin même avec l'aide de sa gouvernante, car il n'échappe pas à l'enfant que l'épingle qui maintient le pansement est fixée de façon parfaitement perpendiculaire, ce qu'un homme serait incapable de parvenir à faire seul, aussi bon médecin fût-il.

Cette main, dont Marie n'a pas oublié qu'il se l'était fait broyer dans l'encadrement de la fenêtre en tentant de s'enfuir alors qu'elle était venue solliciter son aide. Serraval la tient bien en évidence devant lui. Posée sur la table, comme l'on présente une blessure de guerre ou une pièce à conviction au cours d'un procès.

Dans la lumière du soupirail, l'épingle à nourrice brille comme la promesse d'une Légion d'honneur. Il ne fait aucun doute que les Braves de l'ombre se sont réunis à la demande du médecin et que Marie a été priée de suivre Matesson afin de se justifier de ses *comportements collaborationnistes*.

Marie pourrait s'excuser, faire mine de pleurer, dire qu'elle n'avait pas d'autre choix pour se nourrir et soigner sa tante. Qu'elle n'est qu'une enfant, un peu sotte comme le sont parfois les enfants, et qu'elle ne recommencera plus, *c'est vrai, c'est promis*, mais cela ne serait pas sincère. Et ces hommes n'ont visiblement pas de temps à perdre. L'empressement, au même titre que la joie ou la nostalgie, est une onde perceptible dans le silence, et celui qui règne dans cette cave est indiscutablement habité par l'urgence.

Hubernot prend la parole en premier, avec sa belle voix qu'il n'est pas obligé d'élever pour se faire entendre puisqu'il est ici chez lui :

— Marie, j'imagine que tu te doutes de la raison pour laquelle nous t'avons convoquée. La façon dont tu as agi avec le docteur Serraval et la manière dont tu te comportes d'une façon générale est infiniment regrettable. Honteuse même, ignoble... D'autres t'auraient déjà fait la peau, mais il se trouve que nous ne sommes pas des barbares et que nous avons décidé de te pardonner...

À cet instant, Marie remarque que personne ne dit mot, tous semblent d'accord. Comme si, finalement, on l'avait juste invitée dans cette cave pour lui dire ça. *Pardon*. Une façon peut-être de se montrer humain, d'admettre que dans la vie tout n'est pas si simple, que les sentiments, les vrais, n'obéissent pas à la couleur des drapeaux, surtout lorsqu'ils sont dictés par la nécessité de se nourrir ou de s'abriter. Non, la vie n'est pas simple, rien ne l'est, et c'est d'ailleurs avec ces mots qu'Hubernot reprend son monologue.

— Pour autant, pardonner n'est pas chose aisée. Le pardon ne s'achète pas, ni ne se donne, il se mérite. Est-ce que tu es prête à te faire pardonner, Marie ?

Marie ne sait que dire. Elle dévisage Hubernot, sa curieuse coiffure surtout, cette perruque ridicule posée sur son crâne tel un nid d'oiseau délaissé, grise de poussière, tordue par les coups de peigne. Et puis tous ces autres visages. Ils ont la peau usée, les joues ramollies par l'effort de vivre, des poils dans les oreilles. Le regard transparent des bêtes. Tous attendent quelque chose de Marie. Mais quoi ? Les idées qui lui viennent à cet instant sont si obscènes et rocambolesques qu'elle en rougit. C'est d'imaginer ces messieurs en ligne, le pantalon baissé, comme elle l'a vu une fois à la caserne. Un soir qui avait sagement commencé par une simple partie de cartes et où, à un certain moment de la partie où tout le monde était saoul, les aides en cuisine avaient élu Hans pour qu'il fasse office de *bouche officielle,* dans un pur esprit de solidarité militaire. Une file de six ou sept hommes tout de même. Le pauvre

Hans, à genoux, les bras réunis sur le torse tel un communiant devant la sainte table, en épongeant les derniers soldats de la file en avait les lèvres gercées, et le pire, sans doute, c'est qu'il semblait en redemander.

Marie rougit, s'en veut de laisser naître dans son esprit une chose si incongrue et diabolique, et baisse la tête, parce qu'il lui vient aussi à l'idée qu'en imaginant cela, ces sales cochons de l'ombre liront dans ses pensées et qu'elle ne pourra s'en prendre qu'à elle-même s'ils utilisent sa bouche comme *vide-couilles*.

Elle se dit qu'elle est juste une mouche, une mouche. Et qu'une mouche ne pense pas.

Marie n'est pas tout à fait concentrée lors de la répétition du dernier banquet officiel. On lui demande de chanter, alors elle chante. Et comme elle chante faux, on lui demande de recommencer. « Les répétitions sont faites pour ça », dit Hans. Soit on fait bien les choses, soit on ne les fait pas. C'est d'autant plus regrettable pour l'enfant qu'on lui a confié un rôle important dans cette petite opérette qui s'intitule d'ailleurs : *Die kleine Fliege. L'histoire d'une mouche qui se rit de tout.* Version volontairement dérisoire du trop sérieux *Vol du bourdon* de Rimsky-Korsakov que personne ici ne saurait interpréter correctement. Une suite de saynètes distrayantes où une dizaine de soldats grimés en autruches chantent en regardant passer dans le ciel peint quelques autres déguisés en aéroplanes. Saynètes à l'issue desquelles Hans, Schmutzi et quelques autres musiciens amateurs imitent en grattant leurs instruments le son d'une mouche. Marie, vêtue d'un long tricot avec deux ailes épinglées dans le dos, doit alors faire une apparition sur scène en tournant sur elle-même. Le costume n'est pas tout à fait achevé, ni très confortable, on y ajoutera des antennes et son visage sera maquillé en bleu pour souligner les expressions de son visage.

En psalmodiant la dernière strophe de l'opérette, dans laquelle il est question de la splendeur du ciel où se dessine chaque jour le destin d'une Allemagne éternellement victorieuse, Marie devra écarquiller les yeux et il lui faudra sourire.

C'est la principale difficulté.

Pour cela, il faut être gaie, ou insouciante. Ce que n'est pas du tout l'enfant depuis cet après-midi passé dans la cave d'Hubernot où il lui a été demandé de noter et d'indiquer précisément le nom des personnes conviées à cette fête, le nom des miliciens et surtout de celui qui fera une escale entre *on ne sait où* et Berlin. *La grande huile.* C'est cet homme-là qui semblait intéresser avant tout les *Braves de l'ombre*. D'ailleurs, lorsque Marie a prononcé son nom – celui-là au moins, elle le connaît –, un incroyable silence est tombé sur la cave d'Hubernot. Les résistants n'en revenaient pas qu'un officier de cette envergure fasse une escale dans leur patelin. Leurs yeux trahissaient à la fois de l'inquiétude et du ravissement, exactement comme si, en leur livrant cette information, la gamine leur avait promis une visite au zoo, dans l'enclos des grands mammifères. Un grand mammifère qu'ils pourraient abattre en demeurant confortablement assis sur un banc. Une occasion à ne manquer sous aucun prétexte, c'est ce qu'a affirmé Serraval en serrant son poing bandé avec une grimace résolue.

— Si nous laissions passer cette occasion, nous serions des traîtres à la patrie et nous nous en voudrions éternellement.

C'est exactement ainsi qu'il a réagi, prenant d'un seul coup la posture d'un chef de guerre.

426

Marie s'en veut d'en avoir trop dit peut-être, et donc, en répétant l'opérette *Die kleine Fliege*, elle manque de légèreté. À sa manière de se mouvoir sur la scène improvisée, « elle fait plus songer à un hanneton qu'à une mouche », dit Schmutzi qui n'est pourtant pas un connaisseur en matière de ballet. En vérité, une mouche, ça virevolte, c'est vif, c'est gai ! « Elle, pas du tout », grommelle-t-il.

Pour ne pas jouer les trouble-fête, Marie met à profit les conseils prodigués par sa tante avant qu'elle ne sombre dans la démence et qui consistent donc à faire travailler ses zygomatiques de façon mécanique. En attendant des jours meilleurs, ce faux sourire fera l'affaire.

Le décor n'est pas d'une folle authenticité lui non plus : un paysage bavarois avec, de part et d'autre de la toile, des blasons qui sont peut-être les emblèmes de la légion commandée par l'invité dans ses conquêtes africaines, puisque cet illustre général pour lequel on organise un spectacle vient d'y passer, paraît-il, pas mal de temps. Dans le fond du décor peint, une grande croix gammée composée de champignons rouges et blancs tranche d'avec le vert exagérément vif des sapins. Les vaches qui broutent sur le flanc de ces monts fluorescents semblent elles-mêmes avoir subi un passage chez le coiffeur et arborent une mise en plis blond platine, leurs sabots vernis lancent des feux, certaines ont le contour des yeux fardé. Elles traînent des mamelles énormes. Tout cela est un peu vulgaire, mais ça ne fait rien.

Pour le banquet, les sentinelles du chemin de ronde ont abattu trois beaux sangliers qui sont arrivés ce matin même dans les cuisines, truffés par le plomb des mitrailleuses. Un mâle et deux femelles dont il faudra faire macérer la chair dans du vin poivré. Ils seront servis avec de la confiture de groseilles, c'est ainsi que le *visiteur* les aime, croit-on savoir.

Par souci d'honorer le pardon qui lui est accordé, Marie a tendu l'oreille aux conversations dans le camp et a pris quelques notes sur son carnet de *mots à retenir pour l'avenir*, précisant les horaires du dîner, la place qui sera attribuée à l'invité d'honneur, à quelques mètres à peine de la scène, ainsi que le service des plats, puisque tout cela est déjà décidé. En outre, elle a aussi dessiné un plan du baraquement où il allait loger avec les membres de son équipage, proche des appartements du commandant, et ramassé quelques documents dans le service radio, indiquant les horaires de l'atterrissage et du redécollage de l'avion, ainsi que les caractéristiques de l'appareil. Un Junker JU52 que l'enfant sait reconnaître entre mille à cause de son lourd fuselage lui donnant l'air de ne jamais pouvoir réellement décoller, et de son museau écrasé qui évoque plus le profil d'un bouledogue. Le vol de ces documents surtout lui a demandé du courage, et elle n'est pas certaine de ne pas avoir été remarquée lorsque, faisant semblant de passer un coup de balai et de désentortiller les câbles du radio émetteur, un télégraphiste est entré dans la pièce. Prise de court, elle a remisé son carnet dans sa poche sans doute trop rapidement pour être tout à fait naturelle, le soldat a eu une curieuse expression, c'est sûr. Enfin non, l'enfant n'est sûre de rien. Elle se persuade que ce type pensait à autre chose, qu'il avait peut-être des problèmes personnels, on en a tous.

Ces informations, Marie les communique à Matesson qui l'attend en général dans un coin tranquille de la forêt, là où ils se retrouvaient il n'y a pas si longtemps pour faire la tournée des collets ou s'entendre sur un vol de carburant. Un coin de terre siliceuse où s'épanouissent quelques bouleaux émergeant du vert sombre des fougères tel un petit coin perdu de Sibérie.

Matesson semble avoir repris de la superbe, il a meilleure mine et boite avec un peu plus de conviction. Quand Marie lui livre ces précieux renseignements, ayant pris soin de les recopier au propre et de sa plus belle écriture, en engouffrant le document dans sa poche il ne la remercie jamais. Ce qui rassure l'enfant. Ainsi, elle ne se comporte pas en *amie* ni en *alliée* ou en *collaboratrice*, elle ne trahit personne. C'est simplement le prix du pardon. Du devoir. Juste cela.

Elle se dit qu'en attendant de savoir de quel côté Dieu se trouve – celui de Pétain, de Hitler ou des Braves de l'ombre – elle rachète son âme et celle de Hans, aussi. Pauvre Hans qui boit de plus en plus, au point que l'enfant se demande s'il sera en état de jouer de son instrument le moment du banquet venu et surtout de prendre la fuite avec elle au lendemain de l'attentat, car il ne fait désormais plus aucun doute que les membres de la Cause résistante régionale ont pris la décision de ne pas laisser repartir l'illustre général – en vie, tout du moins.

Un meurtre, oui, ils vont commettre un assassinat, Marie en est certaine.

Ce qu'elle a du mal à se représenter, en revanche, c'est la façon dont ils comptent s'y prendre pour le commettre, cet attentat. Un homme armé, aussi rusé et bien déguisé soit-il, ne pourrait faire illusion à l'entrée du camp. Les sentinelles ne se contentent pas de vérifier les documents, ils posent des questions, contrôlent le numéro de plaque des véhicules. Personne n'échappe à la suspicion. Lorsque Matesson se présente avec sa charrette, ils la lui font intégralement vider pour s'assurer que rien ni personne n'est dissimulé sous les bûches. Ils le fouillent, jusqu'à la doublure de son bonnet, ils vérifient même les harnais de Jupiter.

Et puis, se demande Marie, s'ils le réussissent, cet attentat, qui en paiera le prix ? Les Allemands sont susceptibles depuis quelque temps. Pour un seul des leurs tué, ils fusillent une bonne dizaine d'innocents. Ces victimes, ils les prennent au hasard dans la population, jeunes, vieux, infirmes, peu importe. On retrouve, paraît-il, leurs dépouilles suspendues aux lampadaires, un écriteau autour du cou sur lequel est inscrit, en rouge et en français, le cours du marché : *un pour dix*. La formule est courte, on s'en souvient.

Lorsque Marie en parle à Matesson, il lui recommande de ne pas y penser et de se mêler de ce qui la regarde.

Alors Marie se tait et se persuade qu'il faut apprendre à faire confiance. Que ces Braves de l'ombre sauront faire preuve de courage pour commettre cet attentat. Qui sait, Hubernot ou Serraval sont-ils peut-être en train de s'entraîner au tir ? Ou à la manipulation du poignard ? Cet officier allemand, peut-être l'achèveront-ils à la lame, de leurs propres mains ? Silencieusement. En passant par les canalisations, comme elle l'a fait si souvent. Il ne faut jamais cesser de croire en l'humain.

La petite mouche répète son spectacle. Elle tournoie sur elle-même, articule de son mieux les paroles idiotes de l'opérette, sourit. L'exercice est moins ardu à présent car la table du banquet est dressée, les assiettes, posées – à l'envers, de façon à ne pas prendre la poussière –, la nappe, bien repassée. Certains couverts sont agrémentés d'une petite fleur de papier bleu turquoise qui indique la place des invités de marque. Haut gradés, chef de camp, membres de la Milice rémoise.

Ainsi, l'enfant sait à qui adresser son beau sourire fabriqué. Ça n'est pas si difficile, à vrai dire. Tout est affaire d'imagination. Elle se dit, en passant, que le métier d'artiste doit être merveilleux et qu'une fois dans les forêts du Grand Nord avec Hans, là où personne n'a jamais eu l'idée d'aller se perdre, elle tâchera de s'en souvenir. Il faudra intégrer quelques heures de spectacle hebdomadaires au règlement du nouveau pays. À défaut d'avoir un public, on jouera pour les animaux, les arbres. On disposera des pierres qui auront attendu patiemment cet instant depuis la formation du monde, pour se révéler sensibles, expressives, vivantes. Oui, dans ce nouveau territoire où elle et Hans trouveront refuge, même les pierres applaudiront. Ce sera beau, déroutant, fracassant.

Elle se persuade, en scrutant les chaises vides de la salle, qu'une fois mort ce général ne manquera à personne. Elle a entendu Schmutzi dire que cet homme est soupçonné d'avoir lui-même participé récemment à un attentat contre le Führer. Un attentat qui a lamentablement échoué, hélas. En fait de meurtre, Hitler est sourd d'une oreille, mais sa colère est indemne. C'est d'ailleurs pour cette raison que *l'hôte* se rend à Berlin si urgemment, pour s'y faire pendre par le chancelier.

Marie se dit et se redit que ce monde est un drôle de monde et qu'il suffirait de laisser partir cet individu afin qu'il meure de toute façon.

Lorsqu'elle le fait remarquer à Matesson, il lui répond que ce serait trop simple. Que cet oppresseur *doit* mourir ici, en terre de France. Que c'est une question d'honneur. De principe. Et, lorsqu'il est plus sincère, comme Matesson sait l'être parfois, il évoque une autre sorte de danger pour lui et quelques-uns de ses *amis*.

Ce danger-là est en train de débarquer sur les côtes de Normandie.

Il ne parle pas allemand, mais américain.

Matesson demande à Marie si elle sait comment se comportent les Américains ? Bien sûr, elle l'ignore. Eh bien, eux ne rigolent pas. Ils ne rigolent pas parce que ce sont des sauvages dont les principaux loisirs consistent à s'entraîner à tirer sur des bouteilles vides ou à chevaucher des taureaux dont ils nouent les testicules d'un tour de corde pour les rendre fous de douleur.

— As... as... as-tu déjà entendu par... parler du ro... rodéo, Marie ?

Non, répond Marie le plus innocemment du monde.

Et Matesson de lui répondre que si elle avait déjà assisté à un pareil spectacle, ça lui donnerait une idée de la façon dont ces gens-là vont se comporter avec les Français. Le peuple sera divisé en deux catégories : ceux qui ont œuvré pour la libération et les autres. Les *autres* – une immense majorité de la population, tout de même – n'auront même pas le temps de dire ouf qu'ils seront pendus, criblés de balles ou brûlés vifs. Tout le monde sera suspect, tout le monde !

Marie n'est pas certaine de croire Matesson, mais elle devient perméable à ses arguments lorsqu'il évoque les Indiens, les Mexicains, ou *pire* : les Noirs qui font partie de leurs troupes. Oui, *les soldats noirs*, Marie en a entendu parler par sa tante, ceux qu'elle appelait les tirailleurs sénégalais. Elle lui a effectivement raconté comment ces gens-là se comportaient sur les bateaux qui les transportaient depuis l'Afrique jusqu'à Verdun. Certains, paraît-il, ne savaient même pas à quoi servaient les latrines ou les pots de chambre. Ils faisaient leurs besoins à côté.

Matesson n'a pas besoin d'en rajouter, il voit que Marie a compris.

— Tu... tu... vois ce que je veux dire, ma petite ?

Oui, Marie l'a bien compris, ça ne lui dit toujours pas de quelle façon les Braves de l'ombre vont s'y prendre pour le commettre, cet attentat, mais elle en a bien saisi l'utilité.

Dans la liste des victimes potentielles, Matesson n'a évidemment pas compté Hans, qu'il ne connaît pas, ou qu'il a juste dû croiser en venant livrer du bois à la caserne. Pauvre Hans, Marie a beaucoup de mal à imaginer comment il s'en sortira. S'ils parviennent à fuir ensemble, il ne faudrait pas qu'ils soient arrêtés car Hans perdrait tous ses moyens, peut-être même qu'il s'éprendrait d'un de ces soldats aux mœurs sauvages. Au moins Marie pourra faire valoir qu'elle a contribué à la libération de son pays, un peu, juste un peu, en livrant des informations cruciales aux résistants, et affirmer que Hans est son ami, ou même *son fiancé*. Avec un peu de chance, cela amadouera les barbares américains. Au lieu d'être exécuté, Hans s'en sortira avec un bras ou une jambe en moins. On peut vivre avec un membre en moins, surtout dans leur prochaine patrie où il faudra de toute façon tout réenvisager. Dans le pire des cas, Hans pourra se contenter de faire la cuisine tandis qu'elle se chargera de tâches plus lourdes, comme le labour ou l'abattage des arbres.

Il y a des moments où il faut savoir dépasser les préjugés. On vit très bien avec un handicapé.

Cette bûche longue d'une trentaine de centimètres, l'enfant se doute bien qu'elle n'est pas
ordinaire. Peut-être parce qu'elle est taillée trop
soigneusement. En général, la fibre du bois coupé
est rugueuse, les arrêtes sont hérissées d'échardes
ou parfois même encore dégoulinantes de résine.
Mais cette bûche-là est sèche, lisse, façonnée.
L'écorce qui la recouvre paraît même avoir été
collée et cirée, à la façon d'un objet d'étude. Dans
une minuscule anfractuosité, on croit apercevoir
une chenille, mais il semble qu'il s'agisse d'un
simple lacet de fibre tressée. Pour le reste, elle
ne diffère pas beaucoup de celles entassées à
l'arrière de la charrette ou en piles dans la futaie
de bouleaux où Matesson a donné rendez-vous à
la gamine.

Lorsque Matesson l'invite à soupeser le cylindre
de bois, alors là, c'est tout à fait net, il fait au
moins le double du poids d'une bûche normale.
S'il s'agissait de bois de chêne ou de noyer, ça
pourrait faire illusion, mais là, vraiment pas.

C'est ce que dit Marie :

— Euh… elle est très lourde cette bûche,
Matesson.

Et Matesson de sourire, fier de lui-même. Cette bûche, c'est son idée, son chef-d'œuvre. Elle contient une bombe, enfin, un genre de bombe, qu'il a élaborée avec la poudre contenue dans les balles des mitrailleuses subtilisées sur les tours de guet. Ce qui pèse lourd, ça n'est pas la poudre bien sûr, qui est aussi volatile que la suie. Non, ce qui alourdit cette bûche, ce sont tous les clous qu'elle contient. Des clous rouillés, tordus, qui seront propulsés dans l'espace du banquet, devenant ainsi bien plus utiles pour l'humanité à ce moment de l'Histoire que les clous neufs dont on se sert pour assembler les charpentes.

— Cette... cette... bûche, c'est... la libération, Marie. Ça va faire un sacré beau... beau... feu d'artifice.

L'enfant ne sait pas que penser de l'objet. Elle se dit que Matesson n'est sans doute pas tout à fait l'idiot que tout le monde croit. Autrefois, lorsqu'il enseignait les sciences naturelles, avant Verdun et bien avant de rencontrer Toinette, peut-être confectionnait-il déjà des objets similaires, comportant plein de détails à partir desquels expliquer à ses élèves le fonctionnement organique d'une sauterelle ou d'une étoile de mer ? La mèche surtout, imitant une chenille dans son cocon, lui semble particulièrement réussie. Oui, à bien y réfléchir, c'est un objet parfait.

— Et qu'est-ce que tu comptes en faire ? demande naïvement Marie en reposant la bûche dans la charrette de Matesson.

— Moi... ri... rien... Je la cacherai dans la... prochaine livraison de bois que je dois amener au camp... et... c'est toi, Marie, qui devras l'in... l'introduire... dans le po... poêle à bois le soir du banquet.

Marie n'est pas certaine de comprendre. C'est peut-être d'avoir trop réfléchi à la façon dont Matesson et ses comparses allaient enfin faire preuve de courage. Alors elle demande :

— Mais comment pourrais-je mettre cette bûche dans le poêle puisque je serai sur scène en train de faire un numéro ? Et après, il faudra que j'aide les gars des cuisines à débarrasser et que nous fassions encore la vaisselle... Si cette bombe explose, je serai pulvérisée moi aussi...

Mais Matesson a pensé à cela aussi. Cette bûche, il faudra lui trouver une cachette avant de la mettre dans le poêle à la fin du dîner, une fois le spectacle achevé, au moment du digestif.

Ainsi, l'explosion ne tuera que l'officier et les convives. Marie et les autres n'auront rien à craindre, absolument rien, il le promet en mettant à couper sa main percluse de cicatrices.

— Je te jure que c'est... une... une... petite bombe, une toute petite bom... bombe, Marie.

Marie se retient de partir d'un fou rire, c'est nerveux. Elle se souvient des paroles de Toinette à propos du danger de fréquenter les hommes lorsque les guerres tirent à leur fin. Cette manie qu'ils ont de vouloir prendre une place héroïque, de rêver leurs initiales fondues dans du bronze, leurs vertèbres dans un coffret au Panthéon. Elle pourrait lui demander, comme elle le faisait lorsqu'il s'agissait d'aller voler du carburant, pourquoi il lui incombe *à elle* de poser cette bombe, mais elle connaît déjà la réponse :

— Mais par... parce que... tu es la seule à pouvoir le fai... faire, Marie.

Alors, cette question, elle s'abstient de la poser. Et puis elle a bien intégré l'idée des tribunaux de la Libération. Sur ce sujet-là au moins, Matesson a été très clair. Si les Américains dressent des tribunaux, il ne fait aucun doute qu'elle, la petite bonne à tout faire de la caserne, et Toinette, la pute des sentinelles du chemin de ronde de la forêt, passeront un sale quart d'heure. Très mauvais. Toinette, surtout. Son franc-parler et son cul à toute épreuve ne lui seront d'aucune utilité.

Marie a de toute façon bien compris qu'en temps de guerre et pour tout un tas de considérations qu'il est difficile d'expliquer, si les femmes et les enfants paient en dernier, ils le paient d'autant plus cher.

Marie tente encore d'argumenter, une dernière fois, sans trop d'espoir, faisant valoir qu'elle a commis pas mal de choses dont elle a honte, certes – et elle s'en excuse derechef –, mais que poser une bombe, aussi ingénieuse fût-elle, est vraiment *trop* dangereux, parce qu'une bombe, contrairement au plus sot des humains, ne réfléchit pas et qu'elle emportera forcément des innocents. Mais Matesson a aussi une réponse à cela, bien ficelée, plutôt pragmatique. Cette bûche est *son* idée, juste la sienne. Il a dû en débattre longuement avec les autres membres du comité, en particulier Hubernot et Serraval qui, eux, envisageaient plutôt d'empoisonner les plats avec de la mort-aux-rats. Une solution cruelle. La strychnine cause une agonie particulièrement pénible, surtout lorsque le poison est faiblement dosé, comme ce sera le cas en ces temps de pénurie. Là encore, la gamine aurait été la mieux placée pour assaisonner les plats de quelques petits grains ou y verser un peu de pâte Steiner, ce produit dont l'efficacité vantée sur les plaques d'émail aux murs des drogueries et bazars n'est plus à prouver. Les rats les plus futés se font même avoir, personne ne survit à ça. Le corps devient comme une éponge de sang, il vous en sort de partout, la température passe en un temps record en dessous des trente-cinq degrés, vous devenez témoin de votre propre agonie. Vous avez la chair de poule, et puis ce sont les os qui deviennent froids. Dans le miroir vous remarquez que vous bleuissez. Ecume rose autour de la bouche, nausée, vomissements, et puis le sang se met à sortir de vous par tous les orifices, oreilles, anus. Un spectacle digne des machines du château de Marly. Cinq litres de sang, c'est à peu près tout ce que contient un humain, et il faut voir comme ça file vite quand ce corps a décidé de s'en débarrasser. Si on veut gagner du temps, il faut s'allonger et lever les pieds, de façon que le cerveau reste irrigué jusqu'au bout, mais *jusqu'au bout* ne dépasse rarement quelques heures. Un phénomène ignoble, atroce.

Matesson explique à Marie qu'il a dû beaucoup insister auprès de ses amis pour faire valoir que son idée de bûche fourrée aux clous est bien la plus « propre ». D'une certaine façon la plus virile et la plus éthique, militairement parlant. Cela a donné lieu à des discussions, houleuses, comme presque toujours lorsque les hommes prennent des décisions importantes. Matesson, d'ordinaire plutôt réservé à cause de ses bégaiements, n'a pas cédé, il a même un peu haussé le ton, prenant le risque de se faire des ennemis dans son propre camp.

— Et toi ? Tu... tu... aurais préféré mettre de... de la mort-aux-rats dans les plats, Marie ?

Marie ne sait que répondre.

Elle ne parvient pas à dormir, à cause du grésillement de l'émetteur radio dans la pièce voisine. Il y a quelques jours encore, ce bruit la berçait, l'instruisait, mais c'est fini, tout ça. La guerre se rapproche d'elle. La fête aura lieu ce soir. La bûche a été livrée, elle est sous son lit, recouverte d'un torchon, dans la caisse de Paillassonne. L'animal semble s'y être habitué, sa portée de chatons aussi, qui se sont logés dans l'espace laissé vacant par l'encombrant cylindre de bois. D'une certaine façon, les petites bestioles forment un coussin antichoc pour la bombe. C'est ainsi, dans la caisse de son chat, qu'au lever du jour Marie l'emportera en cuisine pour la dissimuler ensuite dans un lieu secret en attendant le moment de l'introduire dans le poêle du mess. Marie ne dort pas. Elle s'est relevée plusieurs fois pour contempler l'objet, le prendre dans ses mains pour en évaluer la dangerosité en se référant à son poids. Elle a même tenté de déboîter l'ingénieux clapet de fermeture du dispositif afin d'y glisser ses doigts pour tâcher d'extraire une partie de la charge de clous et de poudre. Faire en sorte que cette bombe soit encore plus *petite* et plus propre, pour reprendre les termes de Matesson. Mais elle y a finalement renoncé, car si la bombe, au lieu de tuer l'officier et ses sbires, ne faisait que l'assourdir ou l'estropier, il y a fort à parier que les représailles sur la population civile n'en seraient pas amoindries. Au contraire, un homme qui a échappé de peu à la mort n'en est que plus cruel. En cela, l'humanité est un phénomène paradoxal. Marie se sent mal, terriblement oppressée. Elle pourrait en cet instant aller raconter tout cela à Hans. Jouer avec lui au jeu de la franchise, réfléchir à une traduction correcte du très fameux dicton français « Faute avouée est à moitié pardonnée ». Mais elle le connaît, il en ferait immédiatement part à Schmutzi qui alerterait à son tour le commandant du camp. Marie devrait alors déballer son histoire à la Gestapo et Matesson serait exécuté sur-le-champ. Marie se fout de Matesson dont elle pense qu'il ne mérite pas mieux que d'être passé par les armes et, plus que lui, ses ordures de comparses qui n'auraient pas hésité à empoisonner toute la caserne, elle y compris.

Mais elle songe à Toinette. Si l'attentat réussit, Matesson, en tant que *concepteur de la bombe*, sera alors promu au rang de héros, et Toinette sera *l'épouse du héros*. Si l'attentat échoue, elle sera juste la veuve d'un homme mort pour la France et ça lui fera une belle jambe. Marie n'a aucune difficulté à imaginer ce moment où l'on viendra remettre à Toinette, posée sur un coussin, une croix de guerre ou quelque chose de ce genre et ce qu'elle en fera, de cette médaille.

Marie sourit, c'est déjà ça.

Matesson ne se trouve pas dans la forêt, là où ils se donnent rendez-vous d'ordinaire. Il n'y est pas parce qu'il n'était pas convenu qu'ils s'y retrouvent.

Marie a été prise d'un doute ce matin, très tôt, au réveil. Au moment d'aller porter la bombe pour la dissimuler dans un recoin du mess, là où elle est bien certaine qu'à part elle, personne ne la trouvera. Un endroit où elle cachait, il n'y a pas si longtemps encore, les déchets ramassés dans les plats. Un contrefort sous une fenêtre, à quelques mètres du poêle. Elle a subitement perdu confiance et éprouvé la nécessité d'entendre Matesson lui servir des arguments plus solides. N'importe quel boniment ferait l'affaire, même la mauvaise foi. L'histoire de la pâte Steiner et de la lente agonie provoquée par l'hémorragie interne, ou même celle des barbares américains par exemple, lui ont plu. Même si elle n'y a pas vraiment cru, ça l'a motivée, remontée, mais l'effet n'a pas duré. Marie a éprouvé le besoin impérieux de l'entendre lui raconter une nouvelle histoire, se laisser galvaniser par une autre fable, et comme Matesson ne se trouve pas ce matin-là dans la clairière des bouleaux, l'endroit des grands arbres remarquables à leur écorce blanche et scarifiée de noir, elle commet l'erreur d'aller fureter du côté de Grandchamp.

Matesson n'y est pas non plus, contrairement à Toinette qui sort de la maison et aperçoit Marie, qui détale, consciente d'avoir commis une faute grave en venant ici, mais Toinette la rattrape.

— Il faut que je te parle, Marie. Je sais que tu manigances quelque chose avec Matesson. Je le sens, je le vois, et il faut que tu me dises ce que c'est...

Marie se dérobe à son étreinte et tente de poursuivre son chemin, persuadée que si elle ralentit là, elle est fichue. Toinette est attifée d'un drôle de manteau, en fourrure noire, pelée, maladive, de la peau de chèvre peut-être bien, donnant l'impression qu'elle est vêtue d'un pubis. Une chose encore perturbe la gamine quand Toinette s'approche d'elle, c'est qu'elle a eu du mal à la reconnaître. Elle ne l'a jamais vue aussi usée. Mais peut-être était-elle déjà vieille autrefois et elle ne s'en était pas rendu compte. Il y a l'absence de fard, mais aussi la peur. C'est fou comme la peur ne lui va pas au teint. En marchant à côté de Marie, de sa voix essoufflée, la femme lui répète qu'elle sent venir des problèmes graves, très graves, que Matesson est un type influençable et qu'en cas de misères il paiera pour tout le monde à la fin de la guerre. Comme si, encore une fois, Matesson était un enfant ou même, moins qu'un enfant, un bon vieux chien. Ce qu'il n'est pas.

— Allez, Marie... Si tu sais quelque chose, dis-le-moi !

Marie hésite à la prendre dans ses bras pour la rassurer, lui murmurer de faire confiance pour une fois à son homme, mais cela ne serait pas sincère et ne produirait rien de bénéfique pour elle-même. Au contraire, toute la peur de cette femme passerait en elle, rapide comme la foudre. Marie s'en trouverait déchargée, exsangue, calcinée. Et puis, pour tout dire – et c'est le plus embêtant –, Marie a l'impression que si elle était membre d'un tribunal militaire et devait la juger pour immoralité ou hypocrisie, elle condamnerait immédiatement Toinette. Cette pensée-là, surtout, déroute l'enfant qui se met à courir. Elle court, elle court, aussi vite que ses jeunes jambes le lui permettent, pour rattraper le temps perdu de cette conversation, ne plus penser ni se souvenir, aller de l'avant, n'être rien d'autre qu'une bombe à retardement.

Elle entend la voix de Toinette, loin derrière elle :

— Marie, je t'en supplie, ne joue pas le jeu des hommes. Souviens-toi qu'ils deviennent des crapules quand les choses tournent mal... et que c'est nous qui paierons à la fin de la guerre. Seulement nous. Toujours ! Toujours ! Tu m'entends ?

Et le paysage aspire cette voix.

Le spectacle vient de s'achever, les convives ont beaucoup ri. Vraiment. Surtout quand Marie, déguisée en mouche, ne s'est pas souvenue des paroles de la chanson. La dernière strophe surtout, là où il était question de la grande Allemagne victorieuse. En guise de discours, elle s'est mise à bégayer, longuement, et pour finir elle a trébuché en quittant la scène, du mauvais côté. C'était faux, maladroit et comique au point que l'assemblée s'est levée pour applaudir en frappant du pied.

Marie n'avait jamais entendu une chose pareille, plus effrayante encore que le bruit de l'orage et des tambours. *Le bruit des bottes.* La salle en a vibré, l'air s'emplissant de toute la poussière accumulée dans les rainures des planchers, brassée par les hurlements et les postillons de tous ces messieurs ravis. C'est incroyable comme les gens paraissent fous lorsqu'ils rient. Pour certains, leur bouche était encore toute sale de la viande de sanglier, carminée par le vin, pleine de pâte à fromage et de pâtisserie. Toute cette saleté qui criait *bravo, bravo !* jusqu'à en perdre haleine.

Marie en est restée estomaquée. C'est d'ailleurs à cet instant qu'elle a décidé de mettre la bûche dans le poêle, discrètement, le plus naturellement du monde. Bien plus facilement finalement qu'elle n'aurait pu l'envisager, avec l'air de veiller au confort de l'assemblée, d'être *die kleine Fliege*, la mouche, la petite boniche à tout faire, jusqu'au bout. Le temps de desservir les assiettes à dessert avec les autres et de quitter la salle du banquet, il a dû s'écouler trois minutes, plus, peut-être. Il y a une horloge au mur derrière elle, mais Marie n'a pas pris la peine de vérifier la position des aiguilles, en revenant tout à l'heure avec la desserte roulante.

Postée face au bac à vaisselle, derrière une haute pile d'assiettes qu'il va lui falloir nettoyer, elle observe le mess par la fenêtre et se demande combien de temps cette bûche va mettre pour exploser. Il est à une dizaine de mètres, ce baraquement, et Marie se dit que Matesson avait raison de lui promettre qu'elle et ses *collègues* en cuisine ne risquaient rien.

Dix mètres, c'est beaucoup, c'est énorme.

Combien de temps s'est-il écoulé depuis qu'ils ont quitté la salle ?

Elle pourrait se retourner pour interroger l'horloge mais elle craint d'attirer l'attention sur elle. Dans un instant, l'engin aura explosé, la caserne ressemblera à une fourmilière après un coup de pied et la police du camp recherchera l'auteur de l'attentat. Marie sera certainement soupçonnée. Chaque détail aura son importance. On lui demandera si elle se doutait de quelque chose, lorsqu'elle a enfourné cette bûche dans le poêle. Ce à quoi elle dira : « Non, je le jure. Sur la tête de qui vous voulez. » Peut-être même qu'elle en pleurera d'émotion. Il n'y aura pas à se forcer beaucoup. Il lui revient en mémoire la nuit

447

du bombardement lors duquel sa tante a voulu l'étrangler, et cette seule pensée lui fait venir les larmes, elle sent encore les ongles s'enfoncer dans sa gorge, le bruit de l'orage retentir dehors, son souffle s'interrompre, ses oreilles siffler. Tout cela est encore tellement vivace.

L'idéal serait qu'elle soit elle-même blessée par l'explosion, pense-t-elle, ça l'innocenterait. Marie n'exclut pas que la vitre derrière laquelle elle se trouve vole en éclats, et la blesse ou lui crève un œil, par exemple. On vit très bien avec un seul œil, surtout si l'œil perdu vous a sauvé la vie. Marie se tient bien droite derrière la vitre, écarlate, elle tremble de tout son corps. Hans et les quelques autres de la cuisine ne s'en inquiètent pas, ça doit être l'état habituel d'une jeune actrice qui vient de terminer son numéro. L'enfant, dans l'attente du souffle fatal, se demande pourquoi la mèche n'a pas fonctionné, et quel type de bois enrobe la bombe : est-ce du chêne, du noyer ou du hêtre ? Elle l'a su, elle ne s'en souvient plus. C'est important, pour pouvoir estimer la durée de combustion. Si c'est du noyer, il se passera peut-être encore quelques instants avant qu'elle n'explose, si c'est du hêtre ou du tilleul, alors c'est raté, cela signifie qu'elle s'est consumée sans qu'il se passe rien.

Peut-être y a-t-il eu juste une étincelle dans la fonte du poêle. Un souffle et puis une grosse lumière. Rien de plus.

Marie scrute le toit du baraquement, il devrait y avoir une montée de fumée blanche. Il en va ainsi de la poudre noire lorsqu'elle se consume en dehors d'un fût. Matesson lui a montré une fois dans la forêt l'effet de cette combustion : une lumière brève et intense, et de la fumée, blanche. Énormément.

Marie attend, elle regarde. Dans le mess, là-bas, elle aperçoit en ombres chinoises les officiers assis qui bavardent tranquillement en portant à leurs lèvres une coupe de champagne.

C'est beau, c'est élégant, on dirait un paravent peint par un artiste.

Tout autour d'elle, les plantons s'activent au nettoyage dans un raffut déraisonnable. À cause de Schmutzi surtout, qui s'agace de la présence de cette caisse à chats dans la cuisine. Il a failli trébucher sur une bestiole en déplaçant une pile d'assiettes.

Ce n'est d'ailleurs pas tant Paillassonne qui l'énerve que ses chatons qui gambadent un peu partout en miaulant, se chamaillant, cherchant de quoi se faire les griffes, une blatte à courser en attendant de savoir s'en prendre aux souris, ou plutôt en attendant d'apprendre à ne pas les tuer tout de suite, les étriper vivantes, lentement, les regarder se débattre, couiner, traîner derrière elles leurs entrailles. C'est ça, la vie d'un chat.

Marie se dit que Schmutzi a raison, il aurait fallu trouver le courage de noyer ces bestioles. La vie est suffisamment compliquée. Elle aurait dû le faire à leur naissance. Ne pas même leur laisser le temps de prendre ces sales couleurs de pelage qu'ils ont maintenant, les attraper lorsqu'ils n'étaient que petites choses roses et infâmes. Fermer les yeux, les fourrer dans un sac et balancer tout ça dans la Bellesme. On serait tranquille à présent.

Schmutzi continue de râler, il s'en prend à Hans, lui rappelle l'incongruité d'avoir accueilli Paillassonne dans le camp. Il lui répète qu'il n'est qu'une petite pédale sensible, il le dit en l'imitant.

Ce qui fait rire les autres, mais pas Schmutzi, qui vient de se rendre compte que l'un des chatons est passé dans le baraquement du mess pendant le service.

La honte.

Il dit cela en regardant par la fenêtre.

— *Eine Schande !*

Ce qu'il aperçoit depuis son mètre quatre-vingt-dix, Marie ne peut le voir. Il dit que l'un de ces foutus chatons est là, de l'autre côté, dans la salle du mess, et que l'invité d'honneur est en train de jouer avec.

Hans retire son tablier et dit qu'il va aller le chercher.

Hans vient de sortir de la cuisine en claquant la porte, il a balancé ses bottes et enfilé des gants blancs pour se rendre présentable, et se dirige à grands pas vers le mess.

Marie, tétanisée, lâche sa paille de fer et se précipite à son tour.

Hans est en train de parler avec l'officier qui tient le petit animal entre ses mains. C'est lui qui l'a retrouvé, il s'était réfugié sous le poêle à bois, là où il a l'habitude de vivre avec ses frères et sa mère.

— Il est mignon, dit-il.

Marie s'approche. Il règne une chaleur étouffante dans la salle qui, de surcroît, est empuantie par l'odeur des cigares que portent négligemment à leurs lèvres quelques miliciens. Curieuse odeur que celle des cigares, mélange d'urine et de crotte calcinée. L'odeur du luxe, de la vulgarité, surtout lorsqu'elle est mêlée à celle des parfums de savonnette bon marché et aux relents acides de champagne. Elle jette un coup d'œil en direction du poêle qui vrombit et par la fenêtre encrassée duquel elle observe que la bûche n'a pas encore été consumée. Elle est noircie, un peu entamée en surface par des vermisseaux de braise qui dansent et rongent le bois. La mèche semble intacte, le mécanisme de mise à feu de l'engin n'est donc pas engagé.

Marie, avec l'alibi de desservir quelques bouteilles en ayant pris la peine d'en vider les dernières gouttes dans les coupes qui se tendent à elle, s'approche de Hans qui est en train de raconter à l'officier, en y mettant les formes, comment il a recueilli la mère de ce petit il y a quelques mois, un pauvre chat pris dans les barbelés.

L'officier, qui semble touché par son récit, se tourne vers Marie qui s'approche avec crainte. La petite est en nage. Elle porte toujours son masque de mouche sur la tête, et les ailes qu'elle n'a pas pris la peine de retirer en quittant la cuisine dépassent de sa blouse. Elle porte trois bouteilles vides sous son bras.

Elle voudrait signifier discrètement à Hans de revenir en cuisine. Elle pourrait faire valoir que l'intendant Schmutzi s'impatiente, qu'il reste là-bas, de l'autre côté, pas mal de vaisselle à dégraisser, mais ce serait déplacé. Elle le sent. Face à l'officier, elle mesure à quel point l'autorité de Schmutzi est dérisoire. Ce général n'est pas pressé, il continue de caresser le chaton en jetant des regards affectueux à Hans qui en rougit.

Aucun doute sur le fait que Hans a tapé dans l'œil du général qui continue de le questionner sur ses origines et son parcours. Tout en caressant le chaton. Drôle d'individu d'ailleurs, que ce général. De la scène, tout à l'heure, Marie ne distinguait de lui que cette façon de porter son costume, pleine de rigueur, d'attention à lui-même. Cette casquette qu'il a conservée sur la tête ne laisse rien deviner de la forme de son crâne, peut-être est-il haut et aplati tel ce couvre-chef dont la visière sombre forme une gouttière en surplomb de son nez, qu'il a bien droit. Marie se demande de quelle matière est faite cette visière, l'idée lui vient qu'elle est peut-être en verre, aussi sombre et opaque que celui que l'on trouve sur les rives de la Bellesme.

Une matière qui n'est pas celle, par exemple, dont on compose les verres de lunettes. Non, ce verre-là, au contraire, est fondu pour ne pas laisser transparaître la lumière ni les émotions. Sombre, terriblement sombre. Il est inquiétant, cet homme. Il porte sur son torse une grande variété d'insignes, dorures, argenteries et coupons brodés, résumant l'histoire d'une guerre, quelques victoires, probablement. Il y a surtout cette façon qu'il a de caresser la tête du chaton, de ses longues mains blanches, manucurées, impeccables. Le petit félin se laisse faire, mieux encore, il apprécie d'être dans ces mains-là au point de s'assoupir. Et son ronronnement se confond avec le souffle vrombissant du poêle, par la vitre duquel, sous l'épaisse couche de suie, Marie voit luire une flamme. Le feu reprend, péniblement. Il s'était mis en veille, il renaît. La mèche fuse et crépite. Matesson serait ravi d'observer que cette bombe est parfaitement réussie. Mais Matesson n'est pas là, et personne dans l'assemblée des cochons en uniformes ne se doute de l'incroyable feu d'artifice à venir. La bombe, finalement, se dit Marie, la *véritable* bombe, ça n'est pas la bûche, ni son contenu de clous, mais le cylindre de fonte du fourneau. Une fonte épaisse d'au moins deux centimètres, rivetée, renforcée, avec tous ses rajouts de charnières, de trappes, de clapets. C'est tout cela qui va se fragmenter et voler dans la pièce. Aussi violemment qu'un obus largué depuis un bombardier dans la nuit, mais en plus précis, évidemment, puisque l'obus est posé là où il faut, immobile, au garde-à-vous, à la verticale. Au centre du mess, tel le majordome de la mort. Et il souffle et crépite, ce fourneau. Marie se dit qu'il serait encore temps d'ouvrir la lucarne et de s'emparer de la bûche pour la jeter au-dehors, mais elle prendrait le risque d'y laisser ses mains. L'engin exploserait à l'extérieur. Mauvais pétard. Les festivités tourneraient court, elle passerait un sale quart d'heure et Matesson plus encore, dont personne ne douterait alors que cette bûche faisait partie de sa cargaison de bois. Toinette aurait eu raison, une fois encore, le con de service, ce serait lui.

Hans, les yeux brillants, littéralement hypnotisé par son interlocuteur, ignore totalement Marie qui se met alors à grimacer, faisant bouger ses sourcils, son front et ses oreilles, conformément au langage qu'ils ont inventé et qu'eux seuls connaissent. Normalement. *Le jargon secret des sourds et des pierres*. Mais Hans feint de l'ignorer. D'un seul coup, les pitreries, ça n'est plus son affaire, il y a des moments comme ça dans la vie où il faut savoir être adulte, voilà ce qu'il semble exprimer en s'efforçant de ne pas croiser le regard de la gamine.

Alors, prise de panique, elle le tire par la manche, timidement d'abord, puis brutalement, en criant qu'il leur faut foutre le camp.

— *Wir müssen abhauen !*

Ce qui fait beaucoup rire l'assemblée. À cause de l'accent, surtout. La pauvre gamine n'imagine pas à quel point elle parle mal, parce qu'elle fait des liaisons entre les mots et place l'accent tonique de façon inopportune. Pour eux, il ne fait aucun doute que cette intrusion de Marie est la suite de son numéro. Le tout dernier acte, le dénouement heureux et tragi-comique, puisque, oui, tout cela est follement drôle. Tous les invités portent un toast à la comédienne, puis reposent leurs coupes d'un seul geste et applaudissent de nouveau, en frappant du pied. Ils en redemandent. La folie du monde résonne à nouveau. Une étoile est née.

Ils entonnent en chœur « *Kleine Fliege, kleine Fliege, kleine Fliege !* » d'une façon qui semble constituer les premières notes d'une valse, d'une marche endiablée.

Hans, au summum de la gêne, repousse sèchement la gamine, lui intimant l'ordre, à voix basse, de retourner derrière ses casseroles, d'où elle n'aurait pas dû bouger.

Marie le regarde, longuement. Elle relâche la manche de Hans, recule d'un pas, puis d'un autre, réalisant à cet instant qu'elle ne sera jamais sa petite sœur ni même son animal de compagnie, et que le *continent des hommes sourds* n'était qu'une chimère.

Une déflagration retentit au loin, trois fois rien. Un souffle, une vibration. Depuis les broussailles où elle s'est réfugiée, l'enfant voit les flammes s'élever au-dessus du mess. Elle ne distingue que des ombres, peut-être celles de Schmutzi ou de Hans. Parmi ces fourmis, certaines se tordent au sol en hurlant de douleur. Mais leurs cris sont couverts par le long mugissement de la sirène. Et déjà, des équipes de soldats s'affairent à éteindre l'incendie tandis que d'autres, armés de mitraillettes, enfourchent leurs motos et quittent le camp pour mener sans doute leur enquête et se livrer à quelques actes de justice désordonnés parmi la population.

Marie, affolée, court dans la forêt, elle ne sent rien des branches qui fouettent son visage et agrippent ses vêtements. Elle retourne à la clairière des bouleaux, là où Matesson empile d'habitude son bois. Il n'est pas là, les Allemands, eux, si, qui l'appellent : « Matesson ! Matesson ! », et cherchent avec leurs jumelles dans la perspective des arbres si, par hasard, l'infirme ne s'y serait pas réfugié. Marie se cache à nouveau, elle attend.

Lorsqu'elle parvient à la clairière de Grandchamp, il règne un calme extraordinaire autour de la maison. Toinette est allongée sur le corps de Matesson. Les Allemands viennent de repartir, l'homme a eu son compte. Il gît dans la sciure, un filet rouge s'étale et se fige dans la poussière de bois y dessinant, telle l'encre sur un buvard, les contours maladroits d'un pays dont les frontières semblent s'établir timidement. Le visage du mort affiche une expression de surprise inhabituelle. Ses yeux écarquillés changent progressivement de couleur, de gris ils deviennent violets, puis verts, et enfin bleus. Mais peut-être est-ce juste la couleur du ciel, conclut Marie, car celui-ci, justement, vient de s'éclaircir. Il se met à faire bon, subitement, l'hiver tire à sa fin. Le plus curieux, c'est ce bonnet qui est demeuré sur la tête de Matesson, Marie se demande si par hasard ce couvre-chef tissé dans une laine épaisse et qui dissimule sa plaie n'était pas retenu autour de son front par un élastique. La détonation aurait dû le faire tomber, lui aussi. Matesson, de son vivant, devait avoir trouvé une astuce afin que ce bonnet reste en place lorsqu'il bégayait, que son corps était agité de soubresauts. Matesson était à sa manière un inventeur de petites choses. Là où il va, si le paradis des simples existe, il trouvera les moyens de s'y rendre utile. Il y réparera les échelles, graissera les gonds de la lourde serrure de saint Pierre. Ce sera le gentil gars auquel on demande des services occasionnels. Peut-être même retrouvera-t-il l'amitié d'un animal, un bon cheval comme Jupiter qui a eu l'intelligence, lui, de s'enfuir au galop aux premiers coups de feu et dont Marie aperçoit la silhouette grise errer dans l'ombre du bois. C'est, en gros, les seules pensées qui viennent à l'enfant.

Il aurait été sans doute bienvenu qu'elle trouve quelque chose à exprimer à Toinette, quelque chose qui ressemble à des condoléances.

Mais Marie ne sait que dire. Et Toinette ne lui demande rien.

Gaston est assis un peu plus loin sur le tas de bûches que son père était en train d'empiler lorsque la Gestapo a déboulé. Sans mot dire, lui non plus, il regarde le bout de ses pieds dessiner dans la sciure deux sphères reliées par une boucle, un huit en somme, le temps peut passer. Tant que sa mère n'exprimera pas sa détresse, il n'y aura aucune urgence pour lui à être malheureux.

Et Marie se dit que c'est bien ainsi.

Une cabane faite de branches de noisetier, ronde, haute et pointue comme un sein retourné. Marie et Toinette finissent d'en assembler l'extrémité avec des tiges de clématites et de tamier. De la fumée s'échappe par le haut, opposant ses particules de poussière rousse à la froide lumière du matin. Un peu plus loin, dans l'obscurité de la forêt, d'autres branches sont dressées, en treillis celles-ci, et sur lesquelles du linge est étendu. Les vêtements de Toinette, un tablier gris, des bas, quelques torchons dont les échancrures bordées de boutons de nacre laissent penser à des chemises, et ceux de Marie, son absurde costume de mouche dont elles ont détaché les ailes.

Les deux femmes ont trouvé refuge ici, avec Gaston. Le lieu de ce campement n'a pas été choisi au hasard, il s'agit des ruines de l'ancien fort, là où Matesson un jour avait menacé Marie de l'enterrer vivante. Personne ne viendra ici, le reste de la forêt est inondé. Personne ne sait exactement pourquoi. Un matin, elles se sont réveillées et le sol d'humus était devenu un miroir qui, en reflétant les arbres, doublait leur hauteur. Oui, la forêt semble n'être plus qu'une infinitude de traits, vibrant au passage du vent.

Toinette a expliqué à Marie qu'il s'agissait certainement de résurgences de l'eau de la Bellesme, comme Matesson le lui avait dit il y a longtemps.

Toinette parle peu, mais lorsqu'elle le fait, c'est souvent pour se remémorer des paroles de son homme. Elle ne pleure jamais, ou alors en cachette, dans tous les cas ses joues demeurent sèches. Marie voudrait lui demander pardon, mais elle s'abstient, car Toinette lui répondrait que cela ne sert à rien. Et elle aurait raison.

Avec l'eau, de nouvelles espèces d'animaux sont apparues dans les sous-bois, des oiseaux surtout, et tout un tas d'autres, plus petites, dont ils se repaissent, comme les grenouilles, par exemple, que Marie met un temps fou à capturer. Elle se sert pour cela d'un fil au bout duquel est accroché un asticot de laine.

De temps en temps, Marie confie cette canne improvisée à Gaston, pour garder les mains libres, s'avancer pieds nus dans l'eau et s'emparer du batracien qu'elle emprisonne en riant dans le tissu de sa robe. L'animal se débat, obligeant Marie à plonger la tête la première dans l'étang pour s'en ressaisir.

Afin de ne pas attirer l'attention, on fait cuire ces magnifiques grenouilles à la nuit tombée dans un four en terre. Un four comme les Bédouins en conçoivent dans le désert et dont la forme évoque un fortin, une tour tronquée. Marie avait vu ça dans l'album photo d'Anne-Angèle. Par des entailles sur ses parois, on aperçoit le feu qui frémit, vaguement, comme autant d'indigentes étoiles. Une fois le dîner achevé, le four chauffe encore pendant une partie de la nuit. On se blottit alors contre les parois tièdes afin de dormir quelques heures. La nuit passe bien, ainsi. Peu avant l'aube, pour échapper à la rosée, il faut rejoindre le tipi de branches. Et lorsqu'il pleut ou qu'un bruit suspect se fait entendre, moteur de voiture ou d'avion, il faut en sortir précipitamment et se réfugier dans un creux où l'on peut se tenir à trois, debout, avec un chapeau de feuilles cousues les unes aux autres que l'on rabat pour se fondre complètement dans la végétation.

Il arrive qu'un providentiel hérisson passe sur ce chapeau improvisé et se laisse piéger. On le prépare alors avec de l'ail sauvage, à ne surtout pas confondre avec le muguet, fleurissant à profusion en ce printemps, et qui est un poison. Le petit animal est cuit dans une croûte dont l'argile, en rosissant, indique qu'il est à point. Lorsque l'on casse cette coque brûlante les piquants restent prisonniers de la poterie. La chair est tendre et c'est bon.

Alors qu'elle relève ses pièges, un matin, Marie remarque des empreintes de pattes à trois doigts. En les suivant, elle découvre qu'il s'agit d'une poule, perdue dans la forêt elle aussi. Une belle et grosse poule grise comme un feu éteint.

Marie et Toinette se demandent s'il faut y voir un signe.

— Si cette poule se promène seule, cela veut peut-être dire que tous les paysans des environs ont été tués... Les Allemands ont peut-être finalement gagné la guerre ? Il faudrait que l'on trouve le courage de sortir de cette forêt pour vérifier Marie, tu ne crois pas ?

Et Marie n'a pas de réponse à cela. Elle n'ose pas dire à Toinette qu'il y a peu, elle est retournée dans la maison de Grandchamp afin d'y récupérer d'autres affaires, des casseroles, des couvertures et la précieuse toile cirée, surtout, pour se protéger de la fraîcheur du sol. Le corps de Matesson n'était plus là. Ou peut-être était-il seulement recouvert de chaux, laquelle se confondait avec la sciure de son tas de bois, Marie n'a pas su. Elle n'a pas vraiment pris le temps de regarder. Des gens étaient passés dans la maison pour y inscrire des insultes sur les murs et Marie, en récupérant une assiette dans le grand placard de la cuisine, a constaté que quelqu'un y avait fait ses besoins.

Elle songe aux Américains, aux Noirs. Elle se dit que les Américains ont certainement débarqué, que les anciens esclaves se sont peut-être vengés sur les paysans qui ne méritaient après tout rien d'autre que d'être tués, mais l'enfant n'en souffle mot à Toinette pour ne pas l'effrayer. Toinette ne parle jamais des Américains. Elle ne prononce jamais le mot.

Parfois, elle saisit une feuille dont elle défait les veinules avec l'air pensif, rêveur, même. Elle se remémore son passé, ses jeunes années parisiennes, affirme qu'elles resteront les plus belles de sa vie. Elle passe en revue des noms dont elle dit qu'ils furent ceux de ses premiers clients et puis aussi de policiers qui l'aimaient bien. Elle dit qu'en y réfléchissant elle avait le monde à ses pieds. Elle dit cela en refermant ses jambes, à la manière d'un étau. Elle poursuit, raconte la vie dans les bars, la nuit, le cabaret où elle a vu Matesson pour la première fois, tout tremblotant derrière une pile d'huîtres, avec sa tenue de marin, son béret à pompon ridicule, ce qui fait beaucoup rire Marie. Toinette raconte les premières nuits où ils se retrouvaient tous les deux dans une chambre d'hôtel, que c'était surtout des nuits à boire du vin et à fumer des cigarettes espagnoles. Que Matesson avait une façon de lui parler qui la rassurait, elle n'a jamais compris pourquoi. Grand homme qu'il était d'éprouver tant de difficultés à s'exprimer. Elle raconte aussi la fois où ils s'étaient rendus ensemble à la foire de Neuilly et où Matesson, pris de panique au moment du feu d'artifice, s'était accroupi parmi la foule, les mains sur la tête, tétanisé. Et puis il s'était évanoui. Les pompiers étaient intervenus, l'avaient évacué ainsi sur une civière, tout recroquevillé, raide comme une curiosité, une chose empaillée, une momie fossilisée de Pompéi.

Marie ne sait pas ce qu'est Pompéi.

— Ça n'est pas important, dit Toinette, ça n'existe plus.

Marie et Toinette se taisent, elles regardent tout autour d'elles.

Toinette demande à Marie si elle a peur, et Marie lui répond qu'avoir peur ne sert à rien.

Un matin, un autre matin, au sortir d'une longue nuit où des avions sont passés et où des coups de feu ont retenti, Marie et Toinette se réveillent pour constater qu'elles ont toutes les deux les cheveux blancs. Est-ce de la poussière ? Mais non, il s'agit de *la peur* justement. Gaston pleure en voyant sa mère et Marie avec leur drôle de tête. Marie surtout, qui grimace de se voir déjà vieille.

Pour le rassurer et l'amuser, Marie fabrique un chapeau à l'enfant, avec les plumes grises de la poule, celle trouvée dans la forêt, à qui l'on avait donné le nom de Clotilde, et qu'il a bien fallu se décider à manger pour ne plus jamais commettre l'erreur de s'attacher à un animal. Ainsi, Gaston, coiffé de ce duvet argenté, est ravi de se sentir être devenu vieux lui aussi.

Puisque l'on ne sait plus rien du calendrier, Marie et Toinette décident que ce jour-là sera son anniversaire, et même leur anniversaire, à tous les trois. L'anniversaire des deux petites vieilles et du tout petit vieux ! Et pour fêter cela, on confectionne un gâteau de feuilles et de terre, que l'on truffe de larves récoltées dans une fourmilière, de fleurs de sureau noir au goût d'agrume, de mauve sauvage, de reines-des-prés, quelques escargots macérés avec des fleurs de bourrache bleues, et on ajoute des morceaux de bolets bruns pour achever la confection de cette pâtisserie païenne, immangeable, indigeste et, de ce fait, parfaitement inoubliable.

Lorsque le soleil baisse, faisant vibrer dans la poussière orangée des pollens quelques somptueuses toiles d'araignée, Marie emmène Gaston dans un autre endroit, proche de la lisière du bois. Ils se couchent tous les deux sur la mousse épaisse, où se mêle le parfum des cyclamens et des acacias. Marie se déshabille, elle caresse le ventre de l'enfant et puis le sien, simultanément. Sa main sur son ventre lui fait du bien, elle sent confusément que cette partie d'elle-même ne lui mentira jamais. Qu'un jour, forcément, elle sentira d'autres mains que la sienne se poser sur elle et qu'elle n'aura même pas besoin de les voir pour savoir reconnaître les bonnes.

Main sale ou main honnête ne voudra plus rien dire.

Et c'est ainsi, par une journée comme celle-ci, merveilleuse ni plus ni moins, qu'elle entend des bruits inhabituels, portés par le vent, qui se mêlent à ceux des feuilles et au cliquetis des fourmis. Des voix qui éructent en français.

Sous un bosquet de fleurs d'épilobe, les premières à repousser sur les terres incendiées,

Marie, allongée auprès de Gaston qui dort, se dit qu'elle rêve. Ces voix, il lui semble les reconnaître. Elle regarde entre les tiges, mais ne distingue que des ombres autour de Toinette, devenue une ombre elle aussi. Un homme, dont il lui semble que c'est Bernard Trabel, quoiqu'il puisse s'agir de Célestin – avec tout ce temps qui a passé, il a dû devenir un homme lui aussi –, remue entre les jambes écartelées de Toinette, sauvagement et de façon démonstrative pour les autres qui attendent leur tour.

Toinette demeure inerte, sans doute pour ne pas attiser l'excitation des individus qui la soulèvent à présent et se la passent comme un chiffon destiné à éponger leurs mains et *le reste*. Ils jouent. Un long moment. Et puis ils la poussent dans une voiture, dont Marie inquiète, terrifiée, se demande comment elle a bien pu arriver jusque-là. Mais puisqu'elle dormait...

La voiture démarre et disparaît.

Des explosions résonnent au loin, qui ne sont pas l'écho de la guerre, mais celui de la foire. De la musique aussi, celle d'une fanfare qui se mêle à la cloche de l'église. On l'entend battre depuis deux jours, cette cloche, jusque dans la forêt. C'est ce qui a poussé Marie à en sortir.

Il fait chaud, et la route autour de laquelle s'étalent à perte de vue des champs de blé et de maïs, et qu'elle a pourtant empruntée si souvent pour rejoindre la commune de Vrimont, lui paraît si longue. C'est aussi de porter Gaston qui sourit et applaudit au passage des voitures et des chars qui klaxonnent. Certains sont couverts de fleurs et transportent des jeunes filles qui chantent aux bras de soldats qui envoient des friandises aux badauds. Les bonbons volent par essaims et leurs emballages scintillent dans le bleu du ciel avant d'aller rejoindre le bitume.

Tous ces jeunes gens crient quelque chose que Marie ne comprend pas tant ils le disent fort et passent vite.

Marie se convainc, comme elle l'a promis à Gaston, qu'ils retrouveront Toinette, sa mère,

467

aujourd'hui, et que si elle se trouve quelque part, c'est là-bas, au village, sur les lieux de la fête.

Et Gaston dit oui en regardant Marie, puisque l'enfant sait parler désormais et qu'il sourit de ses toutes premières dents.

Le village de Vrimont est en liesse. Ses toits d'ardoise luisent et pointent comme des lames fraîchement aiguisées. Les habitants y ont accroché des drapeaux, ou juste des tissus blancs, draps et chiffons, ce que l'on avait sous la main, qui battent et invitent au rassemblement. On se dit que la France entière se trouve là, avec les Américains, qui sont de toutes les couleurs. L'air fleure bon la viande de mouton et l'ail. Le vin qui coule à flots passe de verre en verre et de main en main. Marie tâche de se frayer un chemin dans ce désordre, elle n'est pas encore suffisamment grande pour être visible, pourtant voyez, elle est là. Elle murmure « pardon, pardon », afin que les gens ne lui écrasent pas les pieds, ou ne les fassent pas tomber, elle et *son enfant*. Les Français n'ont jamais été aussi beaux, ils sentent le propre et le parfum et la joie. Il y a un regain d'activité sur la place, du côté du café, c'est là que joue la fanfare et c'est donc vers les musiciens que converge la foule.

Marie, qui échappe de justesse aux roues d'un camion, remarque, assis fièrement sur le capot, quelques hommes du village. Parmi eux, Hubernot, Serraval et d'autres, en bras de chemise, comme Matesson autrefois, arborent un brassard sur lequel ont été tracées d'un coup de peinture blanche les trois initiales magiques : FFI. Ils tiennent une mitraillette ou un fusil qu'ils brandissent de temps en temps vers le ciel.

Des étonations retentissent. Marie continue de progresser vers la source de la musique, qui devient de plus en plus forte, tout comme le rire des gens qui finit par couvrir le son des instruments. Il y a du foin par terre, humide et malodorant, qu'il faut fouler pour parvenir jusqu'à un cheval que Marie reconnaît, puisqu'il s'agit de l'imperturbable Jupiter. On lui a passé un nouveau harnais, piqué de fleurs et de clous dorés qui n'entament pas son impassibilité. D'ailleurs Gaston le reconnaît lui aussi car il tend sa main vers les naseaux soyeux, sans parvenir à les toucher à cause de la foule compacte qui s'agrippe aux montants de la charrette pour la faire tanguer. Assises sur cette carriole, tout en haut d'un promontoire improvisé fait de tonneaux et de planches encordées, comme des vaisseaux pirates dans les livres d'histoire, quelques femmes tondues, méconnaissables, hagardes. Leurs crânes blancs contrastent avec leurs visages crottés sur lesquels on a tracé des insanités et des croix gammées. Parmi ces femmes se trouve Toinette, que Marie reconnaît grâce à sa blouse ou ce qu'il en reste.

Elle hurle : « Toinette ! Toinette ! Toinette ! », mais Toinette ne peut pas l'entendre car ce jour-là Marie n'est pas la seule à crier. Tout le monde crie. La charrette avance, poussée par le mouvement de la foule, qui se fait de plus en plus dense et de plus en plus brutale. Alors Marie renonce, ralentit, recule, prend le chemin inverse et se dirige vers la sortie du village. À l'opposé.

Elle se dit que cet endroit est peut-être un avant-goût du paradis, qui fait chambre commune avec l'enfer. Que Dieu, s'il existe, est un homme sans visage, un être masqué, un monstre de carnaval. Qu'il est vain, même, de lui adresser des prières.

Elle se promet de se méfier de ceux qui parlent en son nom, ou plus grave encore, prétendent se substituer à lui. De tous ces hommes, ces fous, qui se repaissent d'entendre la foule les acclamer. Marie marche, elle avance.

Gaston tente de regarder par-dessus son épaule, mais elle pose doucement une main sur les yeux innocents :

— Ne regarde pas... Nous sommes en dehors de la guerre. Il faut oublier tout ça.

FIN

Je tiens à remercier ici, à l'abri des dernières pages de ce roman, Éliane et Gérard Beaucher, qui ne sont pas représentés dans cette histoire, pour leur accueil et leur gentillesse. Et puis ma famille, mes amis et mes anges gardiens : Gabrielle Pollet-Villard, William Noël, Emma Saudin et Patrice Hoffmann.

Table des matières